LLUÍS MILLET VIST PER LLUÍS MILLET

PERE ARTIS I BENACH

LLUÍS MILLET VIST PER LLUÍS MILLET

Pròleg de Lluís M. Millet

EDITORIAL PÒRTIC/BARCELONA

Amb el suport del
SERVEI DEL LLIBRE
DEL DEPARTAMENT DE CULTURA
DE LA GENERALITAT DE CATALUNYA

i la col·laboració de
l'ORFEÓ CATALÀ

Col·lecció Memòries, núm. 27
Coberta de Vicky Vallet sobre un oli de Martí Gras
Número d'edició, 253

Primera edició, 1983

Avda. del Marquès de l'Argentera, 17 - Barcelona-3
Registre d'Editorial núm. 261
Imprès a Sidograf, S. A.
Avda. Gran Via, 11 - L'Hospitalet de Llobregat
Enquadernat a Enquadernacions/82
Dipòsit legal: B. 12.459 - 1983
ISBN: 84-7306-199-3

ALS SOCIS DE L'ORFEÓ CATALÀ

Més de noranta anys d'història densa i extensa han situat l'Orfeó Català com a entitat capdavantera en l'àmbit cultural i institucional de Catalunya.

La Junta Directiva de l'Orfeó Català ha estat sempre conscient, i ho és ara en un grau que no desdiu del d'èpoques pretèrites, de la responsabilitat concreta davant del país de mantenir viu aquest patrimoni i aquest llegat, que ultrapassa molt àmpliament l'esfera estrictament musical.

Aquesta consciència ha menat, al llarg dels temps, a l'adequació funcional i estructural de l'Entitat a les fórmules més adients a cada estadi concret, mudables per naturalesa. Però aquesta adequació ha estat exercida, sempre, en la fidelitat a l'esperit fundacional, referit, per definició, al que li infongué el mestre Lluís Millet i Pagès.

Una nova prova d'aquesta lleialtat operativa és l'obsequi a tots els socis de la biografia Lluís Millet vist per Lluís Millet, *preparada per Pere Artís, un dels homes més coneixedors de la història de la nostra institució.*

Estic convençut que aquest volum (una de les novetats més remarcables de la Festa del Llibre d'enguany) coadjuvarà a fer reviure, en uns casos, i a fer conèixer, en molts d'altres, la vida, tan exemplar, del fundador de l'Orfeó. Ho estic, també, que tots els nostres consocis veuran en la nostra ofrena la ratificació d'una fidelitat, mai no desmentida, als principis essencials que han configurat la història de l'Orfeó.

Fèlix M. Millet i Tusell
President de
l'Orfeó Català

PRÒLEG

LLUÍS MILLET VIST PER LLUÍS MILLET *és una semblança biogràfica feta de textos bàsics del protagonista, precedint els quals l'autor del llibre ha introduït explicacions històriques.*

Dos grans blocs el configuren: la producció literària de difusió pública i el gènere epistolar.

La producció literària de Lluís Millet fou aplegada, fins al límit del 1917, en el llibre d'homenatge Pel nostre ideal *que els orfeons de la nostra terra dedicaren al fundador de l'Orfeó Català. L'homenatge culminà amb un memorable concert celebrat a la plaça de Catalunya (27 de maig de 1917), després del lliurament al mestre del llibre esmentat al Saló de Sant Jordi del Palau de la Diputació, i amb la solemne presència de les autoritats catalanes. Alguns dels textos que el formen, el lector els trobarà reproduïts ací; són una ajuda preciosa per a establir amb exactitud el pensament del mestre.*

Les mostres transcrites del gènere epistolar, gairebé del tot inèdit fins avui, serveixen per a conèixer un Millet viu, vessant d'humanitat i d'amor, a vegades sobresortint del recés més íntim fins al punt d'afirmar que l'amor és l'aglutinant de l'Orfeó Català. D'ací es desprèn clarament que, en el pensament de Millet, l'Or-

feó és també una obra social i patriòtica i, a més d'una obra musical, una obra d'amor; això ha fet afirmar manta vegada, a personalitats musicals il·lustres, que en el recés de l'Orfeó havien trobat un ambient que no es manifestava a cap altre lloc. No en va Lluís Millet afirmava que els socis de l'Orfeó ho eren tant per afinitat musical com per motivacions cíviques i d'identificació en l'amor, o més.

La novetat, potser la més notable, del llibre que el lector té a les mans són aquestes mostres del gènere epistolar, les més emotives, així com alguns discursos i conferències.

Cenyit al propòsit inicial de presentar el mestre per mitjà, només, dels seus textos, aquest volum no examina, evidentment, la faceta musical de l'artista, tant del creador com de l'intèrpret; són aspectes que caldrà que hom tingui en compte en abordar exhaustivament, globalment, l'estudi de la figura ingent del fundador de l'Orfeó.

Aquell propòsit és seguit rigorosament per l'autor; el resultat és, certament, una aportació valuosa i un apropament eficaç a la *persona i a l'obra de Lluís Millet.*

No voldria acabar les meves paraules sense donar les gràcies a l'amic Pere Artís, que amb tanta traça i entusiasme ha manejat un copiosíssim material, fruit de recerques, o que hem posat a les seves mans, especialment el gènere epistolar. El seu treball és una contribució positiva a l'enaltiment i a la divulgació de la trajectòria individual de Millet i de la col·lectiva de l'Orfeó.

Lluís M. Millet
Director honorari
de l'Orfeó Català

PARAULES PRÈVIES

La coneixença generalitzada de les figures cabdals de la Catalunya moderna ha tingut una sort diversa, segons l'àmbit d'acció de cadascuna d'aquelles personalitats.

Els músics no han estat pas dels més afortunats, si hom els compara, per exemple, amb els literats —molts dels quals amb una bibliografia extensa (obres completes, biografies, estudis crítics, etc.). Aquesta situació s'agreuja, encara més, en aquells que crearen una obra que els ha sobreviscut i l'evolució històrica de la qual acaba per relegar a segon terme els esquemes inicials sobre què es recolzava. Lluís Millet n'és un exemple paradigmàtic.

Hom associa indefectiblement Lluís Millet amb l'Orfeó Català. La institució per ell fundada s'encamina ja al centenari; paral·lelament, una boirina de desconeixença desdibuixa els trets personals del fundador.

Breu: en el cas de Millet, és més conegut l'efecte que no pas la causa, l'obra que no pas el creador.

Fruit complementari de la preparació d'un extens treball d'investigació, aquest volum té una pretensió precisa: contribuir a actualitzar el coneixement d'una figura insigne. I amb un procediment molt concret, és a dir, amb els seus textos fonamentals.

Aquí entra en joc un factor generalment desconegut: Millet deixà, dispersa (tret del recull del 1917 Pel nostre ideal*), una abundant producció escrita, complementada amb un extens epistolari, bé que d'un reduït espectre d'interlocutors: bàsicament, els vinculats a l'òrbita de l'Orfeó.*

L'examen de tota aquesta producció (incomprensiblement inèdita, encara, en gran part) dóna un resultat impensat: gairebé tots els punts essencials de la vida de Millet i de la de l'Orfeó Català tenen la referència documental del protagonista, en les formulacions més diverses (cartes, articles, parlaments, conferències, discursos, al·locucions, endreces, postals, etc.).

En definitiva, la trajectòria de Millet pot ser explicada mitjançant un testimoniatge de primera mà. Això és el que l'autor ha pretès, després d'un ardu treball de localització, d'ordenació i de selecció de materials. Cal fer constar, especialment, que la tria ha estat feta donant prioritat als que aportaven el batec humà del personatge, la faceta inèdita i desconeguda.

Agrupats en epígrafs de progressió cronològica i d'afinitat temàtica, els textos milletians són emmarcats en amplis períodes temporals, amb límits imposats per inflexions profundes.

Precedint-los, hi ha exposades les línies mestres tant de l'evolució personal com de la col·lectiva, ambdues essent indissociables; hi és mencionada, també, la causa específica o la situació concreta que motivà els textos.

Una remarca és inexcusable: la transcripció en ortografia moderna dels escrits de Millet, bé que —conscientment— han estat mantingudes (especialment en els de caire epistolar) algunes formes o expressions, avui incorrectes, però pròpies del seu estil. D'altra banda, quan el caràcter ho reclama, les dites formes apareixen en cursiva.

El volum presenta, en un percentatge elevat, documents absolutament inèdits provinents, en llur majoria, de l'epistolari del mestre; hi destaquen, sobretot, mostres de la correspondència que mantingué amb Felip Pedrell, amb el seu íntim amic, Amadeu Vives, amb directius de l'Orfeó (Pasqual Boada, Joaquim Cabot, Francesc Matheu, Vicenç de Moragas i Joaquim Renart), amb els col·laboradors més immediats (Francesc Pujol, Joan Llongueras, Joan Salvat, Vicenç M. de Gibert, Joan Gibert i Camins, Montserrat Salvadó i Josep M. Garcia i Estragués), amb amics dels àmbits musical i literari (Albert Schweitzer, mossèn Lluís Romeu, pare Gregori M. Sunyol, Eduard L. Chavarri, Josep Valls i pare Jaume Garcia Estragués), i amb familiars (Margarida Millet i Lluís M. Millet). Això ha estat possible per les facilitats proporcionades pel mestre Lluís M. Millet i Millet, dipositari de gran part d'aquesta valuosíssima documentació, a qui testimonio públicament la meva gratitud.

Tant de bo aquest volum serveixi per al fi pretès i per a estimular, qui correspongui, a emprendre definitivament l'edició de les obres completes d'una figura que, perquè és estimada, mereix ésser, també, més profundament coneguda.

«... creieu, estimat Schweitzer, que jo solament sóc artista per l'amor. Jo no sóc pas un músic: jo sóc un enamorat...»

LLUÍS MILLET

ANYS DE FORMACIÓ

Lluís Millet nasqué al Masnou el 18 d'abril de l'any 1867.

La nissaga Millet es vinculà al Masnou a mitjan segle XVII, quan s'hi establí un gascó, Joan Millet de Fita (originari de Belbèze, al comtat de Comenges, a l'Alta Garona). El 1644 contragué matrimoni amb Isabel Elies, a Teià. Els successors expandiren el cognom per tota la costa catalana, pel País Valencià i fins i tot per Amèrica del Sud, a causa, bàsicament, de la professió de molts d'ells: la nàutica.

Després que Carles III concedís la llibertat de comerç amb Amèrica (1778), la costa catalana fou un focus comercial important; el Masnou s'hi distingí com a centre d'on sortien vaixells devers les Antilles i Amèrica del Sud, a més de fer les rutes de la Mediterrània.

Salvador Millet, descendent d'aquell obscur pescador occità i pare del fundador de l'Orfeó Català, fou capità d'un vaixell de vela, «La Araucana», pertanyent a la flota del valencià Josep Campo (1817-1889), que arribà a tenir-ne més de vint-i-cinc al servei de les colònies d'Amèrica i de Filipines.

De Salvador Millet i Francesca Pagès, ambdós del

Masnou, nasqueren set fills: Salvador i Josep (també mariners), Francesc i Joan (comerciants de teixits), Gabriel i Jeroni (morts en la joventut i en la infantesa, respectivament) i Lluís.

L'ofici patern (amb les llargues absències, a vegades d'un any sencer) marcà profundament el caràcter del futur músic, tant per l'exemple de l'enfrontament amb el risc d'una professió aspra, com per la influència subsegüent, poderosa, de la mare, mentre el progenitor era fora.

La infantesa de Millet va discórrer amb una grisor absoluta; la vida monòtona només era alterada per la tornada del cap de casa, el qual, entre viatge i viatge, restava només, com a màxim, tres mesos amb la família.

L'infant aprengué ben aviat què era l'agraïment: en arribar el pare, era obligat el romiatge a l'ermita de La Cisa en acció de gràcies a la imatge mariana pel retorn del pare a la llar. La rudesa —i, sovint, la incredulitat— dels mariners no abdicava mai d'un gest esdevingut ritual.

L'estada paterna era contrapuntada per les sovintejades anades a Barcelona a inspeccionar el vaixell, controlar-ne les inevitables reparacions i comprovar les expectatives i característiques del nou viatge; en començar-lo, Salvador Millet era acomiadat per tota la família, dalt del vaixell, fins a la bocana del port, i després, des d'una barca, mentre el veien allunyar-se lentament, mar enllà.

Les posteriors referències documentals mostren fins a quin punt Lluís Millet fou influït per l'entorn familiar: la fortitud del pare —vist cada cop més envellit—, la sol·licitud materna, la cohesió fraternal, el marc geogràfic.

I si, com hem vist, no hi ha antecedents musicals en la família, no hi ha dubte —en canvi— que l'exemple d'aquell que s'enfrontava als elements naturals havia de deixar petja en qui fóra capdavanter de multituds, captivat, també, per les melodies i les cançons d'arrel marinera, conegudes des de la infantesa.

A causa de la inseguretat derivada de la tercera guerra carlina (1872-1875), la família Millet es traslladà a Barcelona, on s'instal·là, successivament, en habitatges de la plaça de les Olles i dels carrers del Carme, Portadores, Trafalgar i Comerç.

La vocació musical de l'infant —aviat manifesta— tingué un primer expandiment a tretze anys (1880) en ingressar al Conservatori del Liceu, en la condició d'alumne del qual podia, a més, assistir a les representacions d'algunes òperes al Teatre del mateix nom.

La duresa de la vida i les estretors econòmiques, però, volgueren imposar un nou rumb a l'aprenent de músic: per designi familiar, seria comerciant. A contracor, hagué d'accedir al propòsit. Però el mateix dia que anava a iniciar-ne l'aprenentatge, en dirigir-se (acompanyat pel germà en funcions de pare) al despatx que li era destinat, l'encontre fortuït amb el mestre Eusebi Dalmau —a qui tant admirava en veure'l dirigir al Liceu— provocà una íntima revolta traduïda en la resoluda decisió de persistir en allò que era sentit com una autèntica crida. Definitivament, Millet seria músic.

Al Conservatori del Liceu tingué per mestres Miquel Font (piano) i Josep Rodoreda (harmonia i composició); la formació acadèmica que hi obtindria fóra més tard complementada amb el mestratge de dues figures essencials, Felip Pedrell i Carles G. Vidiella, i influïda pel folklorista Sebastià Farnés, que li féu néixer l'estimació pel cançoner tradicional.

Tan important, això no obstant, com aquell bagatge tècnic i aquelles intuïcions lluminoses, fou el contacte amb les figures que pesaven en l'ambient musical barceloní, i que freqüentaven can Guàrdia, l'establiment de música del passatge Bacardí on aquell espigat adolescent exercia funcions de dependent, acomplertes més endavant (1885) amb el treball a la botiga de Conrad Ferrer (gendre de Clavé) al carrer d'Escude-

llers; dos establiments en els quals els seus dots de pianista eren de gran valor a l'hora de fer sentir les partitures als presumptes compradors.

La formació musical, i la dedicació laboral, tenia una nova manifestació, a més, amb la funció de director del cor La Lira, de Sant Cugat del Vallès, entitat amb la qual, a disset anys (1883), Millet iniciava el camí que havia d'esdevenir el de la seva vida.

Aquells modestos tempteigs de professionalització eren complementats, aquesta mateixa època (1885), amb les actuacions diàries al cafè Inglès (al carrer de Ferran, en el xamfrà amb el Pas de l'Ensenyança), com a pianista i, més tard, com a membre d'un trio: Josep Badia (violí), Lluís Millet (piano), Lluís Pàmies (harmònium).

Uns anys després (1891), és al cafè Pelayo (carrer de Pelayo, en el xamfrà amb la plaça de Catalunya) on la perícia dels intèrprets provocava l'admiració dels assistents; Millet era el pianista d'un quartet integrat, amb ell, per Ernesto Cioffi (violí), Josep Soler (violoncel) i Lluís Pàmies (harmònium).

D'aquells nuclis inicials sorgiria el grup bàsic de les amistats i de les realitzacions de Millet: a can Guàrdia conegué músics com Alió, Vidiella, Albéniz o Vives, i amb els contertulians del cafè Pelayo formaria l'Orfeó Català.

El cafè Pelayo era, en aquella època, una autèntica institució barcelonina, fet al qual no era aliena la presència d'aquells músics entusiastes. A més de les penyes dels afeccionats —que ocupaven sempre les taules més properes al quartet—, altres grups constituïts atorgaven patent intel·lectual a l'establiment; cap de tan significada com la penya dels savis, *formada, entre altres, per Àngel Guimerà, Pere Aldavert, Narcís Oller, Antoni Gaudí, Lluís Domènech i Montaner, Emili Vilanova, Carles Pirozzini, Serafí Pitarra, Josep Feliu i Codina, Joaquim Rubió i Ors, etc.*

A vint anys, Millet menava una tasca múltiple, regida per dues preocupacions bàsiques: l'obtenció d'una sòlida formació musical i l'exercitació, professionalment diversa, dels coneixements.

La seva il·lusionada vocació s'adeia amb l'impuls del país, que vivia una època de forta ebullició. En l'àrea política, hom havia entrat en una nova etapa del catalanisme, protagonitzada per homes formats en entitats com el Centre Català, d'Almirall (1882), el Centre Escolar Catalanista (1886), la Lliga de Catalunya (1887), o en la lectura de La nacionalitat catalana *(1886), de Josep Narcís Roca i Ferreras.*

L'empenta cultural es concretaria amb la incorporació progressiva a l'àmbit del Modernisme, un moviment d'abast europeu, definit cap al 1880, amb connotacions particulars a cada país; el Jugendstil germànic, el Modern Styl anglès, el Stile Liberty italià o l'Art Nouveau francès, responien a un fons comú i a l'origen del qual hi havia el retorn al medievalisme i el conreu d'un cert neoromanticisme.

En complir Millet vint-i-un anys (1888), els guanys artístics en les diverses àrees —fundació de l'Associació Musical de Barcelona; Mar i cel, *de Guimerà;* restaurant de l'Exposició, *de Domènech i Montaner;* Caritat, *de Miquel Blay;* L'oda infinita, *de Maragall;* Retrat de la senyora Carbó, *de Ramon Casas, per exemplificar-los amb una única menció de cada àmbit, i precisament en l'any de referència— testimoniaven el neguit de l'hora nova.*

L'empenta vital es concretava, també, en dos fets només aparentment inconnexos: l'augment demogràfic i la celebració de l'Exposició Universal del 1888.

En aquest context cultural i social aparegué el primer escrit de Millet: Les cançons originals de l'Alió.

EL PRIMER ESCRIT

El primer escrit de Lluís Millet presenta una significació múltiple, especialment per dos motius: pel tema que hi tracta i per l'any de publicació.

És, efectivament, simptomàtic, que l'article amb què inicia la faceta d'escriptor sigui dedicat (tot glossant un volum de cançons de Francesc Alió) a la cançó catalana.

Hom hi ha de veure quelcom més que la natural simpatia envers el company entranyable, l'amistat amb el qual, forjada en la tertúlia de can Guàrdia, generaria un afecte recíproc i es traslluiria en una fecunda col·laboració.

Més que no pas això, hi ha l'exultant alegria de qui veu traduït en obres allò que el seu esperit intueix. La cançó catalana —que havia de constituir la base del seu credo estètic— donava un fruit extemporani gràcies a les subtileses d'Alió.

Després del renaixement literari, venia el renaixement musical. La recerca dels investigadors i erudits començava de donar fruits i la publicació de mostres qualificades del cançoner popular mostrava el camí de retrobament amb les arrels ancestrals. Un retrobament que s'estendria també als compositors més sensibles, les obres dels quals apareixerien impregnades d'aquell sentiment, reflex d'un tarannà genuí, al qual atribuïa el jove Millet, en part, la vàlua artística.

Tot això pren la significació justa si hom té en compte que els vint-i-un anys de l'autor coincidien amb la sacsejada de l'Exposició Universal del 1888, generadora d'una nova etapa de la vida catalana i de fructíferes conseqüències, també, en el camp artístic i en l'específicament musical coral.

Les cançons originals de l'Alió
(«Lo Catalanista», de Sabadell, núm. 64, 11 de novembre de 1888)

Quin bé ens han fet al cor les cançons de l'Alió! La literatura popular, amb quin goig l'hem vista imitada i realçada per arribar a ésser mare del gran renaixement literari de nostra terra! Prou que n'hem vist sortir, d'obres cabdals que ens han encegat i encès el cor, no sols perquè ens parlaven en català, sinó perquè ens feien sentir en català; mes, amb quina tristesa vèiem com quedava ressagada la germana bessona de la poesia, la música, tota mandrosa, estirant-se i fent badalls com si volgués deixar soleta sa companya, acontentant-se amb cantar, de tant en tant, alguna cançoneta, no sempre amb l'accent de la terra, gairebé sempre amb tonada manllevada! I això sigui dit amb perdó de l'immortal Clavé, a qui Catalunya deu molt; però una flor no fa estiu, ni dues primavera.

Mes, d'uns anys ençà, sembla que el miracle del renaixement comença a obrar amb eficàcia en el camp musical. El nou esclat de la poesia catalana ha ferit tot cor català; el músic que per base de ses aspiracions ja no havia de recórrer a la literatura estrangera, escriví amb més delit i més franquesa; però s'oblidà que el poeta havia trobat la font en els primitius elements populars i que, per tant, ell havia de fer el mateix. D'ací ve que s'ha escrit molta música amb lletra catalana, però poca música catalana.

Mes, d'un temps, en ve un altre, i la ciència del folklore havent-se estès considerablement en tots els seus rams, ens ha anat garbellant un present de cants populars catalans, tots flairosos com acabats de collir, que no han deixat de fer el seu efecte o si no, ací tenim les *Cançons* de l'Alió. Per això dèiem al començament: quin bé ens han fet al cor! Perquè no hi ha dubte que el que les fa més estimables és el sabor català que regna en la major part d'elles. Obriu el bell quadern i ja us trobareu amb un pròleg musical en forma de cançó, sobre uns versos de la *Primavera* d'en Matheu, i, tot empassant-vos-el d'un glop, direu tot seguit: «Doneu-me'n més». Sabeu per què? Senzillament, perquè és català, perquè la vera música catalana, com a legítima filla de nostra raça, és franca i senzilla (...). Últimament hem sabut que el Jurat Musical de l'Exposició de Barcelona ha concedit medalla de plata al jove compositor de qui ens ocupem, per ses *Cançons,* tot fent notar que principalment se li concedeix el premi pel sabor popular que es respira en la major part d'elles. Nosaltres felicitem l'autor per tan merescuda distinció, i fem vots perquè serveixi d'estímul a tots els compositors catalans, perquè facin música catalana, de què tan necessitats estem, i potser així farem dissabte de les macarronades de nostres salons i de les escombraries de les *Granvies* i companyia, que empesten tots els carrers i places de nostres ciutats i pobles (...).

L'ORFEÓ

DEL CARRER DE LLADÓ AL PALAU DE LA MÚSICA CATALANA

La tensió espiritual produïda per la Renaixença situava el país en plena receptivitat a finals de segle, moment en què hom pot parlar ja més d'una Catalunya renascuda que no pas d'una Catalunya renaixent.

Totes les manifestacions en curs —englobades artísticament dins la denominació genèrica de Modernisme i presidides per una voluntat d'acció política— significaven la irrupció dels homes que integrarien la nova fornada del redreçament; fóra l'hora dels Maragall, Millet, Rusiñol, Casellas, Gual, Casas, Opisso, Utrillo, Gaudí, Morera, etc., de les Festes Modernistes de Sitges, dels Quatre Gats, del Teatre Íntim, de l'«Avenç», de «Pèl & Ploma» o de «Joventut».

En el camp de la música coral, calia un detonador per a superar la rutina a què els epígons de Clavé havien menat l'obra. Només un fort temperament com el de Clavé havia pogut transcendir les contradiccions internes d'aquell moviment —amb més èmfasi en els aspectes socials que no pas en els musicals— iniciat el 1845 amb la creació de «La Aurora», i que arribaria a aglutinar milers de cantaires afiliats en múltiples societats corals, i l'exponent més brillant de les activitats del qual foren els Festivals als Jardins dels Camps Elisis o dels d'Euterpe.

A la seva mort, els cors claverians —ancorats en la fidelitat literal als postulats del fundador i sense sintonia amb la societat canviant— iniciaren una decadència gradual que tindria una manifestació visible en l'Exposició Universal del 1888, justament l'any en què era inaugurat el monument a Clavé.

L'Exposició Universal fou també un exemple de l'impuls del país que, amb l'eficàcia en l'organització del certamen, assolia una nova prova de la bondat del camí emprès. Els actes artístics i musicals que s'hi celebraren, especialment el concurs d'orfeons i de societats corals (denominació aplicada a les agrupacions segons la possessió, o no, de coneixements de solfeig dels elements que les integraven), fou el repte ofert a dos músics joves: Lluís Millet i Amadeu Vives.

El trist paper de les corporacions catalanes enfront de les entitats estrangeres i peninsulars, evidencià la necessitat radical d'uns nous plantejaments corals.

Aquell repte i aquella necessitat eren allò que calia a la il·lusionada voluntat dels qui, com Millet i Vives, maldaven per obrir-se camí en el camp musical; dels qui, com els entusiastes afeccionats del cafè Pelayo, convertien unes sessions de brasserie en actes de cultura.

D'aquesta confluència de neguits i aspiracions nasqué l'Orfeó Català, el dia 6 de setembre de 1891. No era un fet extemporani; era la concreció específica d'un desig de renovació que —en coincidència pràcticament cronològica— tenia també un manifest explícit amb la publicació de Por nuestra música, de Pedrell (1 de setembre de 1891), o amb la de Catalanesques, del mateix Millet (1891).

S'iniciava una ruta que el temps demostraria fructífera. Vint-i-vuit cantaires s'aplegaren a la crida inicial; trenta-set socis els donaven suport. L'entitat tindria en Millet l'home idoni, el que convenceria el fantasiós Vives, el que sabria superar la crisi esdevinguda dos anys després amb la deserció dels cantaires disconformes amb l'orientació artística imposada, el que

—en un rapte d'idealisme— endegaria un moviment que, molt pocs anys després, cristal·litzaria en la construcció del Palau de la Música Catalana.

Ara, però, la tot just nada corporació menava una vida modesta, estatjada en un pis humil de la Barcelona vella —al carrer de Lladó, núm. 6— en qualitat de rellogada (vint pessetes mensuals) del Foment Catalanista.

Modesta, però exigent artísticament, com a conseqüència tant de l'ambició estètica com de la formació dels capdavanters. S'imposava un nou concepte del fet coral, en relació al de les velles agrupacions claverianes; un nou estil exemplificat diversament: en el repertori, en l'esperit cívic, en les possibilitats operatives i en l'element humà.

¿Què cantaven, els cors de Clavé, al cap de vint o de vint-i-cinc anys de la mort del fundador? Un superficial examen estadístic de El Eco de Euterpe, *el full-programa distribuït als concerts de la societat El Eco de Euterpe, dóna una preeminència absoluta a les composicions del mestre; obres com* Ester, Las galas del Cinca, Lo pom de flors, Les flors de maig, Gloria a España, Els pescadors, Els xiquets de Valls, Els néts dels almogàvers, Goigs i planys, *etc., apareixen una i mil voltes, sense que l'esporàdica presència de composicions de Joan Goula, Claudi Martínez Imbert, Celestí Sadurní o Josep Ribera arribessin a crear consciència de signe renovador.*

Per contrast, la programació dels dos primers concerts de l'Orfeó dóna la norma d'allò que serà la pretensió de la nova entitat: el conreu de la cançó popular, la difusió de composicions originals i la divulgació de la polifonia.

Vegem-ho sumàriament: a*) El 5 d'abril de 1892 —abans de presentar-se oficialment amb el nom d'Orfeó Català— participà en una audició a la Sala Estela organitzada per l'acadèmia que regia el mestre Nicolau. Hi cantà dues composicions:* Ave verum, *de Mozart, i* Boda d'ocells, *de Josep Garcia Robles; si en* *l'obra de Mozart podem simbolitzar l'afany universalista, en la del compositor olotí Garcia Robles és just de veure-hi l'arrelament a la comunitat.* b*) El 31 de juliol de 1892 —i ara, sí, ja amb el nom propi— Millet i els seus cantaires donaven, al Palau de Ciències, la «primera prova anual de sos estudis»; al costat de composicions originals de Garcia Robles, Vives, Granados, Millet, Brunet, Alió, Gay i Lapeyra, destaquen tres cançons populars, harmonitzades per Amadeu Vives:* La filadora, Els segadors *i* Els tres tambors.

Aquest instint segur del camí a fressar tenia, altrament, la correlació d'una exigència, a la base de la qual era situada la formació musical dels cantaires. Quant a aquest punt, és altament revelador un document signat per Jacint E. Tort, el 30 de març de 1892, d'un títol inefable: «Informació que D. Jacint E. Tort i Daniel, com a individu de la Comissió d'Ensenyança de l'Orfeó Català, exposa, perquè aquella en faci l'ús que estimi oportú, referent a la manera com deu haver de practicar-se l'ensenyança dels coristes, ja en les classes de solfeig, ja en les classes de conjunt». Aquest breu quadern és una completa normativa docent, amb menció expressa dels mètodes a seguir, basada no solament en l'experiència de corporacions estrangeres, sinó també en principis precisos de fisiologia vocal.

Encara, en una de les primeres reunions de la directiva (la del 31 de gener de 1892, és a dir, abans de presentar-se el cor públicament), hom proposava un augment del 100 % de les cotitzacions dels cantaires (fins a vint-i-quatre pessetes anuals) a fi de permetre la contractació d'un mestre de vocalització.

Amb aquestes premisses, els primers passos de l'Orfeó són determinats, a més, per la fonda influència de dues figures: Antoni Nicolau i Felip Pedrell.

Fou Nicolau qui possibilità la primera actuació de l'Orfeó, i qui sol·licità el concurs de la nova entitat en moltes sessions de la seva Societat Catalana de Concerts, i la reclamà també per a la primera audició íntegra de la Novena *beethoveniana. Fou Nicolau qui es-*

crivi per a l'Orfeó moltes obres incorporades ben aviat al patrimoni col·lectiu: La mort de l'escolà *(1900),* La Mare de Déu *(1901),* Entre flors *(1902),* El Noi de la Mare *i* Teresa *(1903),* Captant *(1904), etc.*

La influència de Pedrell, més que no pas amb les composicions pròpies (1902: Don Joan i Don Ramon; *1905:* La Sagrada Família *i* Lo cant dels almogàvers*), fou determinada per les orientacions de què Millet era deutor, especialment en el conreu de la polifonia; el contacte epistolar Pedrell-Millet, transcendent, fou la renovació del fecund magisteri personal exercit anys enrera pel músic tortosí.*

La vàlua artística trobava aviat, no solament la reconeixença interna —amb les nombroses audicions a gran part de les comarques catalanes i a les Illes (1899)—, sinó la internacional: triomf al Concurs de Niça (1897) i èxits en la tournée *pel Migdia de França (1901).*

Inevitablement, aquella vàlua i aquella reconeixença enfortien progressivament un simbolisme nacionalista mai no dissimulat: des dels múltiples concerts en entitats patriòtiques, al celebrat a honor dels participants al I Congrés Internacional de la Llengua Catalana; des de la difusió de Els segadors, *a l'audició (6 de març de 1897) que rubricava el lliurament al cònsol de Grècia a Barcelona del «Missatge a S.M. Jordi I, rei dels Hel·lens» redactat per Prat de la Riba; des de la significació atorgada a* El cant de la senyera, *a l'actitud íntegra davant les pretensions injustes del fisc espanyol; des de l'audició als delegats regionalistes de Biscaia, a l'oferta a la Comissió de Solidaritat Catalana, etc.*

Les possibilitats operatives foren incrementades amb la incorporació de la secció infantil (1895) i amb la de veus femenines (1896). No solament era possible, ja, de cantar les velles cançons amb un caient nou, sinó també les pàgines sublims de la polifonia i les més importants del gènere simfònico-vocal.

Calia llavors el suport paramusical; i aquest venia,

concretat amb la fundació de la «Revista Musical Catalana» i de la «Festa de la Música Catalana», dos instruments eficacíssims en ordre a la divulgació i a l'obtenció de nou repertori.

També l'extracció social dels cantaires remarcava la diferència amb els cors claverians. A l'obrer ras, seguí —en l'Orfeó Català, i en la majoria de corporacions nascudes a semblança seva— l'obrer qualificat, l'afeccionat assidu al Liceu o als cafès on es donava una vida concertística. En el cas concret de l'Orfeó, aquesta extracció és a bastament demostrable estadísticament; com ho és, igualment, una militància conservadora i uns lligams amb els ambients religiosos (els socis inicials, ho eren també, en llur majoria, de la Lliga de Catalunya, i els cantaires provenien, en gran part, del centre de Sant Pere Apòstol, al qual Vives estava vinculat).

Però no solament el perfil dels cantaires diferenciava l'Orfeó dels cors de Clavé, sinó també la formació musical del director que, en el cas de Millet, tenia una clara voluntat de professionalització amb l'adscripció, el 1896, a l'Escola de Música com a catedràtic de solfeig, teoria musical i conjunt vocal.

Lliurat totalment a la seva obra, els esdeveniments d'ordre privat tenen una mínima expressió: mantenidor als Jocs Florals de Barcelona (1899), matrimoni amb Dolors Millet i Villà (1900), mestre de la Capella i de l'Escolania de la Mercè (1906), naixement del seu fill Lluís Maria (1906), i mort de l'esposa (1907). Res no hi és espectacular, però tot hi és viscut plenament, intensament.

A poc a poc, l'Orfeó havia assolit, no solament de ser conegut, sinó de ser estimat; i l'obra de Millet era oferta en exemple a visitants il·lustres (de Sarah Bernhard a Vincent d'Indy, de Richard Strauss al bisbe de Perpinyà, de Pi i Margall a Saint-Saëns, etc.).

Amb la inauguració del Palau de la Música Catalana (1908), Millet entrava a la maduresa; l'Orfeó s'estabilitzava corporativament.

EL SOMIEIG MODERNISTA

La imatge que ens ha pervingut de Lluís Millet mostra i reforça, gairebé sempre, els trets patriarcals del fundador de l'Orfeó, més que no pas els de la indefinició i dels tempteigs juvenils.

Això no obstant —i com no podia ser d'altra manera—, en la seva joventut Millet presentà la dinàmica que sempre ha caracteritzat aquesta etapa.

Testimonis de cantaires de la primera època reporten un Millet faceciós, més amic dels amics que no pas mestre indiscutit, capaç de juguesques innocents i amb un fi sentit de l'humor (com el que es desprèn del contingut de la postal que transcric).

Semblantment, els escrits retraten un jove apassionat, amb freqüents fases de llanguiment anímic, que cerca desesperadament el sentit de la vida, tot debatent-se en un mar de confusions: el sentit de la fonda vocació, la fredor ambiental, la recerca de l'amor desitjat, el record constant del pare, la influència familiar, l'arrelament a la casa pairal... Trets, tots ells, exemplificats tant en «Notes d'un quadern íntim» (un quadern indispensable per conèixer el jove Millet) com, i molt especialment, en el seu abundós epistolari amb Amadeu Vives.

Una anàlisi sumària dels textos que segueixen de-

mostra una plena identificació estètica amb els postulats modernistes, no solament per la menció de preferències musicals, sinó per la utilització d'un vocabulari expressiu, en el qual l'adjectivació, la palpitació anímica, i fins la fórmula de comiat epistolar, palesen l'anhel infinit d'una plenitud pressentida.

De «Notes d'un quadern íntim», juliol de 1893

Expressar el que fuig, la boira que ens embolcalla en certs moments, records dels temps passats que deixonden esperances; fóra precís trobar paraules noves, harmonies mai sentides.

Amb quin gust he tocat Grieg després d'haver sentit a la mare allò del temps que ha fugit per sempre. Quin encant! Ara voldria expressar quelcom d'allò, mes en agafar la ploma, res, fredor; és la flor que, en tocar-la, es marceix; és sentiment tot nu, que ve i se'n va sense saber d'on ve i on va. Quin defalliment, quina enyorança, quina tendresa se sent en el record potser mai igualat en el present! I és que queda tot més idealitzat, l'esperit se n'apodera i n'esprem l'essència del temps que fou, i ho transforma en no sé quines taleies i vaguetats, dolçor de nova vida (...).

Carta a Amadeu Vives. El Masnou, 1 d'agost de 1893

Amic Vives: Quin desert, el Masnou! Sense amics, sense cap persona d'aficions semblants a les meves; mes, quines aficions té, el jovent d'aquí? Jo no n'hi sé veure cap; són bens que remuguen el temps, com herba, sense solta. He dit que això és un desert. No; dintre d'aquestes quatre parets que em volten, hi ha alguna cosa que em toca i que em penetra, a través dels vidres de les finestrotes de l'habitació de dalt on m'he fet la meva gàbia. Quan era petit, per sobre les parets que tanquen les eixides de les cases, havia vist passar la creu que, junt amb el trist cant dels capellans, em deia que portaven un cos mort al cementiri; allí, hi tinc les despulles del pare i dos germans, al cel sien; un sí, que és al cel: era petit quan morí; tenia quatre anys, jo en tenia dos, i, quan estava malalt, em deia: «Quan estaré bo, aniré a Barcelona i el germanet et durà una tartaneta». Pobre germà!

I per aquest carrer mateix, quan el pare arribava de viatge, l'anàvem a rebre al cap del carrer i li besàvem la mà; una de les últimes vegades em recordo que ell manejava el cap tristament, i jo pensava: «el pare es fa vell»; devia recordar, com jo ara, el temps passat. Quan el portàrem, torrent amunt del costat de l'església, cap a la fossa, que trist que em semblà llavors el carrer de la infantesa! Em sembla veure'l al portal de casa, voltat de veïns, tocant la guitarra; nosaltres, saltant i ballant, jugant a fet i a lladres...

Amic, avui la mare és vella, corbada pel pes feixuc dels anys, els germans es casen, la casa s'esquerda i les pintures salten...; quina soledat! Mes mon cor té fam d'estimar, se'm rovella i perd l'esma...

Oh! Tinc por; és mitja nit, trona i la pluja ressona en la teulada, fa basarda la cambra de dalt; sortint d'aquesta cambra, hi ha el sostre mort (quan era petit, quina por!; i ara se'm renova).

Oh!, els records, quina força! Estimada meva, ¿on ets? Tinc por, acompanya'm escala avall, que no deixaràs sortir el *papu*; vine, vine, pietat de mi, agafa'm fort, abraça'm. L'escalfor de ton cos, la llum de ta mirada, esborraran records, despertaran esperances; mes vine amb Jesús i la Verge sobirana, que ens conservaran el cor sempre tendre per estimar, sempre, fins al cel.

Jesús t'acompanyi i et faci bon minyó, i a mi em perdoni. Escriu! Adéu!

Postal als socis de l'Orfeó. Toulouse, 17 de maig de 1895

Estimats consocis: *Nous* ja hi som; sinó que plou. Però no hi fa res. Toulouse és *charmante,* i Mr. Bonnefont encara més. Aquest senyor ens ha mogut un escàndol colossal per no haver assistit l'Orfeó a les festes de Toulouse. Maques i propícies les *toulousaines,* moralment i psíquicament considerades. Aquesta tarda arriben societats corals, entre elles l'Orfeó de Reus. Llàstima de no haver-nos decidit; tot Toulouse ens hauria rebut a mans besades. Hi ha una colla de trompes (executants) que formen una *troupe harmonique* de primera, i molt especial. *Vaja,* no heu de saber res més; o si no, veniu-ho a veure, com nosaltres. *Au-revoir*

ELS PRIMERS PASSOS DE L'ORFEÓ

Hom troba, en examinar la trajectòria inicial de l'Orfeó, un tret característic: la prudència, tant en l'àmbit estructural com en l'artístic.

Les actes de l'entitat reporten, amb la minuciositat dels vells manuscrits, discussions aferrissades abans de ser acordada la més petita despesa, resoltes —sempre— a favor d'allò que podia derivar en benefici del cor.

Els pocs ingressos són destinats, principalment, a l'adquisició de mètodes de cant i piano (volums de Lemoine, de Fétis, etc.). Dins d'aquesta línia perfeccionista ha de ser entesa la constitució d'una «Comissió d'ensenyança» (Amadeu Vives, Lluís Millet, Jacint E. Tort, Josep M. Comella, Enric Granados, A. García Faria i Andreu Artés) destinada a vetllar per la formació dels cantaires.

En l'aspecte corporatiu, aquest període és caracteritzat pels successius canvis d'estatge: c/. Lladó, número 6, com a rellogat del Foment Catalanista (setembre de 1891); c/. Canvis Nous, núm. 7 (desembre de 1892); c/. Dufort, núm. 1 (abril de 1894); Casa Moixó de la plaça de Sant Just (novembre de 1897); c/. Ripoll, núm. 22 i c/. Magdalenes, núm. 2 (1906).

També en aquest apartat és de remarcar la gradual

creixença del nombre de cantaires i socis, gràcies al progrés assolit de mà dels dos primers presidents, Ferran Trulls (1891-1893) i Joan Millet (1893-1902) i a l'impuls decisiu aportat per Joaquim Cabot en la primera etapa (1902-1911) del seu mandat. Aquell increment té la seva expressió més clara en la fredor d'unes xifres: els 28 cantaires i 37 socis del 1891, eren ja 100 i 400, respectivament, el 1896, i l'entitat finiria el segle amb 172 cantaires i 860 socis.

En l'àrea artística, un cop superada la crisi del 1893, els progressos són lents, però segurs. I els programes mostren una progressiva incorporació de noms, en un eclecticisme estètic inefable: de Clavé a Palestrina i Grieg, de Millet a Haendel i Gounod, de Vives a Wagner i Schumann, etc.

Gradualment, els cercles ciutadans coneixen el nou estil d'aquella jovençana entitat; molt especialment, a partir de la participació en una sessió monogràfica dedicada a Grieg (Ateneu, 21 de gener de 1895).

Determinant fou, també, la decisió —lliçó apresa de la Capella Nacional Russa de Slaviansky d'Agreneff arran dels seus concerts a Barcelona— d'incorporar a l'entitat dues noves seccions: la infantil (1895, sota la direcció de Joan Gay), i la de veus femenines (1896, de mà d'Emerenciana Wehrle i Josep Lapeyra).

Millet podia ja, des d'aleshores, afrontar amb èxit la interpretació dels polifonistes i, més endavant, la dels grans oratoris.

Ací, novament, fou decisiva la influència i el consell de Felip Pedrell, que es constituí en mentor i inspirador de l'arborat Millet. Les cartes que reprodueixo són una petita mostra de les moltes en què es fa patent l'admiració milletiana per Pedrell i el desig de conèixer i de fer conèixer les obres immarcescibles de la polifonia hispànica.

Carta a Felip Pedrell. 18 de juliol de 1896

Molt senyor meu i estimat mestre: Profundament impressionat per la bella *Missa* de Victoria que l'amic Mas ens féu sentir a l'església de Sant Pere, i sabent al mateix temps que a la bondat de vostè deu l'haver obtingut tal joia, a vostè em dirigeixo pregant-li que em concedeixi permís per treure còpia de la que posseeix en Mas, que no té cap inconvenient a deixar-me-la si vostè l'autoritza.

No sé si recordarà que per aquell temps en què jo rebia les sàvies lliçons de vostè, diversos joves entusiastes formàrem un Orfeó Català que, grat sia a Déu, ha marxat avant; i com que, últimament, l'havem engrandit amb una secció de dones i una altra de nois, ens trobem en bones condicions per a executar les sublims composicions del segle d'or de la música religiosa a Espanya.

Per això li agrairia moltíssim que em donés notícia d'alguna altra *Missa* de Victoria, Morales o Guerrero, autors que he après d'estimar amb la seva excel·lent publicació «Hispaniae schola musica sacra». Alguns dels motets publicats en aquesta obra, els tenim en estudi a l'Orfeó.

Ara perdoni, estimat mestre, tanta molèstia; si m'he permès de molestar-lo, ha estat comptant amb l'entusiasme de vostè per l'art noble, entusiasme que ha encomanat a sos deixebles i en especial a aquest son més humil admirador

Carta a Felip Pedrell. 2 de setembre de 1896

(...) Havem començat els assaigs de la *Missa* de Victoria i, a ser possible, la cantarem davant de la Moreneta el dia 11 d'octubre en una gran festa que prepara l'Apostolat de l'Oració per a solemnitzar la inauguració d'uns monuments artístics que s'aixecaran al camí de la Cova de la Verge, recordant, cada un, un misteri del santíssim Rosari. Serà festa grossa i verament catalana. La música de Victoria ha de ressonar ampla en la catedral de nostres muntanyes. Ara que he començat els assaigs d'aquesta *Missa*, com creix ma admiració pel gran geni que creà tal obra! Quina majestat, en aquelles onades de misticisme! I, quant devem tots els qui tenim una mica de sentiment artístic a qui, com vostè, ressuscita aquests «vins» dels arxius polsosos de nostres catedrals! I en les dues obretes que vostè ha enviat a l'Orfeó, sobretot aquell responsori, quin sentiment més fondo vivifica el text llatí! Déu li pagui, que bé s'ho mereix.

Ara vull demanar-li un altre favor, i vagi sumant. Com vostè sap, l'Orfeó va néixer principalment per cooperar al renaixement del cant popular català; per això, no hem oblidat mai el conreu de la nostra cançó. Aquest any, sobretot, penso eixamplar tot el possible el repertori del gènere; ara bé, si vostè ens fes la caritat d'harmonitzar-nos algun d'aquells cants de nostra terra que té guardats amb tant d'amor, nostre agraïment fóra etern. Ho farà? La col·lecció de vostè és prou xamosa per poder triar. Li confesso que, en aquesta demanda, hi entra una mica d'orgull de poder escriure son nom en nostres programes. Si ens vol fer aquesta almoina, pensi que pot disposar de les veus d'homes, de dones i de nois. La tessitura dels nois és molt modesta; en general, no passen del *mi* del quart espai. En fi, amb aquests elements, vostè faci el que vulgui, que tot serà benvingut. Oidà! (...)

Carta a Felip Pedrell. 21 de setembre de 1896

Molt estimat mestre: Admirables! Ahir, acabant l'assaig de la tarda (que, essent festa, aprofitàrem perquè els nois, de nit, s'adormen) rebí sa carta amb els *Goigs* [de Brudieu]; amb veritable ànsia obrírem la carta, i ja els tenim!

Amb alguns coristes dels que llegeixen més, apinyats prop de la partitura, estiguérem cosa d'una hora assaborint-los. La impressió, quant a mi, fou fonda. A la nit, en Novelli feia el *Hamlet;* i en bona fe que no volia perdre'l, mes estava tan saturat d'aquella música i m'hi trobava tan a pler, que vaig voler covar-la... i deixí en Shakespeare de banda. La impressió estètica, la tenia ben bé a dins; no en volia d'altra. Un parent, un de casa, havia vingut a veure'm i se m'havia fet seu; no l'havia de treure a fora per un anglès, encara que fos Shakespeare. No li cantaré jo les excel·lències d'aquesta obra, que no en sé pas com vostè; solament li diré que no sé què admirar més, si la majestuositat de la primera tornada, les delicadeses de contrapunt de les estrofes o el petit fragment i cànon entre el contralt i baix dels quatre últims compassos. *Vaja* si els cantarem! (...)

(...) Aquell dia [la festa de benedicció de la Senyera a Montserrat] segurament que l'Orfeó estrenarà el pendó; és a dir, pendó, una espècie de senyera a l'estil de les que usaven els reis d'Aragó en les grans solemnitats. I perquè fructifiqui més la nostra obra, la farem beneir, que jo crec que si Déu està amb nosaltres també hi estarà l'art. Per cert, que encara no tinc la lletra per a l'himne que vull fer per a dit acte. Quina feinassa!

(...) Pensi a enviar madrigals catalans de l'estimat Brudieu; és precís que nosaltres els cantem, oi?

Cregui en el respecte i amor de son servidor i amic d'ànima.

«AL DAMUNT DELS NOSTRES CANTS»

Cinc anys després de la fundació, l'Orfeó presentava una trajectòria notable, simbolitzable en la importància de les versions de La consagració del Graal de Parsifal, *de Wagner, dirigides per Antoni Nicolau (maig de 1896). I eren ja visibles les primeres mostres d'identificació simbòlica extramusical.*

Inscrita dins aquesta aura de catalanisme tingué lloc la benedicció de la senyera de l'Orfeó, justament allà on les aspiracions i els anhels col·lectius han convergit sempre en una unitat superadora de particularismes: Montserrat.

La benedicció de la senyera pel bisbe de Vic, doctor Morgades, se celebrà el dia 11 d'octubre de 1896, en volguda coincidència amb la festa organitzada per l'Apostolat de l'Oració, amb motiu de la inauguració del Cinquè Misteri de Dolor, obra de l'arquitecte Puig i Cadafalch i de l'escultor Josep Llimona, destinat al rosari monumental de la santa muntanya.

Sota la direcció de l'autor del projecte, l'arquitecte Antoni Gallissà, la Junta de Dames de Barcelona —en les escoles de noies que regentava— i la secció de senyoretes de l'Orfeó, brodaren la senyera (apuntaré, anecdòticament, que el seu cost fou de 802,25 pessetes), autèntic joiell modernista, fidel reflex del moment artístic coetani.

El cerimonial de l'acte fou, en síntesi, el següent:

precedit per les gralles i els mossos d'esquadra, l'Orfeó entrà al temple, on fou rebut pel doctor Morgades, i cantà els Goigs, *de Brudieu; després de la benedicció, amb la senyera al presbiteri, on restà tot el dia, interpretà per primera vegada* El cant de la senyera, *de Lluís Millet i Joan Maragall, i en el solemne pontifical posterior cantà la missa* O quam gloriosum est regnum, *de Victoria; a la tarda, en descobrir-se l'escultura religiosa abans citada, fou estrenat l'*Himne *escrit per Amadeu Vives; la diada es clogué amb una vetllada en honor del Pare Abat i de la comunitat.*

La preparació i la celebració de la festa fou reportada per Millet a Pedrell en unes extenses cartes, exultants d'un sentiment catalanista gairebé ingenu de tan estètic.

Carta a Felip Pedrell. 27 de setembre de 1896

Molt estimat mestre: Tot va avant; els *Goigs* [de Brudieu], faran un magnífic efecte. Dijous passat vaig ésser a Montserrat, on vegí el P. Guzmán, que em digué que havia rebut la carta de vostè. Dit senyor diu que l'organista del monestir és molt vellet i no té humor d'estudiar coses noves; amb això, que ens encarreguéssim nosaltres mateixos de l'orgue. Així quedàrem; mon amic, el subdirector de l'Orfeó, J. M. Comella, coneixedor de l'instrument, es farà càrrec de dita feina. El P. Guzmán no em sabé dir els interludis recomanats per vostè. Amb això, li agrairem que ens escrigui. Així també, el lloc de la Missa on s'han d'intercalar. Les belleses de l'obra de Victoria van traient relleu. Aquesta admirable música em té el cor robat. L'amic Mas em deixarà uns quants nois de sa capella per a reforçar les sopranos.

Molts són els socis protectors que vénen a sentir els assaigs, quedant tots fondament impressionats. Els catalanistes estan embaladits amb els *Goigs,* de Brudieu. Sobretot, pensi en els madrigals catalans, perquè el dia de Santa Cecília pensem fer una vetllada (al matí, potser la Missa) de música del segle setzè, presentant per primera vegada a Barcelona la secció de senyoretes; amb aquestes havem assajat ja *O vos omnes,* que vostè té en la col·lecció de Morales, però que, segons he llegit al «Boletín», ha resultat de Victoria. Aquest plany de l'amor cristià és senzillament sublim. En assaig també *Jesu dulcis memoria,* veritablement dolcíssim, i el celestial *Ave Virgo sanctissima,* de Guerrero. Ara faré treure còpies dels dos motets de Victoria que vostè tingué la bondat d'enviar. A això, afegeixo els *Goigs* i algun madrigal de Brudieu; què li sembla?

No oblidi la promesa, que ens té feta, de les cançons. Per amor de Déu!

Repeteixo que la festa de Montserrat serà una solemnitat artístico-religiosa que farà soroll. El monument causa de la festa (un gran Sant Crist dominant un dels cingles del camí de la Cova) serà una obra superba. Fins les gralles ressonaran pels aires montserratins tocant les tonades més típiques catalanes. Tot català! Visca! Per què no hi ve? Vingui, vingui, a respirar pàtria (...).

Carta a Felip Pedrell. 7 d'octubre de 1896

Molt estimat mestre: Ja hi som a prop. Tots treballem amb fe per a la gran festa. Al cor d'homes i nois, s'hi ha afegit el de senyoretes, amb les quals podrem cantar els *Goigs* a baix, a l'església, i als claustres, en la vetllada; tots plegats fem unes cent vint-i-cinc veus. Els dos *tutti* de la tornada fan un efecte sorprenent. En els *soli* de l'estrofa, hi he triplicat les veus, triant les de timbre més delicat, fent cantar summament piano i lligat: és deliciós. La *Missa* va segura, però em falta temps per a fer cantar bé a cada corda, per frasejar correctament el *melos.* Encara queden uns quants dies; hi farem el que podrem.

Abans de la benedicció de nostra senyera, volia fer cantar el *Jesu dulcis memoria,* però no sé si serà possible assajar-lo degudament. Després de la benedicció, cantarem un himne que jo he fet exprés per a homes, dones i nois. Quina vergonya haver de tenir la barra d'alternar amb Brudieu i Victoria!

En la Missa, hi haurà Cabezón. En Comella té escollits fragments d'entre els que vostè va indicar. Acabant la Missa, a la plaça i assaig general de l'*Himne* per a cantar en l'acte de descobrir el Misteri. L'*Himne* és de l'amic Vives; és una melodia ampla, popular, feta expressa per a un gran unísón. Allà a la plaça es repartirà... i tothom que canti! Havent dinat, toc de gralles i muntanya avall a la benedicció del Misteri, i tothom gran himne que ressonarà majestuós en la sagrada muntanya. Al vespre, la vetllada als claustres, coberts per una vela. Allí hi haurà discursos, alguna poesia, i nosaltres cantarem els *Goigs,* els dos himnes i cançons de la terra. I després, la mateixa nit, baixarem la muntanya arrossegats pel prosaic ferrocarril, però, dintre el fons de la pensa, hi passaran com a fantasmes els records del dia, i l'escalf del cor ens demostrarà que hem fet quelcom digne de fer un home.

Si rebés la lletra dels *Goigs* a temps, miraria de ferlos enquibir en algun articlet encomiàstic de la bona música que anem a fer a Montserrat. Hauria de publicar els *Goigs* sencers aviat, o fer-nos la caritat, quan pugui, de deixar-nos-els copiar; i els *Madrigals* també. Ja pensa en les cançons? ¿No és veritat que som insuportables?

Fins a una altra. Mentrestant, cregui en la veneració de son afectuosíssim i humil amic de cor

Carta a Felip Pedrell. 14 d'octubre de 1896

Molt estimat mestre: La festa de Montserrat, resultà. La gentada era immensa; hi havia qui deia que la gernació sobrepujava la de l'any del Mil·lenari. Les cel·les vessaven.

Els actes religiosos resultaren amb tota serietat, ja que la gran majoria de pelegrins eren gent senzilla del camp, que havien vingut de tots els indrets de Catalunya guardant encara dins del cor la brasa encesa de la fe sencera dels seus avis.

La classe mitjana de la ciutat, i també la part il·lustrada i l'alta, hi tenia representació important.

L'art, ja ho podem dir, hi féu un paper lluïdíssim. La gravetat de Victoria i de Brudieu, entonava just en l'església montserratina, portant a l'esperit aires d'immortalitat; i en sortir a fora, el timbre verd i agrest de les gralles donava més blavor al cel i feia ganes d'abraçar tothom. La *Missa,* sense ésser entesa per la generalitat, s'imposà: «Això és estrany», deien, «però fa devoció»; això, en boca de gent de muntanya, diu més que tot el que han dit els nostres *admirables* crítics. Jo en vaig quedar content, sobretot del *Kyrie, Gloria* i *Sanctus.*

L'acte de la benedicció de nostra senyera fou d'impressió forta per als orfeonistes i per a tota la gernació que omplia a vessar el temple. Sortírem de la fonda, les gralles al davant; els demaní cosa ben vella: tocaren un pas de xiquets; al darrera la cobla, els nens, un reguitzell de gent menuda; de seguida, la florida de l'abril, les noies; i voltant la senyera que anàvem a santificar, tots nosaltres, els homes, orgullosos d'aixecar-la *sobre nostres cants,* com diu en Maragall. L'entrada a l'església, gralles a un costat; la innocència entra primera a la casa de Déu i l'orgue majestuós ofega els espinguets verdosos de les gralles. Oh, Moreneta dolça, ací la teniu, la nostra bandera, l'emblema de nostres amors! Santifiqueu-la! El senyor Bisbe, tot cobert de roba blanca i d'or, amb la mitra sobre el cap. Llavors entonàrem els *Goigs,* de Brudieu, més que amb nostra gorja, amb nostre cor i ànima. Així rendíem dos tributs a la vegada: un a la Verge i l'altre a un *mestre* genial català.

Després de la benedicció, entonàrem a tota veu l'himne que jo he fet amb lletra d'en Maragall.

En Cabezón encaixà admirablement amb en Victoria. La pobra gent que esperava platets i bombo per ésser festa grossa, va quedar lluïda. A la tarda, hi hagué la processó al Misteri; li asseguro que fou espectacle *hermós*. Amb ordre admirable, baixava la gent pel tortuós caminet; semblava un regueró de formigues que anàvem a proveir pa per l'ànima. Quina llàstima que els cants dels pelegrins fossin tan dolents —en castellà, molts d'ells —i amb aquella tonada de color de gos com fuig, ni blanc ni negre, amb aquell estil sense estil. Però, què diantre!, el grandiós de l'escenari, el sentiment que covava en els cors, recompensaven el mal d'orelles. Després de la benedicció de la creu, és cantà l'*Himne* d'en Vives, que produí un gran efecte; l'eco engrandia les veus, i semblava que el cor de la muntanya contestés *hossanna.*

Massa feina s'havia fet, i el temps era curt per fer la vetllada preparada; l'Orfeó, després de sopar, sols tingué temps de cantar els estimats *Goigs* i l'*Himne de la Senyera,* per haver de marxar la major part d'orfeonistes amb l'últim tren. Em sabé molt greu no poder cantar cançons de la terra. Hauria estat el segell final a les festes del dia.

Heusací, estimadíssim mestre, la relació a l'engròs de la festa que vostè tant ha ajudat a realitzar amb sa bondat i amor a l'art noble.

Prengui, doncs, també, part en nostra satisfacció.

Allà dalt no fou possible treure fotografies; mirarem de fer-ho ara a Barcelona.

Per separat li enviaré demà alguns diaris. No es faci il·lusions. Aquí a Barcelona, si hi ha algú de bona voluntat que té pressentiment del que val la cosa, no és crític ni músic. Què hi farem... Mentrestant, els goigs que un experimenta estudiant la gran música, ningú no ens els treu de sobre.

Cregui, estimat mestre, en l'amor i veneració de son afectíssim amic

L'AMIC DE L'ÀNIMA

Millet no fou un home de nombrosa relació. El seu cercle, més aviat limitat, se circumscriví als àmbits vocacionals: l'Orfeó, la Germanor dels Orfeons de Catalunya, l'Escola Municipal de Música, etc. Res de pertinença a tertúlies externes a la casa o a associacions de l'ordre que fossin.

No pot ser afirmat, certament, que Millet tingués molts amics. Però Millet tingué un *amic,* l'*amic: Amadeu Vives. Una amistat nascuda en el temps en què treballava al magatzem de música de can Guàrdia, i afermada en la fecunda etapa artística del cafè Pelayo.*

*Els primers passos de l'Orfeó portaren l'empremta decisiva de Vives: formà part de la comissió interina que convocà els assistents a l'acte fundacional, redactà, amb Millet, el reglament inicial, pertangué a la «Comissió d'ensenyança», obres seves integraren el programa de la «primera prova» (*La complanta d'en Guillem, La filadora, Els segadors, Els tres tambors, Sanctus*) i el 1894, amb* L'emigrant, *donava a l'Orfeó una de les primeres composicions destinades a assolir categoria simbòlica.*

Ja de bona hora, però, l'esperit inquiet de Vives es delia per altres horitzons. I per més que el 1893 fou nomenat, amb Millet, director perpetu de l'Orfeó, l'any següent abandonà totes les seves funcions per dedicar-se de ple al teatre líric.

L'amistat Millet-Vives és l'expresió més justa de l'atracció dels contraris. A la vocació per l'estabilitat de Millet, és contraposada l'agitada trajectòria del músic de Collbató; a l'arrelament a la deu popular del fundador de l'Orfeó, fa front el conreu del gènere líric en l'autor de Doña Francisquita; *el treball infatigable d'aquell descendent d'un capità de vaixell en l'estudi d'una senzilla cançó, contrasta amb l'extroversió vital i estètica d'Amadeu Vives, etc.*

Justament per això, l'amistat Millet-Vives superà les divergències artístiques i fou sublimada en l'esfera de la més pura i fonda estimació.

A ningú, com amb Vives, Millet obrí el cor, tant en la joventut com en la maduresa. I si, essent encara codirector de l'Orfeó, Vives rebia les amistoses plagasitats epistolars de Millet, anys després aquest revenia amb enyorança al record de les divagacions juvenils, tot disculpant les, per a ell, errades de l'amic, amb judicis basats en criteris possibilistes.

Carta a Amadeu Vives. El Masnou, estiu de 1893

Molt senyor meu i amic: Fa uns quants dies que et vaig escriure, i aquesta és l'hora en què no he rebut cap resposta. Suposo que no hauràs rebut més lletres, o que estaràs ocupadíssim... prenent la fresca per la Rambla o pel Passeig de Gràcia, dient coses grosses, sublimitats que, si no fos la mandra que et doblega els ossos, te les guardaries a dins per pair-les millor i darte aliment a l'ànima... que ara només serveixen... Però, veus?, si has tingut prou paciència per llegir fins aquí, ja ets prou virtuós, perquè jo ja crec que no tinc cap dret per insultar-te d'aquesta manera; però hi trobo gust, vet-ho aquí... Hi ha tan poques persones a qui un pugui dir el que sent!

Et suplico, doncs, que en rebre aquesta, agafis la ploma i em parlis de l'Orfeó i del que et doni la gana; jo vindré aviat, molt aviat, i ja ens veurem les cares. Aquí faig una vida que no sé si m'agrada o no; la veritat és que a penes surto de casa. Davant d'una tauleta, on hi ha en confusió dues simfonies de Beethoven (la *Cinquena* i la *Novena*), el tractat de cant pla del P. Uriarte, una doctrina, poesies, la literatura d'en Milà i papers de solfa i altres papers que no sé de què són, un tinter amb tinta morada, una ampolla de tinta blanca, un altre tinter amb tres departaments sense tinta, alguna capsa de *mistos*, etc.; i així com la taula, estic jo: tot d'un plegat m'empasso amb fruïció l'Adagio de la *Novena*, tot d'un plegat agafo l'Uriarte i estudio el cant pla (que és cosa més fàcil del que pensava), tot d'un plegat llegeixo una rondalla, i això em porta a ensumar el plec de cants populars que també tinc sobre la taula. També agafo la ploma i faig solfes; l'anada a Poblet em va deixar pasta i per això vaig determinar d'escriure per al certamen dels concerts; tinc alguna idea apuntada que no va malament, però el maleït desenrotllament i la poca pràctica en la instrumentació, quasi m'han refredat de treballar més, ja que el temps és prou curt.

I vet-ho aquí! Aquí em tens, no sé si gaudint o sofrint; jo crec que estic en aquell entremig en què no es gaudeix ni se sofreix, quan un home no peca ni de mal ni de bé.

El Masnou és una població que no té l'al·licient dels poblets de muntanya, amb aquell aire de pagès, aquell color de pa moreno; en canvi, no té la bullícia de la ciutat. Hi ha una calma que s'acosta a l'ensopiment. Amb tot i això, jo no sé pas què hi trobo, que reca deixar-lo... Què serà...? M'ho volguessis escriure, tu que saps tant!

Jesús amb tu i amb mi

Carta oberta a Amadeu Vives
(«La Renaixença», 19 de maig de 1897)

Diu que has fet una òpera i que te la posen al teatre un dia d'aquests, i que t'has inspirat en un llibre escrit en castellà, sobre un argument no sé si escocès.

Tot això, amic, m'ha despertat tot un món de tristeses, d'aquelles, saps, del color d'enyorances i records d'hores que ja són lluny, no pels dies o anys que s'han emportat moltes de nostres il·lusions, sinó per la diferència de la cosa somniada amb la cosa real obtinguda.

En aquelles hores de divagacions jovenívoles sobre el que fóra aviat, de seguida, l'art nostre, la música catalana, vèiem quasi en present el que costa tant de guanyar pam a pam.

Amb el llevat del cant popular, vèiem tots els músics catalans, vells i nous, rejovenir-se, i batejats de nou en el baptisme de l'art de la terra, llançar al foc el vestit de la rutina ensopidora de l'italianisme i *gounodisme,* que tant ha malejat l'estil de molts de nostres músics de més talent (el flamenquisme ha viciat el gust musical del nostre poble; és l'enemic fastigós, i el més temible, de nostra virginal cançó popular, mes no ha pogut encara, ni poc ni molt, transcendir en l'estil del compositor català). Vèiem la saba de la cançó fent treure ufanosa verdor a la lírica dramàtica, a la simfonia; i tu que saps pensar a l'engròs, fins en treies conseqüències per a la música religiosa, atrevidíssimes pels qui tan sols tenen intel·ligència per admetre el que han après dels mestres dels temps de Rossini i Mercadante i pels quals Gounod és l'amo absolut del que se'n diu música religiosa seriosa.

I, ben mirat, no anaves pas tan errat de comptes. Perquè si la gran música religiosa no és res més que el cant pla tractat en polifonia i el cant pla, en son començament, no era sinó una tria de cançons del poble que la fe i la pietat anaven amorosint de ritme, imprimint-hi aquells accents nascuts del penediment de l'ànima que té fam de divinitat, així la nostra cançó, modulada pel sentiment sincer de l'artista cristià català, pot ésser la més adequada per despertar el fons de religiositat de l'ànima catalana. Tu ja en feres la prova, i feres una *Missa* en la qual la melodia popular, revestida de severa harmonia, encaixava dignament en la nau d'una església.

En aquelles hores de jovenívoles esperances, vèiem tot això créixer en formes grandioses fins a constituir un art purament català en totes ses manifestacions, voltat pel cercle lluminós de la glòria.

Per això m'ha causat gran recança de veure la teva música pujant per primera vegada a l'escena, servint de vestimenta a una lletra d'accent foraster, no amb aquella parla que usaves donant forma a aquells ideals encisadors amb frescors de joventut.

Mes no pensis, per això, que en aquests dies que han d'ésser de fortes impressions per a tu, vulgui despertar-te remordiments. Molt al contrari, crec que és hora de pujar amunt per allà on es pugui, si no per drecera, fent voltes.

La Catalunya d'avui, encara que bon xic malmesa, sent bategar en son si quelcom de sa i fort: als arbres, comencen de borronar-se'ls els branquillons i treuen nova brotada d'una verdor verge. Cal contribuir a aquest desvetllament. Cantant o escrivint, modulant pedres o paraules o sons.

És un pecat no aprofitar les forces naturals que Déu ha posat en nosaltres i a l'entorn nostre, i deixar que el temps les malmeti xuclant la seva força.

(...) Amunt, doncs, per allà on es pugui (...) Jo estic segur que, en ton *Artús,* hi trobaré quelcom de les catalanesques tonades de tes *Fades del Canigó,* del sentit *L'emigrant*; que hi trobaré aquella concepció ampla, aquella sobrietat en la forma, juntament amb la riquesa i la severitat harmònica, fill, tot això, del talent i del sa criteri que Déu t'ha donat.

Sé que si alguna vegada et deixes portar per l'efecte volgut pel públic, sovint trobarà, en canvi, la nota sincera, i llavors, destriant en el possible les paraules dels sons, sentiré de nou en un plec fondo del cor l'escalfor i les enyorances d'aquelles hores de divagacions somniadores sobre un art musical de la terra, que se'ns presentava com una fada vagarosa, mes amb aquella cara franca i oberta de noia catalana.

Amic, bona sort!

LA CAPELLA DE SANT FELIP NERI

Abans de la promulgació del Motu proprio *de Pius X, la música litúrgica, al nostre país, presentava un panorama desolador, per la manca, no tan sols d'un criteri estètic, sinó, simplement, d'allò que és qualificat de bon gust.*

Situació especialment visible en moments forts de la litúrgia cristiana, com la Setmana Santa; hom trobava «tardes sacras» (denominació corrent a l'època) la part musical de les quals podia ser integrada per obres de Liszt, Haendel, Schumann, Wagner, Beethoven —en algunes ocasions, amb el primer temps de la Sonata en do sostingut menor *cantat amb un text llatí—, Mercadante, Rossini, o, fins i tot, per fragments* d'Aida *o de* Lucia de Lammermoor.

Una intervenció de l'Orfeó a les funcions religioses de l'Oratori de Sant Felip Neri dugué a la constitució (el dia de Nadal de 1896) de la Capella d'aquell mateix nom que, en mans de Millet, es constituí en eina decisiva per a bandejar del temple el repertori inadequat.

La Capella de Sant Felip Neri era integrada per una vintena de veus masculines i una trentena d'infantils; en la participació cultual inaugural, marcà la norma del que havia de ser la trajectòria posterior:

Kyrie *i* Credo *de la* Missa del Papa Marcello, *de Palestrina,* Gloria, Sanctus, Benedictus *i* Agnus Dei *de la missa* O quam gloriosum est regnum, *de Victoria,* O magnum mysterium, *de Victoria, i* Gradual, *de Josep M. Comella.*

Durant prop de mig segle, la Capella de Sant Felip Neri atorgà a les funcions litúrgiques barcelonines (especialment a les de l'Oratori del qual prengué el nom) la dignitat exigida pel culte. Impossible de fer una relació exhaustiva de tots els autors incorporats; hi foren presents, des de les obres gregorianes i composicions de Palestrina, Victoria, Morales, Allegri, Josquin des Près, Mozart, Saint-Saëns, Brudieu, Viadana, etc., fins a un interessant corpus d'autors contemporanis del país: Pujol, Millet, Pérez-Moya, Comella, Mas i Serracant, etc.

La projecció musical de la Capella de Sant Felip Neri no s'aconseguí sense tensions, sobretot en els moments inicials, a causa de l'immobilisme i del sentit d'exclusivitat dels mestres de capella de l'època sobre les formacions llavors existents, i als quals feia front ardidament, joiosament gairebé, la il·lusionada voluntat de Millet.

Carta a Felip Pedrell. 4 de gener de 1897

Molt estimat mestre: Dispensi'm la tardança a contestar sa estimada lletra del 12 del pp. Són tantes les coses que haig de fer que no puc complir com deuria amb qui tinc obligació de complir.

El dia de Nadal (que li desitjo que hagi passat bé) anunciàrem per primera vegada la Capella de Sant Felip Neri. Cantàrem el *Kyrie* i *Credo* de la *Missa del Papa Marcello* i la resta de la *O quam gloriosum,* de Victoria. En l'ofertori, cantàrem el magnífic motet *O magnum mysterium,* del mateix autor.

Tenim, doncs, ja fundada una Capella. Ara els mestres de ídem no podran dir que ens fiquem allà on no ens demanen. Quina rabieta! Per ara, hem de fer la festa dels advocats el dia de Sant Ramon de Penyafort, cantant sencera la *Missa del Papa Marcello.* Formarem una massa d'uns vuitanta individus. Això serà a l'església de Sant Just. Després tenim compromesos uns funerals pel dia 25, havent-nos demanat una *Missa* de Victoria. Per això és que voldria tenir ja la particel·la feta copiar per vostè. Li agrairé, doncs, que, si no l'ha enviada, me la remeti tot seguit; i digui'm quant li dec per enviar-li l'import.

Ja veu que la cosa marxa. Ja cal que ens armem bé, perquè la genteta de capella està que bufa (...).

Carta a Felip Pedrell. 2 d'agost de 1897

Molt estimat mestre: Li demano perdó per haver estat temps sense escriure-li. Pensi que moltes vegades he volgut fer-ho, però la molta feina que he tingut fins ara me n'ha privat.

Ja ha vist la cua que ha portat l'empenta que donàrem la Quaresma passada: les dues audicions de la *Missa,* de Victoria, a Sant Felip Neri i la del Seminari en la festa del Sagrat Cor. Quant als Felipons, els tenim guanyats; allí ja no es fa festa ni festeta que, si no tots, uns quants de l'Orfeó no hi anem a fer música polifònica. Això no pararà fins que es formarà una Capella model que canti solament la música digna de Déu. Això ja ho van preveure els mestres de capella en veure que ens havíem ficat a Sant Felip Neri, i ja es pot pensar el *tolle-tolle* que s'aixecà: que en aquesta música no hi ha inspiració, que no va enlloc, etc., etc.; en una paraula: tenien por. Per més desgràcia, en Marraco dóna una audició de la *Missa,* de Victoria, i fa adormir la gent; després, els canonges l'obliguen a desenterrar un llibre de *Misses* de Guerrero, i n'assagen una; no l'entenen i la deixen dormir en el polsós arxiu.

Però la bona causa guanya terreny. La crida que ens feren al Seminari, ho prova. La festa fou organitzada per l'element jove de la casa i els més eixerits de la colla són entusiastes de debò de la restauració de la bona música religiosa.

A l'Orfeó comencem d'estudiar la *Missa del Papa Marcello* i tenim la intenció d'estrenar-la aquest estiu, segurament al Masnou. Ja n'hi donaré notícies (...).

Carta a Felip Pedrell. 27 de gener de 1898

Mon estimadíssim mestre: Visca! Avui hem cantat la *Missa de requiem* de Victoria, que vostè ens envià. La *Missa* s'havia de cantar a Santa Anna, per ésser la parròquia de la difunta. Però la guerra ja ha començat; el mestre Ribera volia 25 duros d'indemnització a la seva Capella, i com que l'amo dels quartos no hi va venir bé (és un dels advocats més distingits de Barcelona), se'n va anar a Sant Just, i allà s'han fet els sufragis, amb l'església plena a vessar de gent distingida.

La impressió ha estat profundíssima. La *Missa* s'ha cantat a cant pla, segons l'edició de Pustet, dividint el cor per meitat, lligant i frasejant aquell cant terriblement sublim. I quina tristesa més profundament cristiana, la de Victoria. L'Ofertori em sembla que és del més triat d'aquest geniàs. El *Quam olim Abrahae,* és incomparable. A mi em fa plorar per dins i he d'esforçar-me perquè les llàgrimes no em privin de veure la partitura.

(...) La batalla va guanyant-se. Els *mestres* s'esveren i comencen a privar a sos súbdits que es deixin llogar per nosaltres. Em sembla que ara els ve el patir. Que es despertin; prou han dormit! I quin efecte feien, avui, els preludis de cant gregorià, anotats a la partitura! El *Madrigal* de Brudieu va esverar tothom, intel·ligent i no intel·ligent; fou un món nou descobert per vergonya del pretensiós art modern.

Convindria molt fer conèixer altres coses del *nostre* autor, fins que en poguéssim fer una audició sencera, tota de ses obres. Quant li convé, a l'art català! Faci-li aquesta caritat, mestre! (...)

Carta a Felip Pedrell. 23 de novembre de 1898

Sempre estimat mestre: (...) Oh Déu! Quin terrabastall en les capelles! Estan furiosos contra nosaltres; la *Missa de requiem,* de Victoria, es passeja triomfalment per totes les esglésies, cantada per nosaltres en funerals dels «grossos» (Collasso, duquessa Solferino, comerciants de primera força), a Santa Maria, a Sant Jaume i fins a la Catedral. En Marraco, a punt de presentar la dimissió (diu ell); algun altre, demanant almenys algun duret. Estan rabiant i s'esbraven, sap com?, enviant anònims al Bisbe, dient *pestes* de nosaltres i fent dir a algun predicador, des de la trona, mal d'aquests orfeons que cantem música religiosa als teatres. Es posen la mà a la butxaca i lladren; els hem de donar la bola.

(...) Necessito un altre *Requiem.* El de sis veus, de Victoria, vol massa veus agudes de nois. ¿No en trobaríem un altre? I el de Roland de Lassus? De *Missa de gloria,* també en voldria estrenar alguna de ben notable per acabar d'aixafar els rutinaris que van començar burlant-se de la música de Déu i ara ja estan esparverats.

Mestre, això va bé. Ara és qüestió de donar una constitució ferma, estable, a la Capella de Sant Felip Neri perquè no decaigui mai i perquè pugui perfeccionar-se per major glòria de Déu i per honra nostra, de vostè, que fa tant temps que ha plantat la santa llavor en nostra terra. Ara me n'adono, que hem fet alguna cosa, ara que lladren.

[illegible] a l'arrecadit
[illegible]

Carta a Felip Graugés — 1 de novembre de [illegible]

Sempre estimat mestre: [illegible] Oh Déu! Quin terra-tastall [illegible] les capelles! [illegible] tot or contra [illegible] [illegible] de Vic [illegible] es passeja triomfalment per totes les [illegible] per nos-altres [illegible] funerals de [illegible] Collasso [illegible] Solemne [illegible] a Santa Maria i a Sant Jaume i [illegible] a la Catedral. En [illegible] a punt de presentar [illegible] alguna altra [illegible] [illegible] estam [illegible] [illegible], [illegible] evitant [illegible] al [illegible], [illegible] de [illegible] que [illegible] de la [illegible] religiosa [illegible] a la barraca i [illegible] de tornar la festa.

(c) Nostre [illegible] de Vic [illegible] [illegible] de prés. No en [illegible] [illegible] de [illegible] estrenar alguna de [illegible] per acabar d'[illegible] els retuguis que van començar [illegible] de la [illegible] de Déu [illegible] ja [illegible].

Nostre [illegible] Ara [illegible] de [illegible] una constitució [illegible] de Sant Felip Neri [illegible] per major glòria de Déu i [illegible] nostra de [illegible] que [illegible] temps [illegible] la santa [illegible] nostra [illegible]. Ara [illegible] que bon fer alguna cosa [illegible] que [illegible].

L'ACTITUD CRÍTICA

Un dels trets característics del temperament de Millet fou la solidesa de les seves conviccions, en tots els ordres (artístic, estètic, religiós, etc.), fins al punt que, amb el temps, aquesta solidesa esdevingué, per falta de contrast amb les mutacions socials, una actitud immobilista i, en certa manera, estèril.

Però en els moments de la forta creixença de l'entitat, calia, certament, aquest convenciment, reflectit en la línia d'acció personal, i en la col·lectiva.

Millet tingué la lucidesa de qui sap que lluita contracorrent, i l'aplicà al judici dels ambients musicals barcelonins, especialment en allò que afectava la crítica.

Aquest judici tingué la formulació més franca en la relació epistolar amb aquells que millor podien comprendre el jove músic: Pedrell i Vives.

A la indignació inicial per la incomprensió i l'estretor de mires —expressada amb frases contundents en les epístoles a Pedrell— seguiria, anys a venir, la deliberada conducta de prescindir de les picabaralles dels mediocres ambients intel·lectuals urbans, tot superant amb l'acció els estèrils debats teòrics (tal com ho demostren els consells a Vives —en algun moment, amb el to de germà gran que ja en torna, *de tot plegat— arran del desengany experimentat per aquell en l'estrena d'*Euda d'Uriach*).*

Aquesta actitud crítica envers l'opinió aliena tenia en Millet el contrapès efectiu d'un nord segur: el treball indefallent, en recerca constant de la màxima perfecció.

Carta a Felip Pedrell. 3 de febrer de 1897

(...) Els nostres crítics! Són capaços de descoratjar tothom que no sigui un Pedrell de voluntat de ferro, que tota la vida que treballa amb sant entusiasme, component obres notabilíssimes, desenterrant vins, enlairant la humil cançó popular a les altures del «drama líric».

Els *nostres crítics!* Si no fessin *ràbia,* farien fàstic!

Avant, mestre; no se n'adoni, d'aquests gasetillers arrossaires, pretensiosos i pobres d'esperit. Oh! i si ara veiés vostè una colla de literats, pintors modernistes morats i esblanqueïts, com traspassen, amb sa vista finíssima d'il·luminats, fins on arribà Beethoven, i el dit curt que tenia Wagner! I com tenen consciència de les elucubracions modernistes harmòniques dels Frankistes! Si senten un cor d'un de la colla, que crida per comptes de cantar: ah!, quina empenta!, si desafinen, quin misteri! Cregui que, si hi ha bona fe, són dignes de llàstima. (...)

Carta a Amadeu Vives. Dimecres de Cendra de 1901

Amic Vives: Vaig rebre ta carta, que estimo molt. Em va bé allò de la *Suite,* sobretot el tercet de *Don Lucas,* que convé clavar pels nassos dels qui et creuen un ximple. Quant al preludi del segon acte, que crec de millor factura que el mateix ballet de l'*Euda* si bé no tan distingit de melodia, potser és una mica massa sentit, ja que s'ha fet sentir en tos beneficis, si no vaig equivocat. De totes maneres, si a tu et sembla, envia els papers de tot.

Envia-ho com més aviat millor, perquè encara que ja tenim plens els quatre primers concerts, de vegades es presenten, sobtadament, obstacles, i convé tenir a mà tot el repertori per canviar l'ordre dels programes. En els dos primers concerts, va tota la *Missa de morts,* de Berlioz, i en els dos següents tenim Richard Strauss de director, que farà conèixer son últim poema *Una vida d'hèroe,* terriblement entremaliat.

Ai, fill meu! Comprenc ben bé l'amargor de desengany que tingueres amb l'estrena de l'*Euda;* aquella amargor de la desil·lusió de les il·lusions més belles que duen dins l'ànima aquella llum que alimenta la fe i l'entusiasme en el treball. Però, digue'm per què, per quin refinat egoisme he de sentir jo, interiorment, un cert goig, de tot això; com si l'antic amic vingués a mi, a prop meu altra vegada, rebotat pels *savis* aquells que no saben què creuen, què pensen ni què estimen. Però digues: per què n'has de fer cas, d'aquesta gent?

La majoria, per no dir tots, coneixen la música per amor més o menys forçat; ho han sentit a dir, que la música és la sola endevinaire de l'essència de tota vida i ells, que potser no tenien més que major sensibilitat —o la imaginació més esbojarrada— o més barra i menys sentit comú que l'altra gent, és clar, han entès de música immediatament. I han dit: tu ets un geni, tu ets un ximple.

Creu que tot això dels grupets intel·lectuals, aquí a Barcelona, ja fa pena, per no dir fàstic; un diu burro a l'altre, i jo dic que tots el fan, el burro. Tant de bo que tota aquesta efervescència de bestieses pretensioses fossin senyal de vida i força. Però, ¿on són, les obres que ho demostrin? Al Tívoli, només hi ha hagut un èxit veritable: *L'alegria que passa.* La resta, res, o quasi res, ni llibre, ni música. Això, el d'en Morera, que sembla que té motlle de fer solfes; no et dic res quan agafa la paraula en Lapeyra o en Gay! En Gay fent música transcendent! És deliciós. Ha posat música a una opereta d'en Marquina d'un argument d'idees *avançades*: res, anarquisme, amor lliure... és a dir: la gran fraternitat humana. Creu que sembla mentida que en Marquina tingui talent. I en Gay fent l'home amb els trombons, que ni en Berlioz! Que un home sigui buit de cap, no hi vol dir res; però si, a això, hi afegeix la pretensió, cau en ridícul, fa el bèstia.

Quin poc cas n'has de fer, d'aquesta gent! (...) Has de saber prescindir de les xiulades dels savis i dels aplaudiments dels rucs. El món és un joc de miralls i un perd l'esma, si s'hi fixa. Mira't a dintre i endavant treballant sempre, i buscant la perfecció amb solidesa de passes, no amb salts mortals.

No ha de ser la meva veu, qui t'ha de *calentar*. Pensa si quan compons et sents l'emoció a dins, si la música et toca l'ànima. I això, jo sé que és cert; que tens la inspiració; i més: trobo que tens la gran qualitat del sentiment, de l'ambient, d'aquell no sé què que se sent bategar en l'aire, en les fondes sensacions de l'ànima (...).

LA MÚSICA RELIGIOSA I EL CANT GREGORIÀ

*La primera obra que l'Orfeó interpretà en la seva història —en aquella modesta actuació, gairebé d'incògnit, a la Sala Estela— fou l'*Ave verum*, de Mozart. L'entitat iniciava el camí sota el signe de la música religiosa.*

El mateix any, incorporava als programes un Sanctus*, d'Amadeu Vives, i un fragment del* Parsifal*, de Wagner. Ben aviat, enriquiria el repertori amb obres d'idèntica significació (composicions de Palestrina, Victoria, Wagner, Gounod, Brudieu, Alió, etc.). I a Montserrat, uns mesos més tard, beneiria la senyera.*

El sentiment religiós fou, en Millet, un component bàsic de la seva personalitat. Lluny de l'agnosticisme pràctic, no pas militant, d'un Clavé, Millet practicà el cristianisme, tant per convenciment com per impuls apostòlic.

A aquest sentiment —tant com a criteris estrictament artístics— respon el conreu constant de la música religiosa, i amb el qual Millet s'avançà al seu temps (el Motu proprio *de Pius X no fou promulgat fins el 1903) mitjançant l'instrument per ell creat.*

Ho féu amb una ardidesa excepcional: amb la Capella de Sant Felip Neri maldà constantment per dignificar la música litúrgica, i eixamplà l'acció empresa fins a imposar-la a les sales de concerts.

Quan a aquest punt, són definitoris del propòsit millerià el contingut de dos dels concerts de referència, celebrats al Teatre Líric el 1897 i el 1899 (com d'habitud, explicats minuciosament a Pedrell); heus-lo ací: Jesu dulcis, O magnum mysterium, Ecce quomodo moritur justus, Ave Maria, Duo seraphim clamabant, O vos omnes, Kyrie, Sanctus *i* Gloria *de la missa* O quam gloriosum est regnum, *de Victoria; corals* Tinc l'ànima entregada *i* Que sortós heu estat, *de Bach;* Ave verum, *de Mozart;* In monte Olivetti, *de Palestrina;* Oració del matí, *de Berlioz;* Goigs a la Verge, *de Brudieu (Teatre Líric, 4 d'abril de 1897).* Al·leluia, justus germinabit, *gregorià;* Ave verum, *de Josquin des Près;* Pulvis et umbra sumus, *de Lassus;* Miserere mei Deus, *d'Allegri;* Improperia, Stabat Mater, Peccantem me quotidie, *de Palestrina;* Emendemus in melius, *de Morales;* Tenebrae factae sunt *i* O magnum mysterium, *de Victoria (Teatre Líric, 20 de març de 1899).*

Atesos els condicionaments del moment, amb la forta preferència col·lectiva per la música italianitzant, el fet era absolutament insòlit.

D'ací que no fossin estranyes al seu designi tant la representació de l'Orfeó (en les persones de Pujol, Salvat i Moragas) al Congrés de Música Religiosa de Bruges del 1902, com la presència personal al III Congrés Internacional de Cant Gregorià d'Estrasburg del 1905.

Millet pogué aconseguir el seu propòsit gràcies a una ferma convicció perquè, en paraules seves, «quant un està convençut d'una cosa té pit per a tot».

Carta a Felip Pedrell. 5 d'abril de 1897

Molt estimat mestre Pedrell: El concert fou un èxit, cosa que no deixà de ser una sorpresa per a mi. Figuri's que s'hagueren de repetir set o vuit peces. El teatre, ple; la gent, atenta al més petit detall. *Vaja,* havem guanyat el plet. Al segon número del programa el públic ja s'escalfà; això que al començament tenia jo les noies espantades. L'*Al·leluia* final va ser aclamat.

Els corals de Bach s'imposaren de valent; l'*Ave verum* de Mozart, repetit; *In monte Olivetti*, va ser apreciat en tot son valor, essent una de les peces que impressionà més la gent; l'*Ecce quomodo*, frapà fort, si bé em sembla que no va ser apreciat del tot, a pesar dels meus esforços. Brudieu, repetit, essent festejat molt més que el dia de Santa Cecília. La peça de la segona part fou l'*O vos omnes*, d'allò més ben executat del programa; en cap assaig no m'havia sortit tan ben accentuat. De la *Missa*, no cal parlar-ne, el *Glòria* aixecant el públic. Tot plegat, una gran satisfacció per *nostre* Orfeó.

Amb això, no es pensi que l'Orfeó sigui una massa coral perfecta, ni molt menys. Hi ha elements molt tendres, i veus... molt poques; però l'entusiasme per part de tots pot molt. (...) Res més per avui; solament que rebi una abraçada de son amic de cor.

Carta a Felip Pedrell. 4 d'abril de 1899

Molt estimat amic: Ara que puc respirar una mica, passada la feinada del concert religiós de l'Orfeó i de la Setmana Santa a Sant Felip Neri, li escric a vostè, que ja feia dies li tenia un deute.

Amb els programes que li he enviat, ja haurà vist que havem fet cosa *sèria*. No crec que ningú s'hagi atrevit mai a fer un programa per concert de teatre d'una severitat tan extremada com el que férem nosaltres al Líric aquest any. Quasi tot eren crits d'angoixa del diví Mestre i de la humanitat miserable. A mi mateix, no deixava de fer-me cert respecte, aquell programa. Si bé és veritat que en l'art polifònic no hi ha pas res millor que el que executàrem aquell dia i que el públic que tinguérem estava preparat amb les lletres originals i traduccions del programa. Aquest públic ocupava tota la galeria, totes les llotges i mitja platea del Líric. La impressió fou profunda, des del començament del cant pla, i anà creixent en Palestrina en la segona part, i cresqué encara més en la tercera, plena amb Morales i Victoria. En l'*Emendemus* no em vaig atrevir a allunyar el cor dels quatre tenors de veu sonora que feien el «Memento»; però el cor cantava a mitja veu quasi sempre, produint un efecte profund. El *Tenebrae,* de Victoria, fou el que es cantà amb més ànima; tots estàvem emocionats de debò i jo sé d'algú a qui escaparen les llàgrimes.

La Setmana Santa a Sant Felip Neri ha despertat gran interès, sobretot a la gent intel·lectual de Barcelona. El Divendres Sant no hi cabia ni una rata; tot el granat en belles arts, estava emocionat profundament escoltant Victoria i Palestrina. Quin efecte produïren el Dijous Sant els nou responsoris, d'Ingegneri els tres primers, i els sis de Victoria. Un preparava l'altre; tot el cor anava posant-se vibrant de sentiment fins arribar al *Caligaverunt,* que mai no havíem cantat millor. El *Benedictus,* d'en Pérez, va estar de pega quant a la part de fagot. El músic que ho havia assajat no comparegué i envià un aprenent que no encertà cap nota. El *Misereri,* d'Allegri, té corpresa la gent artista; no ens podrem pas estar de cantar-lo cada any. En resum: havem treballat de bona fe per la bona causa. Els felipons estan que no hi veuen, de contents (...).

Carta a Felip Pedrell. 15 de desembre de 1899

(...) ¿Sap quina és, en tots els concerts que fem, la peça que s'emporta el públic, savi o ruc, ric o pobre? Doncs, el *Credo* de la *Missa del Papa Marcello,* de Palestrina. A Figueres, no volien «Credo»: són de la flamarada; nosaltres, tossuts, els el cantàrem. Després, admirats, deien: «Mai no hauríem dit que els Credos fossin tan bons».

Així es forma el poble; amb les cançons de la terra

aprèn d'estimar la pàtria, el terrer que li ha donat vida, caràcter de raça; amb les sublimitats de l'art religiós veritable endevina la profunditat, l'elevació de la llum de l'ànima, de la religió, i va comprenent com són de ridícules les burles dels paperots anticlericals; i amb l'art estranger aprèn, s'assabenta de la cultura dels pobles moderns que van caminant i no estan parats com aquest país nostre, on s'escanya la primera brotada de cosa noble que s'aixequi (...).

Fragment del parlament a la Junta General.
21 de gener de 1900

(...) Els qui troben atrevit fer un concert tot Beethoven o tot Wagner, ¿què en diuen, d'una sessió en el teatre composta solament de música per al temple, i que té tres segles d'existència? Tant se val! Diré tan sols que, quan un està convençut d'una cosa, té pit per a tot.

Els ignorants i els rutinaris fan córrer que la música religiosa del segle XVI sols és bona per a les golfes, que és música morta, que sols és un treball mecànic sense inspiració, sense *filosofia,* diuen ells. Pobra gent! La fura surt del cau i la llum del sol l'encega. Doncs nosaltres, aquesta música que en l'església fa son, la portem al teatre lluent i daurat; hi ha qui ens escolta, qui plora, i tothom frueix la santa emoció de l'inspirat que nosaltres procurem transmetre tan bé com sabem; i la gent, en el teatre, pensa en Déu i en la Verge Maria, i potser hi ha algun incrèdul que en sortir del concert se'n torna a casa murmurant: «Potser sí que això de la incredulitat és una bestiesa...». Heus ací l'efecte de la música morta, bona per a arraconar a les golfes (...).

Carta a Felip Pedrell. 15 de juliol de 1902

Estimat mestre Pedrell: Adjunt li envio un programa del concert que donàrem l'Orfeó Català el diumenge al matí. Fou concert dedicat a la memòria de mossèn Cinto, i per això la segona part constà solament de composicions amb lletra de nostre poeta.

Com veurà, en la primera part cantàrem el *Requiem* a sis veus, de Victoria. Aquesta obra, l'havíem assajada no per concert sinó pels funerals dels socis morts de l'Orfeó; però com que, a última hora, el rector de Sant Agustí es desdí de deixar-hi cantar les noies, ens veiérem precisats a fer-la conèixer en concert, al teatre. L'obra produí un efecte fondo. L'absolta, o sigui el *Libera me,* es féu repetir.

Aquesta absolta, la cantàrem davant el cadàver del gran poeta Verdaguer al Saló de Cent. Quina sublimitat! Tot negre; una gran creu al capçal del bagul; quatre blandons colossals il·luminant tristament aquella tristesa! El cor en la foscor, tothom cantant mig de memòria, entonà les humanes inspiracions del gran Victoria. Algú caigué a terra, de genolls, instintivament, tothom amb pell de gallina, corprès de sentiment. Allí sí que estava en son lloc la vibrant polifonia de Victoria.

Per això temia jo que, al teatre, la gent no la *sentiria,* aquesta música, i, gràcies a Déu, veig que m'he equivocat (...).

Postal als amics de l'Orfeó.
Ludwigsburg, 19 d'agost de 1905

Nodrit de cant gregorià, que és tenir l'ànima plena de gràcia, em vénen ganes, i així ho faig, d'enviar una abraçada als estimadíssims amics del nostre Orfeó

El Congrés Internacional de Cant Gregorià a Estrasburg
(«Revista Musical Catalana», núm. 21, setembre de 1905)

Aquest Congrés ha resultat una manifestació grandiosa de l'actual restauració del cant predilecte de l'Església.

La gran veu de Pius X ha sancionat i ha donat força de llei al que estava latent entre uns quants sants homes, uns quants savis i un petit agrupament d'escollits de diversos països cristians, format per aquells que tenen certa finesa de sentits per a endevinar la bona olor de lluny.

La bona causa avançava, però, molt lentament; els encastellats en la rutina i en el mal gust, ni es dignaven mirar-se-la: la creien, de bona o mala fe, una nova mania del modern afany de coses noves, i es *cuidaven* de fer propaganda entre els humils inconscients, motejant-la de lletja, rebeca i poca-solta. Bé és veritat, per això, que l'aurora feia algun temps que s'anunciava: autoritats de la religió i de l'art s'hi decantaven, i ja Lleó XIII li somreia i parava els passos dels enemics més temibles.

El cèlebre *Motu proprio* del nou Papa, ha estat una santa sotragada per al totxo i endarrerit mal gust i una nova vara de Moisès que ha fet brollar aigua viva de la roca dura. (Això hauria de fer meditar als escèptics i incrèduls.) Que és *hermós* veure, ara, les més humils monges que només cantaven els carrinclons *duos de terceras,* renyar el mestre de capella que encara s'atreveix a cantar-los per la festa grossa una missa teatral; veure amb quin afany aprenen de modular la graciosa melodia gregoriana, arraconar el vell repertori dolent, però estimat, i comprar i estudiar la seriosa música d'Església antiga i moderna; veure, a gran part de l'alta i baixa clerecia, remoure's cada un en sa esfera, donant força a la realització volguda des de dalt! Tot això, per a la música religiosa en general, i molt especialment per al cant gregorià, l'universal melodia de l'Església, la ingènua, la plena de gràcia.

(...) És clar que allí no tothom era notable, però en tots hi havia l'entusiasme de la cosa; i hi havia un grupet prou gros, en aquella munió de gent vident, que, fent un esforç, s'havia allargat fins en aquell momentani cercle potent de cultura artística, per a representar nostra terra i per a portar a casa quelcom d'aquella força acumulada de tot el món i que, parlant allà dins, feia vibrar el català com a llengua variant de les grans llengües que porten i desperten la cultura de tot el món civilitzat. Érem allí, ben compactes, com amb mitja por de perdre'ns, Eusebi Daniel, Joaquim Portas amb son pare i el qui escriu aquestes ratlles, de Barcelona; mossèn Rué, de Girona, i mossèn Garcia, director de l'Orfeó Catalunya, de Caçà de la Selva; a més, hi havia el reverent Olmeda, de Burgos, i el P. Rojo, de Silos. Nosaltres no portàrem allí ni noves idees ni noves iniciatives, però amb la nostra presència férem constar que no dormim, i que seguim de prop aquell gran moviment de cultura artística religiosa (...).

(...) En resum, el Congrés d'Estrasburg ha sintetitzat l'esplendorosa i viva restauració del cant gregorià. Aquesta restauració era cosa latent en tot el món catòlic; el gran papa Pius X l'ha segellada amb sa paraula i li ha donat la força pel seu expandiment. Al costat de la virginal bellesa d'aquest cant, tot cant barroer fugirà avergonyit de l'església i fins la decadent música profana rebrà beneficis de la resurrecció de la melodia mística, la més pura i més lliure, germana bessona de la ingènua i gentil cançó popular (...).

EL CONTRAST INTERNACIONAL

Aviat hom buscà el contrast de la vàlua artística en la participació en certàmens corals.

Fallides les temptatives anteriors de presència en concursos de Bilbao, Tolosa o Montpeller, finalment tingué lloc, el 1897, la primera sortida a l'estranger de la nova corporació: Concurs de Niça (19-23 de novembre de 1897).

El certamen era per a veus masculines. Hi participaren, en la «divisió d'excel·lència», secció estrangera, l'Orfeó Català, la Société Royale des Artisans Réunis, de Brussel·les, i l'Orfeón del Círculo Obrero de San José, de Madrid.

El concurs constà de tres fases: a*) Lectura a vista* (Solfeig doble fuga i coral a quatre veus, *de Gaubert-Rose*); b*) Concurs d'execució: 1. Obra obligada:* La separació dels apòstols *del belga Reuschel; 2. Obra lliure:* La verema, *de Clavé* c) *Concurs d'honor:* Els pescadors, *de Clavé.*

Malgrat l'opinió reticent de Millet quant a aquestes competicions, l'Orfeó hi participà, tant pel benefici subsegüent d'una preparació intensiva —amb el corresponent millorament del cor—, com per la gratificació psicològica dels cantaires.

Ací, com en tota aquesta fase inicial de l'entitat, la documentació aporta un capteniment entendridor: des de l'autorització de la Junta General de fer un emprèstit «que no passi de 5.000 ptes., sense interès, en làmines de 5 ptes. cada una, amortitzables així que ho permeti l'estat de fondos», fins a la franca i ingènua petició milletiana d'una recomanació a Pedrell.

L'Orfeó fou distingit amb el primer premi de lectura a vista, el segon premi d'execució i el tercer premi del concurs d'honor. Lluís Millet, ho fou amb una menció d'honor.

El triomf de Niça tingué un ressò extraordinari: en el viatge de tornada, l'Orfeó era saludat per les societats corals dels pobles i de les viles i, en arribar a Barcelona, fou acollit per delegacions de les entitats artístiques i rebut a l'Ajuntament entre l'entusiasme general, en una mena de consagració popular. Un guany superior a cap altre.

Carta a Felip Pedrell. 23 d'agost de 1897

(...) Ara li vull consultar un assumpte que potser li estranyarà. Sí, senyor: l'Orfeó pensem anar a Niça a barallar-nos, és a dir a prendre part en un certamen internacional que hi ha anunciat per al novembre pròxim.

Jo sempre he estat enemic dels certàmens, ja que em sembla que no condueixen a gran resultat artístic. Però els nostres coristes n'estan desitjosos, els vindria tant de gust, que fins crec útil aprofitar son entusiasme per a fer-los treballar de valent i així millorar la massa coral d'homes. Desitjaria que vostè m'il·lustrés en aquest assumpte, perquè jo hi sóc completament llec. Tinc por que tots aquests certàmens no siguin una *camama* capaç de donar un disgust seriós a qui hi vagi de bona fe.

Esperant de sa bondat, doncs, un consell, se li repeteix com sempre son respectuós amic de cor i admirador

Carta a Felip Pedrell. 13 de novembre de 1897

Molt estimat mestre: Tanmateix, anem a Niça, irremissiblement. El fondista ja ens té diners, els coristes ja s'hi veuen. Ens han enviat, els del comitè, la llista de societats estrangeres que prenen part en la secció d'excel·lència. La llista del jurat, no ve. Quan la rebem, li telegrafiaré; si l'envien, que ja en començo a dubtar. Nosaltres hem de lluitar, segons la llista que hem rebut, amb dues societats belgues: «Cercle Royal Weber» (Brussel·les) i «Royale des Artisans Réunis», també de Brussel·les. I també amb l'«Orfeón» del «Círculo de Obreros» de Madrid. Qui són, aqueixa gent? Vostè no me n'ha parlat mai. ¿Aniran allà amb alguna recomanació forta? Ens amagaran l'ou? Nosaltres hi anem nuets. No ens hi porta cap senyor de bossa ni de la gran aristocràcia. Aquests senyors de Madrid, me fan mala olor. Li agrairia que em telegrafiés alguna cosa que sàpiga sobre el particular, perquè tinguéssim temps de posar-nos alerta. Per aquí ha corregut que l'Orfeó de Madrid feia trampa, que havia engruixit i reforçat sa massa coral amb coristes del Real. És veritat?

Estimat mestre, conec que el que li demano és una mica delicat, mes nostre estimat Orfeó va a jugar-se l'honra i hem de prendre totes les precaucions.

Vostè no coneix Laurent de Rillé? Aquest senyor és un dels presidents d'honor del jurat, i com que és un cap d'ala d'aquestes fires orfeòniques, em penso que no hi farà falta. No hi sobraria una recomanació.

Nosaltres, si Déu vol, sortirem el dijous propvinent al primer tren, que surt a les cinc del matí. És per això que voldria i li estimaria que em telegrafiés, a fi que abans de sortir de Barcelona hagi rebut de vostè aquelles notícies que vostè cregués que poden interessar-me. Potser també tindria temps d'escriure'ns una carta amb més detalls; però, per això, el telegrama no hi sobraria.

Li prego que em dispensi tanta llibertat i franquesa, i ja sap que l'estima i el venera son affm. amic i admirador

Carta a Felip Pedrell. 26 de novembre de 1897

Mon estimat mestre: Estem de retorn de Niça des d'abans d'ahir al vespre. Algun disgust he tingut en l'excursió; m'he acabat de convèncer del que són aquests concursos que ben poc tenen de seriós; i m'he fet creus de com la gent beu a galet. Quasi res m'ha vingut de nou, fora de l'arribada indescriptible que ens han fet a Barcelona. Una immensa gentada a l'estació, aclamant-nos, no deixant-nos donar un pas. L'Ajuntament enviant-nos la Banda i rebent-nos a casa la ciutat. La plaça plena a vessar entusiasmant-se amb *El Cant de la Senyera* i *Els Segadors*; tot Barcelona remoguda aclamant l'Orfeó i la música catalana. La música catalana! Heusací el que ha *frapat* fort a Niça! Enmig d'aquella música orfeònica, incolora i superficial, els nostres cants ressonaven lliures, amb olor de pi i clarors de sol; i és que portàvem un ideal, mentre que a *tots* els altres només els empenyia l'afany de posar un medalló més a l'aparador del pendó.

Els «Artisans Réunis» de Brusselles és una massa magnífica de timbre, equilibrada, amb una dicció ajustadíssima, fins exagerada; quan fan *esses* o *efes*, sembla que passi una ventada; la interpretació amanerada, un zig-zag de llum i d'ombra, que enlluerna. Aquesta gent, tot i essent molt grossos homes fets, en nombre de 140, no llegiren pas gaire bé; es pot dir que abans de fer una nota la palpaven i l'ensumaven. Els «Obreros» de Madrid, els creia més poca cosa; els reforços que portaven, se'ls coneixia de lluny. Aquesta gent no es poden queixar del veredicte del jurat: en el concurs d'honor cantaren la interminable *Caza del corsario*, per la qual els donaren el segon premi, i això que el «corsario» se'ls va escapar dues o tres vegades, tant, que en acabar els mateixos coristes *caçaires* deien que havien estat desgraciats. Nosaltres aixecàrem el teatre amb *Els pescadors*. Un senyor del jurat va venir a trobar-me pels passadissos del teatre i em felicità tan i tan calorosament, que jo ja em veia el primer premi d'honor; no fou així: tinguérem el tercer.

Aquell dia, els belgues estaven desconeguts;... tingueren el primer premi. Sort tingueren que en el concurs a primera vista estava present l'autor de la composició, que crec jo que devia influir que se'ns concedís un primer premi, medalla d'or. Els belgues obtingueren també el seu indispensable primer premi, amb una medalla de son rei, que és clar que va tenir tirada a tornar-se'n a casa. El premi d'execució (el dels calés), els belgues (5.000 francs), i els de Madrid i nosaltres mil a cada un, segon premi ex-aequo i *tutti contenti*. A mi, de tot això, no em vingué res de nou i m'estranya com no n'hem sortit més amb les mans al cap.

De totes maneres, els tres premis obtinguts, sobretot el primer de primera vista, han fet molt efecte a Barcelona; ho prova la gran arribada que tinguérem, de la qual tinguérem veritable sorpresa.

Mr. Laurent de Rillé sembla un bon jan. No el vaig poder veure fins el mateix dia del veredicte; encara que poca cosa em sembla que hauria pogut fer per nosaltres, ja que no el teníem en el nostre jurat. Aquest jurat estava compost de personalitats molt conegudes a casa seva. Per això no el vaig telegrafiar. (...)

No sé si he tingut prou traça a pintar-li el que ha estat aquest concurs, però com que, mica més o menys, penso que tots deuen anar de la mateixa manera, vostè ja en sabrà treure les conseqüències.

Ara tothom ens demana concerts donant a conèixer el que hem fet a Niça, cosa de la qual em sembla que no ens podrem escapar. Passat això, reprendrem les tasques artístiques de l'Orfeó.

(...) Aquesta carta, la rebrà retardada, perquè a mig fer he tingut tràfecs anant amb les medalles de Niça per les redaccions dels periòdics per desmentir un *suelto* del Brusi copiant un veredicte equivocat del «Petit Niçois», de Niça. Res, *bones intencions* de certa gent.

Estimat mestre, fins a una altra. Mentrestant rebi una abraçada de devot deixeble

LA FEBRE WAGNERIANA

L'estètica wagneriana fou cultivada per l'Orfeó des del començament: el 1892 interpretava fragments del Parsifal; *el 1894, de* Tannhäuser, *i el 1896,* La consagració del Graal *del* Parsifal.

I aquest conreu devot tindria la seva exemplificació màxima (a més de l'al·lusió wagneriana en les valquíries del Palau) el 1913, arran de la commemoració del centenari del naixement de Wagner, promoguda per l'Associació Wagneriana i concretada en uns importants Festivals en els quals l'Orfeó donà l'audició gairebé completa de Parsifal *i la d'importants fragments de* L'holandès errant, *de* Els mestres cantaires, *de* Lohengrin *i de* Tannhäuser.

El credo wagnerià impregnà àmpliament els cercles artístics i intel·lectuals de la Barcelona de fi de segle. Després d'aquella llunyana primera audició barcelonina d'una obra de Wagner per J. A. Clavé (1862), la penetració d'aquella nova estètica (1882: Lohengrin, *al Teatre Principal) s'acomplí principalment gràcies als esforços de l'Associació Wagneriana, fruit assaonat de les pretèrites temptatives de la Societat Wagneriana dels anys setanta i dels afanys de figures tan representatives com Felip Pedrell, Claudi Martínez Imbert, doctor Josep de Letamendi, Joaquim Marsillach, Antoni Ribera, Joaquim Pena, etc., dels d'entitats com l'Associació Catalana de Concerts i dels de publicacions com «L'Avenç» o «Joventut».*

El sentiment d'afirmació nacional inherent als postulats wagnerians s'adeia amb el neguit del jove Millet que, com tants d'altres, féu el seu pelegrinatge a Bayreuth el 1899.

La seva disposició anímica, però, era als antípodes de la dels apassionats liceistes, que enfrontaven l'obra de Wagner a la dels operistes italians. La receptivitat del músic cercava, abans que res, el missatge de bellesa i la sobrenatural transcendència, simbolitzada màximament, en paraules seves, en Parsifal, *«la missa de Wagner».*

Postal als amics de l'Orfeó. Munic, 3 de juliol de 1899

Estimats amics: Ahir vaig sentir *Tannhäuser* aquí, a Munic. (...) Després de Bayreuth, no es pot sentir res més. Nois! *Els Mestres cantaires* i *Parsifal,* espaterrants, cadascun pel seu estil. *Els Mestres,* dirigits per Richter, una meravella; *Parsifal,* un cel. Avui sentiré *La Flauta màgica.* (...) Us abraça, Lluís.

Postal als amics de l'Orfeó. Paris, 18 de juliol de 1899 (imatge de la torre Eiffel)

Salut i *fraternité!* No feu gaire el dropo, que nosaltres treballem molt; que això tan espaterrant, si treballem molt, *peut être* podrem venir-ho a veure tots plegats. Visca Catalunya! Vostre, Lluís.

Postal als amics de l'Orfeó. Bayreuth, 22 de juliol de 1899

Amics: Això, en conjunt, és admirable. És cosa nova, que sorprèn. La sala té l'aspecte d'una acadèmia.

La gent, amb devoció; ni un sospir se sent; solament el món harmònic d'aquella orquestra amagada, i, davant els ulls, un somni grandiós de l'Ideal. Lluís.

(Després d'haver assistit a una representació de *L'Or del Rin.*)

Postal als amics de l'Orfeó. Bayreuth, 24 de juliol de 1899

Amics: *La Walkyria,* esplèndida. Això del drama líric, jo no ho coneixia fins ahir. Els artistes no canten, declamen. El drama pren un relleu que s'imposa. Aquí no s'escolta música ni es miren les decoracions; aquí se *sent* un drama. Això creix. Adéu! Lluís.

Carta a Felip Pedrell. El Masnou, 24 d'agost de 1899

Sempre estimat mestre: A Bayreuth, a son degut temps, vaig rebre la seva carta. (...) Allò de Wagner imposa com a cosa de geni, que disposa de tots els mitjans per fer-se entendre dels pelegrins de l'art, que van allà amb fe i amor per fruir de l'aliment estètic més preat de l'art modern.

La consciència artística es troba en el total de les representacions. Els artistes, en general, senten, viuen l'obra; més que cantar, declamen, per la qual cosa el *drama* pren un relleu extraordinari. L'orquestra és superba, d'una sonoritat esplèndida i d'una pasta forta i dolça al mateix temps. Quan aquest instrument meravellós és tocat per un Richter, cregui, mestre, que és deliciós. *Els Mestres cantaires,* que van ser dirigits pel cèlebre *Kapelmeister,* eren una font regaladíssima de goigs per a l'esperit. Un començava a sentir aquella orquestra com si allò hagués de ser d'aquella i de cap més manera. Com una cosa natural; els motius naixien, creixien, se n'anaven amb aquella naturalitat amb què viuen les coses en la naturalesa; com es mouen les fulles pel vent mogudes, com corren els núvols, com creix i mor el dia amb aquella justesa amb què viuen les coses que regula, ordena i desenrotlla la naturalesa. I quina claredat s'hi veia, en Wagner; semblava una orquestra de Mozart.

I el *Parsifal*? Heus ací la impressió més fonda, més elevada que es rep a Bayreuth. És una alenada de virtut que ens conforta, que ennobleix, i on es troba quelcom de diví; el pressentiment del sobrenatural es desvetlla, s'afina; un surt de la representació sentint-se dignificat, amb més pes d'ànima. El *Parsifal* és la *missa* de Wagner (...).

UN CONCERT A COMARQUES

L'expansió de l'acció musical de l'Orfeó s'evidencià en actuacions —cada cop més sovintejades— fora de l'àmbit urbà, la primera de les quals tingué lloc a Banyeres del Penedès el dia 14 d'octubre de 1894.

Com eren aquestes audicions? Millet ens en deixà una crònica fresca i palpitant en la narració d'uns concerts a Camprodon l'any 1899.

Abans d'ells, i a més dels celebrats als més diversos nuclis artístics barcelonins i de la presència a Niça, l'Orfeó havia actuat a l'Hospitalet de Llobregat, al Masnou, a Sitges, Badalona, Ripoll, Sabadell, Terrassa, Montserrat, Igualada, Mataró i Ciutat de Mallorca.

Hom pot afirmar que el ritual acostumat els atorgava una significació extramusical. La visita a les autoritats i la cordialitat recíproca, el simbolisme —progressivament estès i acceptat— de El cant de la senyera *i de* Els segadors, *i el retrobament idealitzat dels signes culturals pretèrits (històrics, artístics, arqueològics), generaven un corrent de simpatia que conferia valor de categoria a tots i cadascun dels elements en joc.*

En definitiva, a més d'un acte musical, un concert de l'Orfeó esdevenia un acte patriòtic.

Un concert a Camprodon
(Parlament a la Junta General, 21 de gener de 1900)

(...) L'anada de les seccions d'homes i de nois a Comprodon resultà una de les sortides més típiques que ha realitzat l'Orfeó.

A la matinada del dia 13 [d'agost de 1899] marxàrem. Arribàrem al migdia a Sant Joan, on després de dinar anàrem a visitar el bell i notable monestir on adoràrem el Sant Misteri vetllat per aquelles admirables escultures, potser l'obra cabdal de la vella escultura catalana. Jo no he vist res en aquest art que em produís tan fonda impressió. Com que el temps era curt, a corre-cuita agafàrem de seguida carretera amunt per trobar els carruatges que ens havien de portar a Camprodon. Després d'una estona de camí, els esperàrem aturats, ja que el sol picava massa per gambejar costa amunt. Un cop arribats els cotxes, pujàrem homes i nois; i, apa, cap amunt tot admirant el bell paisatge d'aquell tros de terra catalana.

L'arribada a Camprodon va ser cosa ben típica i nova per a nosaltres. Una munió de gent ens rebia amb crits d'alegria; una bellugadissa de verdes branques ens saludava, mogudes per la quitxalla amb vermella barretina sobre el cap; nans i comparses es bellugaven, saltaven i es capbussaven d'aquí d'allà, fent gran gatzara. Uns heralds, ricament vestits, a dalt de cavall, feien d'escolta a la comitiva, engruixida pels estiuejants barcelonins organitzadors d'aquella festa.

Anàrem tots plegats a la plaça, enfront de la casa de la vila, i cantàrem *El cant de la senyera*; l'alcalde, des del balcó de la casa gran, ens donà la benvinguda. Després, marxàrem tots plegats a saludar el senyor rector, acompanyats d'atxes de vent, perquè ja era negra nit. Allí, al portal de l'església, quatre o cinc sacerdots, de rengle, drets, ens esperaven. La bullícia parà en sec; les atxes il·luminaven els antics murs de l'església, donant un color solemnial a l'acte. El senyor rector trencà el silenci donant-nos la benvinguda amb paraula senzilla i sincera; nosaltres cantàrem un parell de cançons populars. Creieu que tot allò era ben original i bell!

D'allà anàrem a saludar el doctor Robert, llavors alcalde de Barcelona, que es trobava a Camprodon orejant-se dels maldecaps que li donava son important càrrec. Ens rebé amb un discurs patriòtic; dalt dels quatre o cinc esglaons de sa casa-torre, feia bo sentir-lo parlar de Ripoll, de les contrades pirinenques, on la saba catalana es guarda pura com la neu de ses altíssimes muntanyes; allà solament se pot sentir en català, i per això els nostres cants ressonaven allà lliures i potents, dient: Oh, Pirineus, som fills teus, encara!

Després férem ressonar *Els segadors* per aquells aires que respiraren els Jofres i Tallaferros, els pares de la Catalunya lliure, forta i honrada, de la nostra única pàtria.

Aquella mateixa nit férem un concert al Casino. El local no era gran; no cal dir com estava, de ple. Cantàrem cançons populars, Clavé i fins l'*Ocellada*. La meritíssima senyora Wehrle, amb son bon gust de sempre, cantà cançons del senyor García Robles i meves. D'aplaudiments, no en faltaren.

Però la nota més bonica de la nostra estada en aquella vall pirinenca fou l'anada de l'endemà, a la tarda, al Vernetar. Des d'allí es dominava la vila, ajaguda en el clot d'aquelles altes muntanyes i regada pel Ter. Una cobla tocava sardanes. La tarda anava caient. Cantàrem *Les flors de maig*; les veus resultaven arrodonides en la quietud solemnial de la gran naturalesa. La melodia tendra i l'harmonia simple d'en Clavé es fonien i harmonitzaven amb les mitges tintes del capvespre; l'esperit s'enlairava, i una fonda melangia penetrava fins al fons de l'ànima.

Sorpresos nosaltres mateixos de l'efecte, cantàrem de seguida *L'emigrant*: «Dolça Catalunya, pàtria del meu cor!» Allí la teníem, la dolça mare nostra, que ens petonejava el front amb l'aire pur de la muntanya. Allí la teníem, mig somniosa, deixant-nos gaudir en sos somnis. Allí el teníem, l'alt Pirineu, sobre nostres caps, altívol, immens. Oh, saba forta de la naturalesa! Oh, saba de la Pàtria! Oh, poesia de l'ànima!

Baixàrem avall que ja era fosc.

A la nit, hi hagué sardanes en obsequi de l'Orfeó, i tots ballàrem. La gent del país ens donava la mà i ens guiava; les barretines de la muntanya i les de ciutat s'ajuntaven en aquella gran rodona, que tots som fills d'una mateixa mare.

L'endemà al matí, diada de la Mare de Déu, a l'ofici cantàrem la *Missa del Papa Marcello.* A la tarda hi hagué un aplec a can Moy. La festa d'aquella tarda resultà més popular que la del dia abans al Vernetar, si bé menys poètica. Però, quina animació! I que bo feia estar-se allí, enmig d'aquells muntanyencs que ballaven, ballaven, sense cansar-se mai.

L'espinguet de les gralles es confonia amb el brogit de la gent i el murmurar del riu que allí prop saltava boig d'alegria, de roc en roc, corrent després pedruscall avall, en busca d'altres aigües germanes que li parlessin de l'avi Puigmal, el de les neus eternes! Amics, allò és viure. Nosaltres, allí, prop del riu, cantàrem *Les flors de maig* i crec que *El cant de la senyera*; feia bo veure els pagesos, al voltant nostre, amb l'afició que ens escoltaven.

A la nit donàrem l'últim conert. L'èxit fou gros. Després del concert, que devia ser prop de la una, prenguérem alguna cosa, i a les tres del matí sortíem del Casino cap a buscar els cotxes que ens havien de portar a Sant Joan per agafar el primer tren cap a Barcelona. Llavors, espontàniament, organitzàrem una ronda nocturna, la més original, digne final de la nostra estada a Camprodon: sortint del Casino, alguns començaren a entonar *Els segadors,* seguiren altres i de seguida, tots, amb imponent uníson, recorreguérem els carrers de la vila cantant l'himne català. La gent sortia pels balcons amb roba blanca; els *serenos,* admirats, ens encaraven els fanals, i l'himne, després d'acabat, recomençava i semblava que creixia, creixia, com si els ecos dels Pirineus li donessin força. A la plaça, amb tot i l'hora que era (les tres, un quart de quatre del matí) hi hagué crits d'entusiasme. Ens abraçàrem acomiadant-nos dels organitzadors d'aquelles festes, que tanta bondat tingueren per a nosaltres, i dins la tartana, tot brandant el cap, encara anàvem gaudint amb el record de tot allò que tota la vida retraurem com a moments feliços.

L'EMBARG DE LA SENYERA I LA PRIMERA AUDICIÓ DE LA NOVENA SIMFONIA, *DE BEETHOVEN*

L'afany d'enaltiment cultural, en clara connexió amb el propòsit de desvetllament cívic, marca amb una empremta indeleble els anys de creixença de l'Orfeó Català.

És una època de lliurament il·lusionat a una tasca que hom creu bona, i que minimitza, fins a superar-los, els entrebancs inherents a una dinàmica puixant recolzada sobre una formació musical idònia dels cantaires i dels qui aspiraven a ser-ho.

Petites misèries humanes d'elements afectes al mateix Orfeó portaren a la formulació d'una denúncia, el 1897, en virtut de la qual l'entitat defraudava el fisc en no pagar contribució, «en concepte d'empresa industrial», per les activitats docents.

Allò que en principi fou només una pura anècdota, es convertí amb el temps, havent prosperat el requeriment i ajudant-hi la rutina del burocratisme d'una administració ineficaç, en un dels episodis més ressonants en els ambients musicals barcelonins, amb l'amenaça d'embarg de l'entitat si no eren atesos els deutes fiscals.

Amb l'assessorament de l'advocat Raimon d'Abadal, l'Orfeó es negà a pagar l'impost exigit, fins a arribar a les últimes conseqüències; i, hàbilment, con-

vertí en polític un afer inicialment estrictament privat: en presentar-se l'executiu per complir el mandat, només pogué embargar aquells objectes que, per llur simbolisme, més podien colpir una consciència ciutadana enfervorida.

La materialització de l'embarg coincidí, en el temps (Quaresma del 1900), amb la celebració d'una sèrie de concerts al Gran Teatre del Liceu, en els quals l'Orfeó prenia part, de mà d'Antoni Nicolau.

Era la primera vegada que el cor es presentava en aquell coliseu líric, després d'haver celebrat més d'un centenar de concerts en el transcurs dels nou anys de vida. Un autèntic esdeveniment per a la corporació, puix que, al llarg de la sèrie, hi donà la versió tant d'obres corals (Clavé, Millet, Jannequin, Lassus, Nicolau, Palestrina, Franck, Mendelssohn, Grieg, etcètera) com de simfònico-vocals (La consagració del Graal de Parsifal, de Wagner, Hènora, de Nicolau, i, molt especialment, la primera audició de la Novena Simfonia, de Beethoven, el dia 30 de març de 1900).

La transcendència artística era unida, doncs, a la significació cívica de l'actitud presa davant l'Administració, la qual, el dia 21 de març, procedí a l'embarg de la senyera i de diversos objectes artístics (corones de plata, llaçades, insígnies, medalla d'or i diplomes guanyats a Niça, etc.)

L'endemà, el governador civil sol·licità de Millet (però no aconseguí el seu propòsit) que, en el concert que a la nit havia de donar al Liceu, hi figurés la senyera malgrat l'embarg de què era afectada.

A les protestes dels mitjans de comunicació s'havia unit un majoritari corrent de simpatia envers l'entitat: Enric Morera, director de Catalunya Nova, oferia el seu estendard «perquè el cor no es vegi obligat a cantar sense enardir-se amb la vista de les nostres glorioses quatre barres», etc.

Finalment, gràcies a les gestions del president de la Junta de Propietaris del Liceu, fou dictada una providència aixecant l'embarg de la senyera, la qual *fou rebuda en el concert del Liceu amb una ovació clamorosa, plebiscit irrebatible d'un sentiment catalanista.*

Per això Millet podia adverar —en carta a Pedrell i en un parlament a la Junta General de socis— tant el seu profund sentit crític envers les arcaïtzants estructures espanyolistes, com la coronació momentània d'una ambició artística llargament desitjada.

Carta a Felip Pedrell. 15 de desembre de 1899

Sempre estimat mestre: Dies feia que sentia el desig d'escriure-li; un assumpte important de l'Orfeó que vostè ens pot ajudar a resoldre satisfactòriament, m'obliga a no retardar més complir mon desig.

Es tracta, estimat mestre, d'una denúncia que es va fer contra l'Orfeó fa dos anys per no sabem qui, ja que les firmes són completament desconegudes (per tant, falses), dient que la nostra estimada institució havia de pagar contribució com a establiment d'ensenyança com si fos una acadèmia on se fa gent per una carrera. D'això, si vostè se'n recorda, ja en van parlar els diaris. Nosaltres no ens vam queixar; els d'Hisenda d'aquí a Barcelona se'n van fer càrrec, comprenent que teníem tota la raó; el mateix senyor Baxeres ens va defensar en junta i van acordar, perquè això no ens tornés a passar, tirar la causa endavant resolent-la a favor nostre i santa bona Maria. Tal dit, tal fet; al cap de molt temps ens tornen a cridar, no recordant-se ja els senyors d'Hisenda de què es tractava; hi vam comparèixer, i quan van veure que es tractava del mateix assumpte, del qual ells mateixos s'havien persuadit que era una bestiesa, van dir que ens entornéssim en nom de Déu. Bé. Al cap de més temps ens tornen a cridar i llavors, desgraciadament (era l'estiu passat, quan jo era a Bayreuth), el president es descuida de comparèixer en junta; els senyors d'Hisenda no es recorden de quin assumpte es tracta; era un dia que havien de fallar seixanta expedients i, és clar, el més fàcil és dir: que paguin. Ve-li aquí, ara, l'Orfeó Català, que fa el negoci, com vostè sap, de fer cultura per al poble; on hi ha mestres que ensenyen de franc a doscents individus, que tampoc no en treuen profit material, perquè el nivell intel·lectual del poble pugi una miqueta de graus i els estrangers no segueixin dient que això és moreria. L'Orfeó Català, doncs, que encara és tan innocent que oblida que està dins d'Espanya, ha de pagar a la Hisenda espanyola uns doscents duros per quotes, recàrrecs i multa per haver *estafat* el govern. Nosaltres no estem disposats a pagar el que no podem per una cosa que és de consciència no pagar. Estem disposats a tot, fins a dissoldre l'Orfeó. Però abans ens hem d'esbravar.

Si nosaltres paguem, totes les societats corals d'Espanya han de pagar; nosaltres els denunciarem, no perquè paguin, sinó perquè s'aixequi un *tolle-tolle* que posi en ridícul aquesta administració nostra espanyola. Últimament, hem vist el delegat d'Hisenda, senyor Altolaguirre; aquest, en veure l'assumpte, s'ha picat el cap dient-nos que nosaltres teníem raó en no voler pagar, però com que ja estava fallat, no s'atrevia a tornar enrera, perquè com que la denúncia venia de Madrid temia que d'allà no n'hi demanessin comptes.

Nosaltres no sabem qui són els denunciants, però estem quasi segurs que deu ser algú de per aquí a Barcelona que no pot veure l'Orfeó. Pensem que pot ser un senyor molt animal i sense cap representació de cap classe, però que es fica pertot arreu, que tenia dos fills a l'Orfeó i els vam treure perquè s'assemblaven massa a son pare; total, una bestiesa.

Per tant, nosaltres creiem que si al delegat d'Hisenda li vingués una insinuació de Madrid denunciant-li que mirés si l'assumpte tenia remei, ell tornaria a fer revisar l'expedient i es resoldria a favor nostre. Perquè a ells, en les circumstàncies presents, no els convé de moure soroll per una misèria com aquesta, i que acabaria de fer-los antipàtics al poble. Ara, ¿podria vostè, mestre, fer alguna cosa en aquest assumpte? ¿Potser per mitjà d'en Pidal? Fer que, del Ministeri d'Hisenda, se fes alguna insinuació aquí, a Barcelona, a favor de la justícia.

És ben trist que, el que hauria de ser protegit pels qui porten la nació, sigui escanyat i turmentat. Quines ganes fa, tot això, de tornar-se'n a casa i deixar tot ideal de cultura per al poble!

El mal és que, els qui tenim la ceba, no la deixem tan fàcilment.

(...) Ja sé que vostè, que tantes proves ens ha donat d'estimació treballarà de seguida per veure si es pot adobar alguna cosa de la qüestió objecte d'aquesta carta (...).

Parlament a la Junta General. 20 de gener de 1901

Estimats amics: Permeteu que us digui quatre mots sobre el treball artístic que ha efectuat nostre Orfeó durant l'any passat. No vull jo fer crítica del nostre propi treball, del treball tècnic; solament vull fer constar la transcendència artística, i també patriòtica, que, en mon concepte, ha resultat de la direcció de nostres estudis, encaminats a fer conèixer obres cabdals, amarades del sant ideal que eleva i ennobleix l'ànima humana.

Perquè, amics, és cosa vella —encara que molts ho obliden massa sovint— que l'art digne ha de transcendir fins a l'ànima, deixondant-la amorosament, desnuant-li els llaços que la lliguen a la matèria, somovent-la, donant-li a tastar allò que és etern; fent-la estremir amb enyorances del gran Goig, matant-li el cuc de la supèrbia engendradora de l'enveja, de l'egoisme i de tota la misèria humana; perquè la vera bellesa, o sigui l'art pur, és el resplendor del bo, del sant i de la Veritat eterna.

Durant l'any darrer, badall de mort del nuvolós

segle dinou, alguna obra ha cantat l'Orfeó que, en veritat, entra en la categoria d'aquest art lluminós. Cal tan sols anomenar-vos la *Novena Simfonia* de Beethoven.

En el període d'engendrament de nostra Corporació, ja fantasiàvem coses belles per a ella; i —com mare vident que ja veu gran i bell el fill que porta en ses entranyes, i en somnis el veu resplendent de glòria i ja s'emmiralla en sos ulls i el petoneja en ses galtes, i el veu admirat de tothom per ses grans gestes— així vèiem ja nostre cor interpretant les grans obres clàssiques de l'art vocal, i el somniàvem gran i admirat, estimat de tothom; i, com a visió més resplendent, més estimada encara, ens vèiem sota les ales del geni de Beethoven cantant son *Himne a la Joia,* coronament de l'obra cabdal del més gran dels músics moderns. Mes això ho vèiem lluny, molt lluny, encara que hi crèiem amb fermesa.

Ara, heus ací com, l'any passat, es realitzà nostre somni. Data memorable per a nosaltres, la del dia que s'executà per primera vegada a Barcelona la *Novena Simfonia* amb cors!

Tantes vegades com s'havia intentat en nostra ciutat fer sentir aquesta obra, sencera, amb les parts vocals del final, se n'havia hagut de desistir per no trobar, o no poder organitzar, una massa coral prou apta.

Nostre Orfeó, després de pocs anys de vida, ha pogut fer aquest servei a la cultura artística de Barcelona. Nostre cor, que va començar cantant solament les cançonetes de la terra (i que les cantarà sempre, perquè en elles hi ha la raó de sa existència) ha arribat a entonar el que en podríem dir himne triomfal de nostre art diví.

Si, per desgràcia, nostre Orfeó hagués mort l'endemà mateix del dia de l'estrena de la *Novena,* per aquest motiu, solament, son record hauria estat grat a tots els qui estimen amb sinceritat el gran art en nostra terra.

(...) En presentar-nos al Liceu, ho fèiem amb un cert temor, perquè tot, allà, ens era nou: teatre i públic; aquell públic que aterra els artistes d'òpera, que aixeca reputacions amb ovacions delirants i l'endemà les enfonsa amb fenomenals escàndols. Aquell públic compost d'elements que desconeixien per complet l'Orfeó i que, quan a l'escena no hi veu comèdia, acostuma a badallar de fàstic.

Doncs, bé, ja sabeu com aquell públic es deixà vèncer per nostres cants. Li donàrem humils cançons de la terra, que li devien despertar remordiments en topar-se amb el record de les concupiscents melodies d'òpera que han omplert aquella sala anys i anys; li donàrem peces d'en Clavé, i no els semblaren *ordinàries;* música polifònica religiosa d'aquella que els mestres de capella no s'atreveixen a executar perquè és *massa seriosa,* que ocupava parts senceres de concert, i tot ho aplaudí de debò, i, en les peces de més efecte, esclataren veritables ovacions.

Tot, tot s'aplegava perquè aquells concerts resultessin una cosa memorable. El que, de moment, semblava contrariar l'èxit, es resolia després a favor, promovent majors esclats de glòria.

L'embarg de la Senyera fou l'espurna que encengué la foguera. Quina resplendor, amics! A mi em sembla un somni. La Senyera, deslliurada de les mans del fisc, va ser l'emblema de la pàtria deslliurada. Encara em sembla veure-la, aquella gernació dreta, cridant, espetegant de mans, voleiant mocadors i barrets, saludant, glorificant nostra bandera. Allò era com l'esclat d'un amor empresonat de molt temps. Era una exaltació amb fons d'amor i ràbia, perquè la glorificació de la Senyera, en aquell moment, significava la glorificació de Catalunya, de nostra estimada mare. Nostre drap sagrat, que beneí el bisbe Morgades en la Muntanya Santa de la pàtria, era llavors el símbol de la vera Catalunya. La Catalunya sentiment, la Catalunya idea, la Catalunya caràcter, aclamat per son poble delirant d'amor.

No, no era per a nosaltres, aquella aclamació: era per a nostra mare terra. Per això l'hem de recordar amb goig, més que cap altra ovació de nostra vida artística.

La mar, quan està fortament revoltada, no es calma tan fàcilment; els concerts que seguiren al de l'exaltació de la Senyera, tots foren sorollosos. A l'entusiasme artístic s'afegí el patriòtic. Amb això, no hi perdé res l'art i hi guanyà Catalunya.

(...) I ara, per acabar, permeteu que doni les gràcies a aquesta massa coral que, amb tant d'amor, ha treballat, estudiant totes aquestes obres. Feu que no es refredi aquest escalf d'art i d'amor a la terra que cova aquí dins i ens agermana. Tingueu la mirada de l'esperit fixa sempre en nostra Catalunya; per ella treballem fent art noble, art digne. Per això és precís covar l'amor en nostres pits i esporgar-los dels recels que, fills de petites misèries, sempre s'aferren en el cor de l'home.

Cal el sacrifici per a realitzar obres nobles, i, de vegades, el sacrifici més costós: el de vèncer-se a si mateix. Anem sempre amb el cap alt i el cor net. Tingueu tota la confiança i tota la fe en vostres mestres. Això és el que haveu fet fins ara i fareu, n'estic segur, d'aquí endavant. Jo, per ma part, vull encara més: vull que m'estimeu; sense l'escalf de l'amor no sabria tenir deixebles.

L'Orfeó és i ha estat sempre una gran família, i a això deu en gran part sa bella creixença. El dia que se us refredi aquest amor, encara que em creguéssiu el millor mestre del món, poseu-ne un altre en mon lloc. Mentre l'obra no mori, jo em sabré resignar.

L'ARRELAMENT DE L'ORFEÓ

A trenta-cinc anys (1903) i en un parlament a la Junta General de socis, Millet formula una primera teoria del paper de l'entitat al si de la societat coetània. I tot reafirmant l'apreci provinent dels cercles més diversos —urbans i rurals, intel·lectuals i obrers— situa l'Orfeó en la simbologia espiritual del poble.

Perillosa dicotomia, puix que Millet —artista per sobre de tota altra cosa— oblida molt fàcilment les necessitats primàries (o les tracta idealment) en fer èmfasi permanent en la superior categoria de l'esfera espiritual.

És també el moment en què, des del replà albirador del tombant del segle i des de la perspectiva de la densa trajectòria menada, evoca, en un primerenc esbós històric, els orígens de la corporació, amb una certa enyorança de l'embranzida de la joventut que fuig «suaument i traïdorament».

Sentiment i sensació de maduresa en els quals coadjuvaven, per un cantó, el moviment corporatiu (50 infants cantaires, 71 veus femenines, 90 de masculines; més de 150 obres al repertori, de tots els temps, èpoques i estils; prop de 1.500 socis), i, per un altre, els resultats de la llavor plantada per l'Orfeó, cada actuació del qual propiciava la naixença d'agrupacions semblants; un recompte estadístic testimonia la fundació (fins al moment present) de les entitats següents: 1895: Catalunya Nova; 1896: Orfeó Lleidatà; 1899: orfeons L'Eco de Catalunya, del Lluçanès i Mallorquí, de Sants; 1900: orfeons Barceloní, Barcelonès i Catalunya; 1901: orfeons Calellenc i Manresà; 1902: orfeons de Blanes i Vigatà; 1903: orfeons Mataroní i Tarragoní.

Aquesta ràpida desclosa demostrava que la intuïció de Millet i de Vives en crear l'Orfeó responia a un estat d'esperit col·lectiu expectant, necessitat només, per concretar-se, de l'exemple operatiu d'un líder. Aquest paper, l'assumí aviat Millet, amb força progressiva a mesura que, amb els èxits, arrelava l'Orfeó.

Parlament a la Junta General. 21 de gener de 1900

Orfeó Català. Heusací unes paraules que ens voltegen contínuament i amorosament i són consol, records i esperança nostra. És l'obra de joventut somniadora. És l'obra verge de la primera volada de l'ideal bell de nostra joventut, que va fugint suaument i traïdorament. És la flor del camp de la Catalunya renaixent. És verdor de primavera, que ens diu com l'hivern de la llarga esclavitud de la pàtria no ha mort pas el germen vivificador de nostra raça.

Sembla ahir, i és dolçament trist de pensar-ho, que vàrem començar, com aquell que juga, innocentment, sense saber ben bé el que fèiem, sense mèrits, sense cap element, tan sols amb l'escalf de nostre cor jove, amb la llum radiant de nostra imaginació somniadora. Vàrem començar, i encara dura. El que tenia forma insegura, informe al començament, s'ha anat perfilant i destacant en el cel de nostre renaixement, com astre que il·lumina cors catalans encara mig ensopits per la mentida, desnaturalitzadora, de l'Espanya centralitzada. No haig de fer jo, en aquest moment, la història general de nostra institució; solament haig de fer-vos memòria de la tasca artística de l'any que acabem de passar. Però, així com l'excursionista, a mitja costa, es gira per delectar-se els ulls amb la verdor de l'arbre frondós on ha fet parada un moment abans, i la vista se n'hi va avall, cap al prat florit de la planura on arrela la muntanya que escala, així jo, en fer memòria de l'any passat, el pensament em fuig voleiant per aquells primers moments de nostra societat, moments humils, però bells com matinada de primavera per aquells que els gaudírem.

Era l'any de l'Exposició 1888, de bona memòria, quan vaig sentir, amb motiu dels certàmens que se celebraren, uns quants orfeons estrangers. La manera de cantar d'aquelles colles va ser una revelació per a mi. La tradició del bell cantar s'havia perdut en nostra terra. Jo, almenys, no havia sentit mai, ni en l'església ni en el teatre, cap massa coral que em fes sentir el goig que és capaç de produir la veu humana tractada en conjunt. La veu humana és l'instrument musical per excel·lència. És l'únic que està en contacte amb l'ànima. És la serventa directa de l'esperit. El cor l'escalfa, el pit la fa vibrant, el cap l'eleva, la dulcifica; l'esperit dins casa seva obre finestres per rebre frescors dels camps, solellades i alenades de primavera.

La veu humana, tractada en massa, emesa amb art, amb equilibri d'intensitat en cada part coral, obté efectes incomparables de vida, de calor, d'expressió, que l'orquestra no podrà mai imitar tot i tenint molts més recursos. Però, per obtenir aquests efectes, es necessita estudi, preparant l'educació indispensable a cada branca del saber humà, l'educació necessària a son desenrotllament i perfecció.

En sentir, doncs, jo, aquelles societats corals cantant amb un art nou per a mi, me'n quedà un record fondo que em rondinava per dins com un desig d'una cosa que havia de venir, i a no tardar gaire. La forta amistat que em lliga amb Amadeu Vives fecundà la idea; la coneixença d'un aplec de joves que encara enrotllen nostra senyera i són, com si diguéssim, el pinyol de nostra fruita xamosa, fou el llevat que, pastat per la bona voluntat de tothom, s'ha transformat en la institució que avui tot Catalunya coneix i estima.

Si avui no fos altre mon objecte, que bo em fóra recordar aquella nostra bella albada! Aquella primera sessió al Foment Regionalista, al carrer de Montserrat, amb aquell senyor que s'enfadà perquè volíem cantar en català; les classes de solfeig al carrer Lladó; nostra primera prova anyal; aquella excursió nocturna al castell de Montcada, amb aquells cants a camp obert, al qual la nit donava ales de misteri; amb aquell cant de *Els segadors,* tots a dalt del castell, de cara al sol, que, bell, vermell, radiant, sortint per sobre la serra de davant, semblava la benedicció de Déu a nostre ideal! Oh, els que hi éreu, en aquells primers temps, i m'escolteu, digueu quin goig sentiu en recordar-ho! (...)

Parlament a la Junta General. 3 de març de 1903

Estimats amics: És bo, de tant en tant, recollir-se i fer examen de consciència; mirar si els actes per un realitzats estan conformes amb les santes lleis de la Veritat, impreses al fons de la consciència humana. L'acte d'avui té quelcom d'això, de recolliment que fa record dels actes realitzats per nostra institució estimada durant l'any 1902.

(...) L'Orfeó Català és estimat per la gent intel·lectual com un trobador nou que, cantant, desperta sentiments nobles, refent l'ànima catalana, ajudant al revifament de les arts belles, peixant la fam d'ideal de nostre poble, aixecant-lo del que és baix i material i enlairant-lo cap a les coses altes i espirituals.

Aquesta estima havem guanyat, i aquesta estima havem de conservar, essent-ne cada moment més dignes. Per a aconseguir això, hem de tenir consciència, tots, del que som i del paper que, diríem, representem en el modern renaixement català.

Les necessitats de l'home són complexes. Format d'ànima i cos, d'esperit i matèria, té necessitats morals i materials; i així com l'esperit és superior a la matèria, les necessitats morals estan per sobre de les materials.

Els homes formen races per necessitat de sang, de tradicions, de costums, de la terra i cel que els rodegen; aquest conjunt d'individus forma com un gros individu, u, indivisible; un gros cos i una gran ànima, que també té, i amb més força, les necessitats de l'individu simple; necessita pa per al cos i pa per a l'esperit. Nostre Senyor ho digué: *no viu solament de pa, l'home;* és a dir, viu del pa de l'esperit, també. Però aquestes necessitats tenen tants matisos com matisos tenen les races.

Nosaltres som de raça catalana; nosaltres representem, en aquest gros cos i ànima catalana, una part de son esperit, la part emotiva, la part sentiment; i com més aquest sentiment sigui pur, noble i enlairat, més digna serà la personalitat catalana. Catalunya en té moltes, de necessitats materials, però potser no tantes com es pensa. Si els que som element moral no revifem de valent la part noble d'aquest ésser, el desequilibri el portarà a l'embrutiment.

Heus aquí com és noble i delicada, la nostra tasca. Havem de tocar-li el cor, al català; havem de cridar-li contínuament: *sursum corda,* amunt els cors! I perquè ell ho senti, és precís que ho diguem amb veu plena d'emoció i amor; amb veu sincera d'abnegació; havem de clamar amb veu que li remogui la consciència de son ésser; amb veu que porti ressons de la veu antiga de la Pàtria, la veu íntima que guarda els accents de les alegries i tristeses del temps passat; que guarda els accents de la mare al fill, de l'espòs a l'esposa; els accents dels qui moren, dels qui neixen, dels qui gaudeixen i dels qui sofreixen. És a dir, amics meus: si volem que Catalunya ens escolti, que vingui a nosaltres, que aixequi el cor enlaire, li hem de donar art seu propi, moll de sos ossos: *Art català.*

(...) I, per acabar, solament us diré que no oblidem mai la finalitat artística, moral i patriòtica de nostra institució; que formem part d'aquest conjunt harmònic u, indivisible, que es diu Catalunya; que dintre d'aquest cos vivent representem una part d'ordre moral i, per tant, som part directora de son sentiment, de la noblesa de son esperit, que hem de procurar guardar sa i ajudar en son perfeccionament tal com pertoca a ses qualitats intrínseques i a sa altíssima història; per a anar aconseguint això, hem de seguir sempre en perfecció ascendent, eixamplant gradualment nostres mitjans d'acció; hem de procurar despertar la sensibilitat artística de les classes populars, educant el sentiment que avui procuren pervertir elements pertorbadors amb les teories utòpiques i malvades de l'orgull i de l'odi, que solament porten el desballestament i no poden portar l'edificació perquè van contra les lleis de Déu i de la naturalesa.

Oh, amics! Nosaltres també podem fer quelcom en la qüestió social; divulguem l'art sa, noble i català entre aquests pobrets que més necessitat encara tenen del pa de l'esperit que del pa del cos; organitzem concerts populars en sos mateixos barris; portem-los l'accent honrat de l'ànima catalana a sa casa mateixa, si pot ésser, perquè se'ls desperti altra vegada en son cor l'amor a Déu, a la terra, a la santa família; asserenem son esperit amb les harmonies de nostres cançons; que sentin la veritable fraternitat humana i la veritable llibertat que no cria odis, sinó amor, que no crida venjança, sinó perdó. Oh! Maleït qui emmetzina el mos de pa que menja el pobre! Maleït qui corromp la simplicitat de son cor ingenu!

Si nosaltres no podem donar l'abast a tasca tan noble, facilitem tot el que puguem la creació de societats com la nostra; donem-los la mà per ésser més i més forts. I això no és somni. Mireu, dins de Barcelona mateix, com van fundant-se diferents cercles artístics que tenen nostres mateixos ideals; i, a fora de Barcelona, mireu com en neixen i creixen plens de fe i d'entusiasme: a Caçà de la Selva, a Vilafranca, a Manresa, a Prats de Lluçanès; fins arran del Pirineu, a Campdevànol; fins en l'Illa daurada, allà en aquella terra que Don Jaume lligà amorosament a Catalunya: a Mallorca, hi ha la Capella de Manacor; i fins a Sant Feliu de Guíxols, allà en aquella població on, amb una mica més, ens apedreguen quan els portàrem l'aire de nostres cançons. Pertot arreu surten rebrots de l'Orfeó Català, que nosaltres hem d'estimar per ésser saba de nostra saba, i perquè tots junts aixequem el cor del català enlaire, satisfent així la fam espiritual de Catalunya, i, sobretot, de sa part més humil, d'aquests maons de fàbrica.

Sursum corda tot Catalunya! Amunt, germans, noblement, amorosament! Per nostra Pàtria!

[illegible] Sílvia [illegible]
[illegible] de París [illegible]
[illegible] terra [illegible]
Don Jaume [illegible]
[illegible]
[illegible]
[illegible] l'aire de [illegible]
[illegible] Cata-
que nosaltres [illegible] de la nostra
[illegible]
[illegible] de Catalunya [illegible]
[illegible] de [illegible]
[illegible].
[illegible]
[illegible]

DUES EINES D'EXCEPCIÓ: LA «REVISTA MUSICAL CATALANA» I LA «FESTA DE LA MÚSICA CATALANA»

Al costat de la tasca estrictament artística, la vigoria corporativa reclamava imperativament eines paramusicals que complementessin la labor del cor. A aquesta exigència respongué la creació de dos instruments excepcionals: la «Revista Musical Catalana» i la «Festa de la Música Catalana».

La «Revista Musical Catalana. Butlletí de l'Orfeó Català», fou exponent de la tenacitat al servei d'un ideal: des del gener del 1904 fins al juny del 1936, 390 números testimoniaren la voluntat d'educació i de comunicació.

El Per què? *inicial de Millet, manifest programàtic de la publicació, tingué la resposta en els continguts subsegüents; a les pàgines de la «Revista Musical Catalana» foren reportades la mudable actualitat, el passat musical, l'activitat coral general i la particular de l'Orfeó, els estudis monogràfics, les efemèrides commemoratives, la musicologia, la crítica, el moviment europeu, el cant gregorià, la música religiosa, l'estètica wagneriana, la pedagogia, la dansa, la música popular, els discs, la crítica bibliogràfica, etc.*

La «Revista Musical Catalana» —regentada, successivament, per Joan Salvat (1904-1913), Frederic Lliurat i Vicenç M. de Gibert (1914-1922), i Frederic Lliu-

rat i Joan Salvat (1923-1936) —conegué, en la seva condició d'òrgan especialitzat, no una plena divulgació pública, però sí una difusió eficaç entre els nuclis musicals i docents, no solament catalans i peninsulars, sinó també europeus i americans, i esdevingué una de les realitzacions culturals més transcendents i rigoroses de la Catalunya del primer terç de segle.

Una de les tasques prioritàries a què s'hagueren d'aplicar les agrupacions corals, fou la de l'obtenció d'un repertori idoni, tant per la manca de composicions originals adients, com per la insuficiència numèrica de les mostres publicades del cançoner tradicional.

Aquell neguit furgà Millet poc temps després de la fundació de l'Orfeó i, després de diverses temptatives, cristal·litzà el 1904, amb la institució de la «Festa de la Música Catalana», translació a l'àmbit musical d'allò que per al literari significaren els Jocs Florals —dels quals reproduí, fins i tot, el ritual i l'estructura.

Fins a la suspensió derivada del cop d'estat de Primo de Rivera, la «Festa de la Música Catalana» fou celebrada en nou ocasions (1904, 1905, 1906, 1907, 1910, 1914, 1916, 1919 i 1921) i aportà unes dues mil tonades de cançons i de danses populars.

Pràcticament, tots els compositors que assoliren una certa significació foren premiats a la «Festa de la Música Catalana», la qual es convertí també en tornaveu de formulacions programàtiques per mitjà de les al·locucions dels respectius presidents: Felip Pedrell (1904, 1905), Antoni Nicolau (1906, 1907, 1916), Claudi Martínez Imbert (1910), Joan Manén (1914), mossèn Lluís Romeu (1919) i Kurt Schindler (1921), al·locucions que foren complementades per les «Memòries», de les quals la primera, de Millet, marcà les normes del camí a seguir.

Per què? («Revista Musical Catalana», núm. 1, gener de 1904)

Quina raó d'existència tenen aquestes pàgines? Per què sortirà nostra *Revista*?

Perquè el desenrotllament és vida, i com que l'Orfeó Català la té vigorosa, gràcies a Déu, necessita nous mitjans d'expandiment, manera de desenrotllar amplament aquesta vida engendrada amb l'amor i el sentiment de la música i amb l'amor i el sentiment de les coses de la terra, que són coses nostres fins arran de l'ànima.

Cantant havem, fins ara, expandit gojosament aquest amor i aquest sentiment, i cantant sempre l'havem de conservar i encomanar a tots els predisposats; però així com, dels bons instints, no n'hi ha prou per a ésser una bona persona, sinó que cal, perquè no degenerin, que l'enteniment vegi i entengui son fonament necessari en la Veritat eterna, així, en tota cosa, la consciència, el coneixement racional de dita cosa, la fa veure més clara, en mesura més la transcendència, i la imaginació i el sentiment prenen més alta volada i descobreixen camins més lluminosos.

Per això, aquesta publicació nostra volem que sia com una glossa de nostres cants, l'estudi dels gèneres que conreem, sa història, sa forma; la veu que desperti quelcom l'afició a la literatura i a la bibliografia musical; que ens ajudi a formar consciència del que ha d'ésser la música veritablement catalana.

I si n'hi ha de feina, Mare de Déu! Gairebé tota està per fer. Comencem per examinar el que hi ha fet quant a la llavor, vull dir la cançó popular, i veurem que, de la part literària, prou n'hi ha una bona mostra de publicada, mercès a aquells vidents mestres del renaixement literari de Catalunya, en Milà i Fontanals, l'Aguiló, en Pelagi i Briz, en Bertran i Bros... Però, en llurs publicacions de cançons de la terra, hi trobareu, en una, escasses tonades; en l'altra, l'absència completa de les melodies; en l'altra, que conté melodies abundants, moltes d'elles estan escrites tan incorrectament que, a voltes, ni tenen solta; i encara que és cert que més tard l'amorosa dèria de les cançons s'encomanà a algun músic de bon temperament com l'Alió, que amb son quadern de cançons harmonitzades ha purificat una mica l'ambient macarrònico-cursi de nostres salons, i que l'afició al folklore musical català ha espurnejat de tant en tant, d'aquí i d'allà, en reculls més o menys importants, tot el que s'ha fet no arriba, ni de molt, al que mereix nostra cançó, ni al que necessita l'actual jove generació musical perquè el bon empelt de la cançó de la terra li doni fesomia ben pròpia.

Així, aquestes pàgines podran servir per a estudi de la nostra cançó, donant-ne a conèixer mostres i fins col·leccions senceres, cercant sa història, ses semblances amb les d'altres països, les modalitats i ritmes que les caracteritzen, i també per a estudiar-ne l'assimilació en les obres antigues i modernes de nostra terra, que no en falten pas, i són ben notables les que en són vivificades.

Mes, la música moderna, no viu sols de melodia: té una vestimenta complexa, riquíssima, que va començar a teixir-li el Cristianisme ja fa uns deu segles, i que no podem pas deixar d'estimar. I heus aquí que aquesta cosa nova que se'n diu harmonia va créixer toscament, bàrbarament, i es desenrotllà, com tot el del món, gradualment, evolucionant segons l'esperit de les èpoques i segons el medi ambient dels llocs, països i races. I heus aquí la tradició artística, aquella cadena genealògica de la manera de fer i de sentir en l'art i necessària per a tot artista que no vulgui fer art bordissenc.

I on para nostra tradició artística?

Déu meu! Gairebé havem de dir que no la coneixem! És ben cert que traspua subtil i necessàriament en tota obra artística amb sinceritat sentida, però n'havem perdut la consciència, com de tantes altres coses nostres!

En l'art arquitectònic ens ha quedat ferma, destacant-se gloriosament en l'espai, primerament senzilla, humilment escaient en les esglésies romàniques; després majestuosa, enlairada com per un buf misteriós de sota terra, inspirada, el mateix que un motet de la polifonia clàssica, en les catedrals gòtiques. Però la música viu en el temps i no en l'espai... i el temps passa. De la música pariona d'aquella magnificència arquitectònica, i que vibrava sota ses voltes inspirades, no se'n sent ni el ressò: una altra, vanitosa i totxa, l'arraconà en la lletra morta dels arxius!

Però aquesta lletra morta dels arxius pot ressuscitar, pot triomfar de la pols i, vibrant altra volta pels espais místics, foragitar per sempre més del temple la música i empaitar-la fins al quint infern; pot encara mostrar-nos l'enyorada tradició musical nostra, la noble, la digna pariona de totes les coses nostres i estimades; i aquesta tradició, no solament la trobarem en la música religiosa antiga, sinó també en la profana, en aquella escola madrigalesca on ens consta que teníem mestres a la mida dels Lassus i Jannequin.

Tant de bo, doncs, que aquestes pàgines mensuals serveixin per a estimular aquest moviment de compenetració amb la manera de fer i de sentir de nostres mestres de l'antigor; que serveixin per a ajudar a desenterrar-los, per a allunyar la pols de llurs obres mestres i fer-les conèixer i estimar de propis i estranys.

Amb el que acabem d'escriure, no es cregui que, aquesta *Revista,* volem que sia un butlletí arqueològic musical, no: volem conèixer nostre passat per ajudar a fer més art per a l'esdevenidor, és a dir, que duri. Aquesta publicació és el portaveu de l'Orfeó Català, i aquesta entitat ha executat música de totes èpoques, des de les melodies gregorianes fins a Richard Strauss, passant per Josquin, Palestrina, Victoria, Mozart, Beethoven, Berlioz, Wagner i César Franck. Això vol dir que no som sistemàtics, i com que en nostra terra no n'hi ha, de papers que parlin exclusivament de música, nostra *Revista* tindrà un caràcter general, és a dir, que no solament procurarem donar notícia completa del moviment musical de Catalunya, sinó també del de l'estranger.

Però en allò en què tindrem un especial amor, serà en donar compte del moviment de les societats corals catalanes, sobretot d'aquestes més modernes que segueixen les petjades de l'Orfeó Català i que, per això, les considerem com germanes estimades D'elles parlarem sempre amb gust: de sos avenços, de sos programes, de sos projectes, sempre que corresponguin als ideals que les han engendrades, és a dir, a fer art noble i català per a Catalunya. Cada una d'elles és una branca de l'arbre l'ufanor del qual demostra que la cultura musical catalana va creixent i arrelant en nostre poble. Arbre que amb sa verdor esperançadora ens diu que és fill de terra nostra i que es guardarà sempre verge de malura, perquè el ventegen l'aire pur de nostres tradicions, el de nostres cançons i el de les pures creences de nostres passats.

Per elles, per aquestes germanes nostres, s'escriuen especialment aquestes pàgines. Que en prenguin la bona voluntat; i si, en elles, quelcom hi aprenen, nosaltres ja ens donarem per molt ben pagats de nostre treball.

Som pocs i febles per a la tasca que ens proposem, però tenim fe i pressentim que aviat serem més i que això arrelarà. Ja tenim ara qui ens dóna alè i ajuda de valent: bons amics que donaran valor a aquestes pàgines. Al davant d'ells, hi tenim el mestre Pedrell, que amb amor ens dóna la mà i en aquest primer número inicia una sèrie d'articles que han de començar a assenyalar les fonts d'on havem de beure la perduda tradició musical catalana.

Memòria, de la I Festa de la Música Catalana.
24 de juliol de 1904

(...) Som infants nous del Renaixement de nostra terra; no estirem la fibra del cotó ni comptem els fils dels teixits fabricats; som de la colla dels enamorats. Sentim la flaire de les pinedes, la frescor de l'herbatge; valls i muntanyes ens esplaien l'ànima. La remor de la mar de nostres costes rialleres ens canta, juntament amb les ratxades que ventegen la verdor jove de nostres serres, una cançó encomanadissa de fortalesa i alegria, de suavitat consoladora, de *sanitud* eterna.

Som flor del Renaixement; som tonada franca, filla de cosa eternalment nostra d'ahir, d'avui i de demà; tonada germana d'altres tonades de pobles germans; però la nostra és la nostra, com el tirat de nostres llars, com el caient majestuós de nostre Montseny, com la gloriosa magnificència de nostre Montserrat, com la fesomia de nostra Moreneta santíssima.

Som tonada honrada que ha de fer volar amunt la poesia nostra, amunt de nostre cel blau, per sobre els Pirineus, perquè els pobles de saba nostra de l'altra banda diguin: «Mireu-la, aquella flor de l'ideal, quins amors i quins records ens porta.» I els de més enllà no ens creguin morts i ens respectin i ens estimin.

Som tonada viva, vella i nova, que ens fa estimar nostre ahir i ens empeny i ens fa albirar, amb ulls oberts i braços estirats, nostre demà.

Som música; i música no és res més que poesia viva, moviment de l'ànima vibrant, pensaments emocionats que s'encelen, flames de la gran foguera de l'esperit.

Per això, en l'antiguitat, que l'home era més noi i, per tant, més ingenu, poesia i música formaven un sol art. I per això la cançó del poble, dels humils, és paraula i melodia. Venim a completar l'obra dels poetes.

Som els darrers arribats en el modern Renaixement; i si bé en el començament d'aquest, l'aire de nostra cançó ja traspuava inconscientment en l'obra artística musical, fins no fa molt no començàrem a tenir consciència plena de la transcendència d'aquesta llavor sanitosa, engendrada en el sincer sentir de nostre poble.

Per això ens reunim aquí per publicar i expandir

aquesta consciència, per estimular que doni fruits fecundats per l'aire del terrer, per així poder ésser assaonats, no fets malbé, pel sol i pels aires dels temps moderns.

L'Orfeó Català ha alçat bandera per aixecar el vol de l'ocellada cantaire de nostra Catalunya. I s'ha aixecat una novellada, lluïdora de grans esperances i de grans realitats (...).

EL POLEMISTA

Millet fou un home d'extensa lectura, que li proporcionà una fonda cultura humanística i literària. A la seva biblioteca tenia, en franc veïnatge, Lucreci, Plató, Tàcit, Plutarc, Aristòtil, Xenofont, Virgili, Homer, Sant Agustí, la Bíblia, els místics castellans (especialment Santa Teresa i Fray Luis de León), Racine, Shakespeare, Goethe, Dickens, Walter Scott, Llull, Verdaguer, Mistral, Torras i Bages, Ruyra...; però, per sobre de tota altra, sentí una fonda preferència per la Divina Comèdia, *fins al punt que l'obra del Dant es convertí en un breviari de capçalera. Hom ha arribat a afirmar que, abans d'escriure, en llegia sempre una pàgina.*

Aquesta formació humanística i la passió per la dialèctica, quan era exposada alguna opinió contrària als seus més íntims convenciments, s'evidencià en les polèmiques públiques mantingudes a través dels anys.

A la sostinguda amb Xènius seguiren, més tard, les que l'enfrontaren a Manuel de Montoliu (1914, sobre el tema de la cançó popular) i amb Robert Gerhard (1930, sobre l'atonalisme).

Una glossa de Xènius (9 de setembre de 1907) arran de la mort de Grieg, en la qual advocava per la universalitat de la música, exemplificada en el Peer Gynt *i contraposada a la malenconia de* L'emigrant, *tingué tot seguit la rèplica de Millet.*

Amb un estil literari on la giragonsa expositiva condueix infal·liblement al propòsit central, després de refutar la tesi contrària, oferia l'alternativa pròpia; un estil —que meresqué la felicitació de Xènius en el seu escrit de contrarèplica— servit, en aquest cas, amb una ironia sibil·lina, amb incisos sintàctics carregats de malícia argumental, i amb el to de qui se sap segur en el terreny que trepitja.

Al glossador «Xènius»
(«La Veu de Catalunya», 17 de setembre de 1907)

Oh, tu, Glossador, que saps tantes coses, que ens dónes lleis a desdir, que saltes de la més alta metafísica a les foteses dels bagatges de viatge; que ens anuncies el regne de l'Imperi ben amablement; que, amb el teu ben dir, ens fas empassar moltes coses seriosament...! Aguanta't una mica les ganes de legislar en música entre nosaltres; mira que ja en tenim prou, d'intel·lectes que ens *estimen* i ens *eduquen;* tu faries més mal que els altres, perquè tens el do del ben dir, que captiva a la distreta civilitat barcelonina. Fes un esforç perquè ton amable imperialisme heroic s'abaixi a compadir el jovent artista que va esverat amb les orientacions contradictòries que clamen a son entorn.

Aquest jovent s'ha desensonyat amb les frescors de la cançó nova, nascuda de l'empelt de la tonada vella del poble; sense aquesta airejada ens haurien sortit Obiols moderns, amb vernís deslluït dels nous refinaments francesos o amb pesantor de carregada polifonia alemanya. Ara se sent en nostre ambient musical quelcom de jove, d'aire de primavera, de cosa seva; d'allò que quasi han perdut els mestres mundials d'avui dia, que senten recança de la innocència perduda i, adonant-se de nostre raconet de vida, ens saluden amb l'espècie d'enveja del vell en contemplar joventut sanitosa.

Però el jovent escolta tothom confiadament, i l'enlluerna tota novetat, tot el que li diuen que porta palpitacions d'*art universal;* i el bon innocent és fàcil que, anant d'arbitrarietat en arbitrarietat, es trobi a les fosques, ja que aquí, desgraciadament, no tenim la base d'una tradició no interrompuda de cultura musical que faci de llast a les ventades capritxoses, que mai no li manquen.

Al nostre jovent músic, li deien ahir que la cançó que li ha refrescat els sentits és una carrincloneria (*El comte l'Arnau, Els estudiants de Tolosa, Serrallonga,* quina carrincloneria, eh?); que, en ella, no hi ha la forta alegria (hi ha més franca alegria en moltes de nostres tonades que en la major part de la música mundial moderna), i avui, tu, Glossador, sents *L'emigrant,* en sents impressió depriment, l'agafes com a estendard de nostre actual moment musical, el teu imperialisme heroic s'esvalota i, amb excusa de proclamar la universalitat de Grieg, anatematitzes el que en dius musical malenconia covarda enyoradora, *gallega* (pobres gallecs, ves quina culpa hi tenen).

Mira, Glossador: *L'emigrant* té fonda, sincera malenconia (i això em sembla que no ha de saber-te greu, perquè qui no sap enyorar, no sap estimar; i, de l'estimar, és cert que en surten les grans coses); però, ¿tu no saps que un dels cants més característics i *hermosos* de Grieg és la coneguda *L'última primavera?* I àdhuc és un cant de malenconia, *L'última primavera.* Tu tens raó de proclamar la universalitat de Grieg, però, de totes maneres, aquest artista no és pas un enèrgic. Grieg és el més exquisit dels nacionalistes moderns, però no té pas la sentor forta que tu trobes en els homes greus que es veuen treballar a cada costat del pas dels trens. El *Peer Gynt* de Grieg —el d'Ibsen, no ho sé— no té res d'això. En canvi, jo te'n diré un a cau d'orella, de nom, que té sentor més forta: Clavé. Tu, després de *L'emigrant,* potser vas sentir *Els xiquets de Valls,* i no vas sentir sa fortalesa? I si trobes massa inculta l'exteriorització d'aquella fortalesa, d'aquella forta alegria, ¿no has gustat encara alguna música nostra més nova? Que jo no sé si és música catalana definitiva o si té el que tu creus que ha de tenir d'energia popular, però que t'asseguro que és música que té prou sincera fisonomia i prou dignitat de forma per a cantar al costat de l'art més mundial i universal del dia.

Oh, bon Glossador...! Tu sembles més bo que altres predicaires que ens sermonegen i que altres criticaires que ens critiquen. A tu, que dius les coses tan bé, del ben sentir te deuen eixir. Però ja que els pobres músics estem tan desemparats de l'art de la ploma, mira-t'hi bé quan parlis de nostres coses, perquè, com més gran la necessitat, cal que la caritat sia més completa.

L'ESQUINÇAMENT VITAL

Aquell somieig juvenil en recerca de la plenitud amorosa, es concretà en la persona de Dolors Millet i Villà. Filla també del Masnou i descendent, igualment, d'aquell llunyà gascó que hi portà el cognom (però sense parentiu, ja, amb la família del fundador de l'Orfeó), Dolors Millet havia ingressat com a cantaire el novembre del 1896 i era deixebla de Lluís Millet a l'Escola de Música.

Estudià amb Malats, amb qui aprofundí la tècnica pianística, i cursà els estudis musicals complets. Més tard, fou auxiliar de Millet a l'Escola de Música i a l'Orfeó.

Trenta-tres anys tenia Lluís Millet i divuit Dolors Millet quan contragueren matrimoni, a l'església de Sant Felip Neri, el 25 d'agost de 1900.

Sis anys després naixia el seu únic fill, Lluís Maria, mentre un optimisme col·lectiu i una onada d'idealisme bastia el Palau de la Música Catalana, on fou habilitat un estatge per a la família de qui, amb aires de visionari, havia suscitat la construcció d'aquella «casa dels cants».

Un any més tard, el 29 de novembre de 1907, moria Dolors Millet, després d'una llarga malaltia.

En plena maduresa, a quaranta anys d'edat, i amb

un fill d'un any, Millet restava sol. Sol romandria fins a la seva mort, al cap de trenta-quatre anys.

L'esquinçament produït per la mort d'aquella de qui contava les excel·lències en carta a Amadeu Vives, fou pal·liat per una profundíssima fe religiosa i per la dedicació absorbent a l'Orfeó.

Carta a Amadeu Vives. Dimecres de Cendra de 1901

(...) Ara et voldria parlar de mon nou estat, però em sembla que fóra abusar de tu amb aquest carregament de lletra mal girbada. Un dia et contaré, si en sé, les excel·lències de la meva dona, que no n'hi ha cap al món de millor, creient en el bé i en el mal, discreta (...).

Carta a Vicenç M. de Gibert. 30 d'abril de 1907

(...) La Dolors continua molt delicada, i quelcom més que delicada; però si un dia la veiem animada i amb símptomes menys alarmants l'esperança reneix en nostre cor. Ara mateix, fa uns quants dies que està amb menys temperatura i més animada, i, és clar, ja ens sembla que s'ha de *curar;* el *lasciate ogni esperanza,* gràcies a Déu, no és d'aquest món.

Molt agraït estic dels amics que es recorden de mi en les meves tribulacions; santa amistat, vera caritat ets! (...)

Carta a Felip Pedrell. 2 de desembre de 1907

Gràcies, estimat mestre! És consol rebre bons sentiments d'ànimes generoses com la de vostè (...) Son affm. amic de cor

Carta a Joan Llongueras. 6 de desembre de 1907

Amic Llongueras: Gràcies per vostra consoladora carta.

La humilitat, la paciència i el fervent amor de Déu, prou que els desitjo; però sóc tan poca cosa! Estic desorientat de tot, i jo em veig com una cosa estranya. Sols sé que estic més sol que mai, i que no sé on decantar-me. A estones la pietat m'entra i mos ulls ploren; a estones, se m'asseca el cor i l'enteniment divaga. Que Déu em miri, que ho necessito!

Estic agraït als amics que s'han adonat de ma desgràcia.

Gràcies a tots, i que això serveixi perquè hi hagi cada dia més amor entre nosaltres.

Carta a mossèn Lluís Romeu. Desembre de 1907

Amic mossèn Romeu: Déu us pagui la caritat. Mireu: em trobo sol de família (família íntima), amb un fillet petit, petit. Tenia una esposa que era la pau de casa, la pedra ferma de mon descans, el meu descans absolut en la terra. Ara que amb el nen la necessitem més, ara Déu l'ha cridada!

Mireu: no sé on decantar-me per no caure. Mes, gràcies a Déu, tinc fe i sento un cert consol en mon interior, potser gràcies als bons amics que preguen per mi.

Déu us pagui la caritat.

EL PALAU DE LA MÚSICA CATALANA

Disset anys, només, després de la fundació, l'Orfeó inaugurava el Palau de la Música Catalana. De l'humil pis del carrer de Lladó, al casal magnificent bastit per Domènech i Montaner; dels 28 cantaires primers, als 169 d'ara; dels 37 socis inicials, als 2.200 del moment; de la lluita per a fer-se conèixer, a la pública estimació general.

Només la fe —mot sovint emprat per Millet— havia pogut superar els obstacles i les defallences inicials, contagiar a la col·lectivitat l'idealisme generador d'una efectivitat palpable, i arribar a la plenitud corporativa.

L'entitat disposava d'una seu pròpia; el país, d'un centre cultural de primer ordre.

El 9 de febrer de 1908 tingué lloc la festa de benedicció, de mans del cardenal Casañas. Els primers cants que acollí la sala eren tota una exposició programàtica: El cant de la senyera, *de Millet (la identitat);* Els xiquets de Valls, *de Clavé (els orígens);* La Mare de Déu, *de Nicolau (el present); l'*Al·leluia, *de Haendel (la universalitat), i* Els segadors *(l'afirmació nacional).*

El discurs de Millet, antològic, recalcava una vegada més —i en ocasió transcendent— la reverent actitud religiosa, explicitada, tant en el seu inici com en la formulació conclusiva, amb manlleus de citacions bíbliques.

Acció de gràcies i endreça (Inauguració del Palau de la Música Catalana, 9 de febrer de 1908)

Alabat sia Déu, que ha fet en nosaltres aquestes grans coses. Ell ha beneït el que humilment començàrem amb la fe i l'entusiasme en el cor. Ell ens posà al mig del cor l'amor al cant de la terra en l'hora propícia en què nostre poble es despertava amb energies novelles, i el poble ens ha escoltat i ens ha estimat. Ell ens féu estimar l'obra d'en Clavé perquè ajudéssim a empeltar en l'època present son fort esperit catalanesc, i ens ha donat l'amor, sinó la pregona intel·ligència, de les obres dels grans genis musicals, perquè nostra acció agafés nous vigors i energies. Alabat sia el Senyor, perquè ha mogut l'amor de tots vosaltres perquè poguéssim bastir aquesta casa a honor de la Música Catalana, la nostra reina del cor, la mare nostra.

Tota idea reclama una forma, tota joia un estoig, tota manifestació d'art un lloc a propòsit, on perennement la bellesa artística eduqui el sentiment del poble, i aquest, a la vegada, doni emulació a l'artista. Aquest casal ve a omplir aquesta necessitat. La raó de sa existència és aquesta necessitat d'aliment estètic que en l'hora present tots sentim en nostre esperit. El moment actual de nostra Catalunya és un moment vibrant, líric per excel·lència, que demana a grans crits educació i expansió. Tots sentim, a dins, com un cant que ens enfebra i ens agita renaixença amunt. Aquesta casa ha d'ésser caixa sonora que harmonitzi i afini aquest clam de vida renaixent.

Tots ens haveu donat vostre amor, i vostre amor ha engendrat en nosaltres la confiança de portar a terme aquesta obra, i l'hem feta.

Hi ha aquí prop l'heroi d'aquesta gesta, el qui més ha lluitat per vèncer tots els obstacles, animat per la generositat de son cor de patriota i d'artista: aquest és nostre Joaquim Cabot, nostre providencial president, el qual, amb son pas per la presidència de nostra institució, haurà marcat sa època culminant.

Però no hi ha heroi sense ambient; sense l'amor de tots, no hauria sorgit aquest casal, enlluernat amb clarors de victòria, que un gran artista de la terra ha ideat *hermosament*. Sense els humils que començàrem mig arraulits en una sala i alcova, covant el gran ideal de l'art; sense el fort afecte de mestres i coristes que sempre ha regnat entre nosaltres; sense l'escalf de germanor que ens ha aplegat com una pinya en la fruïció de la bella música; sense les inspiracions de nostres compositors, que s'han fet seu el cant tradicional de la terra i se l'han transformat en substància pròpia, donant-li ambient modern, tocant el cor del poble i atraient-lo cap a nosaltres; sense vosaltres, socis protectors estimats, que haveu sigut com l'atzavara que guarda la flor; sense vosaltres, pobres i rics, que amb vostres cabals, petits o grossos, sou els qui directament haveu posat les pedres; i, sobretot, sense el moment propici de la gran renaixença catalana, no estaríem ara, com estem, enlluernats dins d'aquest espai joiós, amb murs i arcades de vestimenta nuvial perenne, com pressentint les sublims harmonies que les han de fer vibrar, profetitzant i esperant el ric desenrotllament de la nostra música en els temps venidors. Perquè aquestes parets s'han d'amarar dels cants nostres i dels que vindran; han de fer vibrar en crescendo sublim les diferents modalitats de l'ànima catalana a través dels anys, fins a fer ressonar en potència sublim el cant d'afirmació de la plenitud del nostre ésser: llavors romandrà aquest casal com a cosa sagrada al mig del cor de la gran ciutat futura.

Alegrem-nos tots avui, oh, germans! Alegrem-nos tots; mes, nosaltres, cantaires, alegrem-nos especialment, perquè nosaltres hem encès la guspira que ha abrandat aquest gran incendi. És veritat que en aquest gran moment solemne, en el fons de nostra joia, hi ha ombres de recança pels qui ens falten a nostre costat, pels qui ens estimaven i estimàvem, pels qui, com nosaltres, somniaren aquesta diada triomfant, mes el regne dels esperits abraça cels i terra, i ells són ara amb nosaltres, dins nosaltres, dins aquest esclat, amb més intimitat, més profundament que si fossin com nosaltres en vestidura de carn. Aquesta ombra de recança fa més augusta aquesta festa i li dóna sentit de cosa sagrada. De la pena i l'alegria, fem-ne un sol sentiment, que clamarà amb força les benediccions del cel sobre l'esdevenidor d'aquesta cosa nova que avui comencem mig enlluernats i no capint-ne pas tot el sentit profund.

Oh, Música Catalana! Oh, ànima de l'ànima del nostre ésser! A tu aquesta casa, per ara i sempre i sempre.

Alabem el Senyor, que ha fet grans coses en nosaltres!

UNA OBRA CONSOLIDADA

«L'Orfeó és la veu sentimental de Catalunya, l'expressió del més íntim del nostre cor, l'aroma de la vida indígena, l'art autòcton; perquè és com una encarnació del nostre poble, de la nostra tradició, de les nostres muntanyes, dels nostres rius, dels nostres boscos, oliverars, camps i vinyes; de les nostres alegries, de les nostres tristeses, de les nostres esperances i de la nostra immortalitat»; aquestes paraules del doctor Torras i Bages, pronunciades en el certamen literàrio-musical celebrat a Ripoll el 1913, resumeixen, més bé que cap altra, la consideració en què era tingut l'Orfeó en el segon decenni del segle.

Amb la inauguració del Palau, en possessió d'un estatge propi, s'iniciava la consolidació de l'obra de Millet, la vida del qual discorre per camins volgudament obscurs, d'un esquema simplicíssim: la docència a l'Escola de Música, la dedicació a la Capella de Sant Felip Neri i a l'Escolania de la Mercè, la cura del fill —ajudat per Albina Amigó, la fidel serventa que compartia la llar del mestre—. Una vida —contrapuntada amb la companyia d'un papagai, reminiscència dels obsequis paterns en els retorns dels viatges americans— feta de l'assaboriment de la conversa animada amb els amics, la dedicació persistent a la lectura, la pràcti-

ca activa del cristianisme sota la direcció del pare Lluís M. de Valls, i sense altra dèria prosaica que fumar (Millet cargolava uns cigarrets prims i llargs); petites absències, en recerca del descans, a Viladrau, Vallfogona, el Pla de la Calma, Montserrat i, sempre, el Masnou .

Aquest era l'horitzó quotidià de Millet, lliurat obsessivament a la seva obra que, en aquesta època, va veure la plena ratificació de la seva vàlua pels públics peninsulars i europeus: València (1909), Madrid i Saragossa (1912), París i Londres (1914).

Un alt patrici, Francesc Matheu, comanava l'entitat (1911-1914), el brillant mandat del qual fóra reprès novament per Joaquim Cabot en una etapa posterior (1915-1935).

Artísticament, malgrat les dificultats derivades de la guerra europea, l'Orfeó centra les energies, a més de les esmerçades en les audicions pròpies, en el funcionament del Palau de la Música Catalana, de mà del polifacètic Francesc Pujol, amb la instauració d'uns cicles regulars de concerts de Quaresma i de Tardor.

Unes fites es drecen amb relleu característic: la primera audició a Espanya de la Missa en si menor, de Bach (1911), els Festivals Wagner (1913), l'inici del monogràfic Concert de Sant Esteve (1913) dedicat a la cançó nadalenca, les col·laboracions amb l'Orquestra Simfònica de Madrid en la primera audició del Requiem, de Mozart (1915), la represa de composicions simfònicovocals (Novena Simfonia, de Beethoven; Requiem, de Berlioz, etc.), la incorporació d'obres qualificades del repertori universal (Orpheus, de Gluck; Segona Simfonia, de Mahler; Salm 150, de Cesar Franck; Gàl·lia, de Gounod, motets de Bach) i contemporani (Himne, de Richard Strauss; Llegenda, d'Eduard L. Chavarri), a més de l'estrena regular de les composicions premiades en les convocatòries de la Festa de la Música Catalana.

El magisteri de Millet era reconegut públicament en ésser-li sol·licitades col·laboracions constants: del

III Congrés Nacional de Música Sagrada, al certamen musical d'Olot; del I Congrés Litúrgic, als actes inaugurals de l'estatge de l'Orfeó Gracienc, etc.

La commemoració del 25è aniversari (1916) atorgaria a la seva persona i a la seva obra l'aura de la consolidació.

Cartell d'Adrià Gual (1904)

LA MISSA, *DE BACH*

Bach apareix per primera vegada el 1897 (corals Tinc l'ànima entregada *i* Que sortós heu estat*) en els programes de l'Orfeó, que, amb progressió ascendent, incorporaria obres del cantor de Leipzig —motets:* No et deixo, Jesús *(1902),* Vine, Jesús, vine *(1905),* Jesús, joia meva *(1907);* Magnificat *(1908)— fins a donar-ne les composicions més significatives al llarg del temps.*

Li calgué, a Millet, esperar, no solament la constitució de les tres seccions de l'entitat, sinó també la maduresa assolida en versions de diversa significació, principalment de polifonia, per a afrontar la interpretació de Bach.

El 28 de novembre de 1911 donava la primera audició a Espanya de la Missa en si menor; *amb l'Orfeó, hi participaren l'Orquestra Simfònica, els solistes vocals G. Lluró, E. Dachs, R. Bosch i I. Navarro, amb el violinista Joan Massià i el doctor Albert Schweitzer a l'orgue.*

Enric Morera, des d'«El Poble Català», llançà la idea d'honorar el mestre Millet per la proesa.

No foren precisament cordials, les relacions Millet-Morera, reticent aquest darrer, gairebé sempre, envers el fundador de l'Orfeó. D'ací la magnanimitat del gest, i de la corresponent resposta de Millet en carta oberta, en la qual s'endevina un viu sentiment de l'obra col-

lectiva —lluny de qualsevol presumpció individual—, sentiment que es fa transparent, també, en l'al·locució jubilar als cantaires, juntament amb un capteniment paternalista i la indefugible referència a l'ideal de pàtria.

Carta oberta al mestre Morera («La Veu de Catalunya», 30 de novembre de 1911)

El vostre gest, amic, és generós i d'agrair; però us haig de confessar que aquesta Festa d'Honor que vós, tan amablement, proposeu organitzar per a ma humil personalitat, en confon i pesa sobre meu com cosa inadequada, no justa.

L'obra de l'Orfeó Català! Els qui l'havem viscuda, aquesta obra, n'havem sentit en tots moments, i en sentim en el present moment, la força primordial, en tenim el sentiment; però poder-la explicar ens és impossible: és com un estat de gràcia, és sense mèrits pels posseïts; el premi graciós, el fruïm en el mateix amor que forma en nosaltres aptituds, i en el goig inconscient que forma l'obra. Fa vint anys que la vivim, i no sabem pas si nosaltres l'havem creada o si ella ens ha format a nosaltres. Ha estat una comunió d'esperits en un amor, en un sentiment, en una cançó, que misteriosament havem sentit endins, i que sembla que, en expandir-se, ha resultat veu de consol i de desvetllament pels nostres germans de pàtria. En la nostra comunitat no hi ha hagut ni grans ni xics, perquè l'amor és l'única font de la igualtat: de la igualtat, s'entén, que, guardant cadascú en son lloc, resulta de la identitat de sentiments.

¿Com puc jo, amic Morera, admetre una festa, per senzilla que sigui, que em separi de la meva comunió com a cosa distingida, com a membre que per si sol es basta i té tot el valor del conjunt, quan l'obra és de tots i per això viu i progressa?

En la nostra última manifestació artística, l'audició de la superba *Missa en si menor*, de Bach, s'ha posat de relleu aquesta nostra manera d'ésser, aquest caliu que ens dóna alè i mou el desenrotllament de la nostra obra. En un temps curtíssim havem preparat l'execució d'aquest monument incomparable. Jo n'estava espantat, i havia resolt no donar pas el *Credo* aquesta vegada: estàvem ja en vigílies dels concerts, i no veia temps possible per repassar-lo degudament. Ja feia dos anys que no l'havíem cantat; part de la nostra massa coral s'havia renovat durant aquest temps, i les obres de grossa dificultat, ja se sap, s'obliden fàcilment. Doncs vaig ésser arrossegat per l'entusiasme de tots: començàrem assaigs diaris per a tothom, dividint-nos en seccions per avançar i fer més bona feina tots. Mestres i cantaires havem aconseguit la nostra; mes, sense la comunió en l'esforç, sense la fe en el resultat, no hauríem pogut atènyer el fi obtingut amb l'entusiasme de grans i xics, homes i dones, mestres i deixebles. A mida que els assaigs avançaven, l'esforç posava veus ronques, la fatiga cares llargues; mes, a pesar de l'aspror de la lluita, el públic savi i el senzill aficionat han aclamat la nostra victòria.

I vós, amic, amb la vostra autoritzada veu, ho proclameu, proposant-vos fer, en favor meu, el que ja veieu que no puc admetre, tot quedant commogut de la vostra afectuosa benvolença. El meu cas és diferent del del poeta o del compositor que el poble honora solemnement i públicament, regraciant-lo de les obres que desperten son íntim sentit espiritual, redreçant-lo, donant-li la consciència del valor de sa dignitat. El nostre Orfeó Català, amb les institucions semblants a ell, fa cosa semblant: sens dubte fem també de bard que desperta la part més noble de l'esperit de la nostra raça; mes això no és obra individual: és obra col·lectiva, que no convé disgregar, personalitzant mèrits que són de tots.

Enfortiu-la, la nostra obra, que prou necessitat té de l'esforç de tothom per a progressar sempre i no defallir: calumniada ha sigut i murmurada a estones.

Dem-nos tots les mans i enfortim-nos en l'amor, que solament així serà veritat la resurrecció de l'esperit de la nostra raça.

Sempre vostre

Als cantaires de l'Orfeó (Discurs pronunciat en el sopar, ofrena de la Junta Directiva a la Secció Coral, en record de les audicions de la Missa, *de Bach, el 7 de gener de 1912)*

Estimats cantaires: Després del treball ve el descans; i descans, amics, no vol dir *no fer res,* sinó gaudir en la contemplació de la feina feta. Nosaltres n'hem feta, de feina; i, segons diuen, l'hem feta bona. Bé és cosa justa, doncs (i no per això deixem d'agrair-la) que la nostra Junta, que porta la direcció d'aquesta ja complexa institució nostra, ens hagi cridat aquí, tots junts, per celebrar, en cos i ànima, els nostres triomfs. És, aquesta, una festa major de la nostra germanor: tots som a taula, com fills d'un mateix pare, com fills d'un mateix amor: l'amor a les coses de l'esperit, la part més noble de l'home. A la taula es compten els fills del pare de família: el nostre pare, que és el sant amor a Catalunya, aquí ens té avui, en la nostra casa pairal, menjant el mateix pa i bevent el mateix vi, saba de la terra nostra.

Som germans pel cant!, perquè el cant és l'expressió més enlairada de l'amor. L'home, en el món, no sempre canta: l'esperit s'aclofa sovint, i sovint terreja; sols de tant en tant reneix a la vida alta, i llavors vibra i generosament enlaira la paraula morta, la modula dins el ritme ordenat de la bellesa, filla esplendent de Deu altíssim.

Mes nosaltres, amics, havem de cantar sempre: la disciplina del cant mana el nostre esperit: no podem terrejar mai, perquè som fills de l'amor i de la bellesa.

És un compromís que ens havem imposat, i no podem tornar enrera. Dolç treball, el nostre; vèncer seguidament la prosa i viure contínuament en el cel de la poesia!

És una vocació, la nostra; i aquesta vocació, com més treballarem, més l'estimarem, més serà vida de la nostra ànima; que solament del treball surt el dolç fruit que ens recrea. Havem de treballar sempre, colpejant fortament els obstacles, de manera que, fins en el mirar, en el caminar, en el nostre posat, se'ns conegui que som cantaires de la Pàtria, de la Fe i de l'Amor.

I aquest cant l'havem d'encomanar a tothom que ens volta, per graus, a tota l'extensió de la gran família catalana, fins que tothom vibri en el mateix cant nostre, en l'amor nostre; fins que Catalunya sigui una en cos i ànima, tota inflamada de l'amor bellesa, d'aquest més pur ideal que ens fa fills dignes del sublim Principi de totes les coses.

Gaudim, amics i germans, en la feina feta; però, d'aquest goig, n'ha de resultar un tremp més fort per a la feina de demà: que la perfecció és infinita, que qui no va endavant va enrera; recordem tothora que treballem en la feina més dolça en què un home pot treballar; que el goig que en traiem és expansiva fortalesa per a la nostra raça, i la nostra raça davalla de lluny, en aquestes muntanyes i planures i costes lluminoses, als peus de la nostra mar blavíssima: aquesta raça que ens ha parlat en la veu venerable dels nostres avis, del nostre pare, en la dolcíssima de la nostra mare; que havem vist en la llum de la mirada de la nostra esposa, i que ens refresca el cor amb la gràcia innocent dels nostres fillets; aquesta raça, germans, que ens sentim a dins i som nosaltres mateixos, i que ens dicta aquesta parla tan franca, tan oberta com el nostre cel, com la verdor de les nostres muntanyes!

Per ella, que és nosaltres, per nosaltres, que som ella, cantem, amics, ara i sempre!

UN SENTIT COL·LECTIU

Amb xifres contrastades en diverses fonts, fins al 1911 havien estat fundades a Catalunya, a exemple de l'Orfeó Català, 38 entitats corals a veus mixtes, d'una dispersió geogràfica eloqüent (del Barcelonès al Gironès, del Vallès a les Garrigues, del Tarragonès a Osona, del Maresme al Baix Empordà, del Solsonès al Baix Ebre, del Garraf a l'Anoia, del Priorat a la Conca de Barberà).

Eren celebrades ja cinc Festes de la Música Catalana i un esplet de directors assumia il·lusionadament, amb trets vocacionalment professionals, la titularitat de les corporacions, la continuïtat de les quals era garantida per les corresponents seccions infantils.

És en aquesta situació i en aquest moment, no solament d'estabilitat, sinó també de franca expansió, reflex de la particular de l'Orfeó Català, que trobem el primer escrit de Millet adreçat a una altra entitat.

Fins al moment, tot havien estat admonicions i allocucions als propis cantaires. Ara, a més, s'inicia la formulació d'un magisteri literàrio-coral extern, complement de l'exercit amb la pròpia acció i amb el propi exemple.

Les mostres ací transcrites (la referent a l'Orfeó Montserrat, la primera, cronològicament, d'aquestes endreces) testimonien les constants de Millet: la recerca de la perfecció, el sentit de continuïtat amb l'obra de Clavé, l'escalf que el poble ha de prestar a aquells autèntics instruments de cultura.

L'Orfeó Montserrat, del Centre Moral Instructiu de Gràcia (amb motiu del concert donat el 23 de maig de 1911)

Hem d'estar contents de l'esperit de progrés que es nota, d'un quant temps ençà, en molts dels nostres orfeons, progrés que aferma el renaixement coral de la nostra terra. Quan, al principi d'aquest rebrotament causat per l'exemple de l'Orfeó Català temíem —per la força expansiva de l'obra— la no-correspondència d'un valor seriosament tècnic i artístic, hi havia símptomes alarmants que feien néixer aquest temor, ja que, si bé es notaven en les novelles entitats corals qualitats noves entre nosaltres (tal com l'estima de la cançó nacional, humil com la dóna el poble, solament harmonitzada; tals com el rebuscament del colorit, tan oblidat en les decadents societats corals d'en Clavé), es notava, no obstant, una manca de base tècnica en l'emissió, en l'afinació gairebé mai justa, una falta de gust en el colorit, que feien dubtar que aquest element nou de la nostra cultura estètica donés resultats positius de progrés general artístic en el poble. Alguna que altra corporació amb qualitats rellevants de cohesió i disciplina, imposades per l'entusiasme artístic i patriòtic del respectiu mestre, eren excepcions que confirmaven la regla general. Però, com havem dit, fa un quant temps que s'inicien qualitats serioses de solidificació, que desperten l'esperança de la conquesta del caràcter definitiu i legítimament artístic de la institució coral de la nostra pàtria.

L'Orfeó Montserrat és una de les entitats al·ludides. En Cumellas i Ribó té qualitats excel·lents que es reflecteixen en la massa coral que dirigeix i que tindran més relleu quan alguna corda coral, avui massa dèbil, guardi més equilibri amb les altres.

Endreça a l'Orfeó Gracienc (amb motiu de l'excursió artística realitzada a l'estiu del 1913)

L'obra dels orfeons catalans a Catalunya és la continuació de la que ens llegà, forta i preada, el nostre immortal Anselm Clavé. Ell organitzà, creant-lo, el cant coral a la nostra terra beneïda, donant-li no solament estat, constituint agrupacions, sinó peixent-lo, al mateix temps, amb la rica vena de sa inspiració frescal. Ell és el mestre inspirat que havem de venerar treballant perquè la seva obra no mori, desenrotllant-se segons l'ànima integralment progressiva de la moderna Catalunya.

Sense progrés, sense desenrotllament, tot mor, tot es marceix. La vida és moviment, és treball continuat. La perfecció és alta i demana ales fortes i àgils per a l'ascensió suprema. En Clavé fou un educador i un artista inspirat: per això ell, de cop i volta, improvisà la seva obra; mes aquesta, faltant-li el cop d'ala del geni creador, decaigué, i es moria de pressa sense l'escalf del mestre: faltava la base fonamental arran de terra perquè l'obra aguantés les ventades del temps i anés creixent nodrint-se amb saba nova que fa fructificar cada primavera novella de l'arbre de la raça.

Aquesta base fonamental la vénen a establir els orfeons donant ensenyança tècnica als cantors, eixamplant el repertori amb l'art noble universal, germà del nostre, sense oblidar mai (molt al contrari) la cançó de la terra, que ha d'ésser la llavor de tota la nostra música, que ha de tenir la nostra fesomia, que ha d'ésser la germana ideal de la nostra parla, tan nostra, tan franca, com expressió que és del nostre esperit.

Que el poble estimi, ajudi i veneri aquests orfeons que escampen per Catalunya la bona nova de la continuació ascendent de la nostra cultura. Nombroses són, ja, aquestes entitats benemèrites que treballen amb fe i constància, i alguna n'hi ha de qualitats rellevants que mereix la sincera lloança de tothom. No és compliment citar jo en aquest lloc l'Orfeó Gracienc com un dels que més honoren l'art i la pàtria. Jo desitjo als valents cantaires i a llur mestre, Joan Balcells, un dels campions més ardits i de més talent, l'èxit complet i entusiasta que mereix sa abnegació i sa noble vocació, que esmerça generosament per l'art de la nostra Catalunya.

MADRID, 1912

Niça, el Migdia de França, les Illes i la majoria de comarques catalanes havien estat visitades per l'Orfeó en «excursions artístiques» (curiosa expressió emprada per a indicar la celebració de concerts fora de Barcelona).

Calia, llavors —com, al seu temps, havia fet Clavé—, portar el missatge musical català península endins. Amb més motiu quan, traspassat el primer decenni del segle —en què la política catalana presentava uns atots de l'ordre del triomf de la «candidatura dels quatre presidents» (1901), la formació de la Solidaritat Catalana (1906) o l'elecció de Prat de la Riba a la presidència de la Diputació (1907)—, la presència a Madrid de l'Orfeó atorgava a la visita unes connotacions extramusicals, inscrites de ple en l'àmbit polític.

Unes connotacions humorísticament expressades —i sancionades governativament!— pel dibuixant Llaverias amb la seva mordaç caricatura («Cu-cut!», 25 d'abril de 1912) del mestre Millet domesticant les feres (l'ós madrileny).

De mà de l'Orquestra Simfònica i de l'Associació Wagneriana de la capital, l'Orfeó donà quatre concerts a Madrid (abril de 1912).

Els programes comportaren una eclèctica panorà-

mica de la música catalana (Nicolau, Romeu, Cumellas Ribó, Morera —amb L'himne de l'arbre fruiter *interpretat pel gran tenor Francesc Viñas—, Sancho Marraco, Millet, Noguera, Vives, Clavé, Pujol, Lambert i Pedrell) i de composicions polifòniques i madrigals (Victoria, Palestrina, Saint-Saëns, Jannequin); sota la direcció de Millet, foren interpretats fragments de la* Missa en si menor, *de Bach, i sota la de Fernández Arbós, la* Novena Simfonia, *de Beethoven, i la* Consagració del Graal *del* Parsifal, *de Wagner.*

La presència reial a dos dels concerts, la de prominents figures de la política (Canalejas, La Cierva), els guardons («Encomienda de la Orden de Alfonso X»), les atencions notòries (l'alcalde Ruiz Jiménez honorà la senyera col·locant-la al balcó principal de l'Ajuntament i oferí una corona de plata en record de les audicions), els elogis unànimement favorables de la crítica..., tot contribuí a generar, en alguns sectors del catalanisme militant, un cert descontent per allò que hom considerà una claudicació enfront del centralisme.

La resposta de Millet, Als descontents, *en un intent de justificació de l'acció empresa, era la demostració d'una certa institucionalització corporativa, i de la distanciació d'un comportament sentimental i polític considerat ineficaç.*

Als descontents («La Veu de Catalunya», 4 de maig de 1912)

Entre l'espetec d'enhorabones que rebem de tot Catalunya per l'èxit de l'Orfeó Català obtingut a Madrid, s'hi sent, barrejat, algun crit dels reconsagrats clamant al cel perquè hem portat els cants de la terra al centre de l'Espanya castellana.

Per a aquests, no hi ha d'haver treva en l'odi al centre; d'allí han vingut els nostres mals i no ens hi podem girar de cara sinó per maleir-los o ensenyar-los els punys: l'Orfeó Català ha claudicat perquè ha cantat a Madrid.

Amb franquesa haig de dir que molt de temps he estat dubtant, jo, si era cosa bona portar l'Orfeó a la capital d'Espanya; també hi he rugit, jo, en les estridències del catalanisme del cop de puny. ¿I qui no es troba en aquest cas d'entre els qui ja no som jovincels, i se'ns despertà la nostra ànima a la vida amb l'amor de la Catalunya renaixent?

Però haig de dir, també amb franquesa, que no em sap ni mica de greu d'haver-hi anat, no per la vanitat de l'èxit obtingut, n'estic segur, sinó perquè he vist allò de prop i crec, fermament, que no hem fet cap mal a nostra terra en fer estremir de goig gent castellana amb la flor dels cants de la terra.

Per més que els amics de la intransigència ens mirin esglaiats amb la barretina caient de nostres caps, els haig de dir, ben amorosament: «No tingueu por, companys, que, en tornar a Barcelona, ens hem palpat i ens hem trobat més catalans que abans».

Més catalans, perquè era aquesta mateixa ànima nostra, de nostra terra, que ens enardia en els cants que de nostre pit sortien; era l'orgull de raça que ens feia menysprear el cansament i aixecar nostra veu per dir amb l'ànima del cant: «Veieu, germans de Castella?, allò que crèieu separatisme no era res més que aquest sentiment que dicta aquestes cançons nostres; allò que crèieu odi, no era res més que una ressonància d'aquest amor que viu en nostres cançons; els nostres amors són aquests, o millor dit, això és l'essència de nostres amors; si vosaltres la compreneu, si sentiu el seu encís, no podeu maleir cosa tan santa, força de vida futura, que si s'encomana per tot Espanya, empeltant-se en la gènesi de cada una de les races que formen aquest tros de terra ibera, tindrem la vida i la pau entre nosaltres que haurà despertat l'amor; l'esperit renascut de la vella Espanya revificarà aquest cos mig mort que un malentès té submergit en l'oblit de sa pròpia força. Si els pobles que integren l'Espanya tornen a tenir consciència del tremp de llur propi esperit, aquella ressuscitarà a la vida forta dels grans estats».

I els senyors del Teatre Reial se commovien i ens aclamaven, i nosaltres anàvem cantant la cançó de la Mare i la de l'Infant i la de l'Escolanet de Montserrat i les de Nadal a prop la llar; i ens entenien, us ho juro.

Direu que el que escric és il·lusió sentimental d'artista... Il·lusió sentimental romàntica és vostre crit d'intransigència; gairebé em sembla que és com un vici de ritme de vers; n'haveu agafat fort el metre i tremoleu de perdre'l.

Mes jo m'atreveixo a assegurar-vos que cal eixamplar el pit a l'optimisme; que cal l'amor a tothom, que amb aquesta força vencerem, no amb l'odi. L'amor amb la prudència: heus aquí la força amb què podem vèncer.

I si voteu diputats perquè vagin al Congrés a explicar i a exposar vostres ideals polítics i voleu que vagin a demanar la Mancomunitat de les diputacions catalanes, ha de complaure-us que haguem dut a Madrid els cants de la terra, que porten el perfum de la nostra ànima.

EL RECONEIXEMENT EUROPEU

El contrast internacional d'aquell ja llunyà Concurs de Niça del 1897 fou àmpliament, i avantatjosament, ratificat al cap de disset anys (juny del 1914) amb les actuacions a París i a Londres, que significaren el reconeixement europeu de l'Orfeó i del seu director.

Sota el patronatge del rei d'Espanya, de la Société Bach, del Congrés International de Musique, dels Amis de la Musique i del Centre Català de París, l'Orfeó donà en aquelles ciutats diversos concerts (dos a París i tres a Londres), amb el concurs de la soprano Maria Barrientos, el violinista Joan Manén, la Cobla Perelada i els pianistes Blai Net i Paquita Madriguera.

Els públics filharmònics d'aquells centres musicals es rendiren a la perfecció interpretativa del cor; els comentaris superlativament laudatoris de la crítica especialitzada coincidien amb l'opinió expressada per figures tan significades, assistents als concerts de l'Orfeó, com Maurice Ravel, Gabriel Fauré, Claude Debussy, Florent Schmitt, Roger Ducasse, Gabriel Pierné, Vincent d'Indy, Jacques Thibaut, Wanda Landowska, Gustave Bret, Marguerite Long, Gabriele d'Annunzio, Richard Strauss, etc.

I Millet, irreductiblement fidel a ell mateix, si oferí al públic mostres dels polifonistes del segle XVI (Bru-

dieu, Jannequin, Victoria, Palestrina, etc.), si interpretà composicions barroques (Haendel, Bach) i contemporànies (Saint-Saëns, Strauss), cantà també les genuïnes obres catalanes, tan originals (Clavé, Pedrell, Granados, Millet, Nicolau) com harmonitzades (Morera, Romeu, Mas i Serracant, Millet, Noguera, Cumellas Ribó, Lambert, Pérez Moya, Pujol, Sancho Marraco, Manén).

Per això en els mots de Mercès, *publicats en regraciament dels ajuts i de les col·laboracions, podria fer la paràfrasi de l'eficàcia de la sinceritat.*

Aquella presència europea —acceptada per ell a contracor i amb un temor latent, com ho demostra la carta a mossèn Romeu—, tot i els èxits assolits, no canvià el tarannà del mestre. Fins i tot, hom diria que en situava la transcendència a segon terme: a l'hora de reportar-li epistolarment els fets esdevinguts, per sobre dels temes musicals n'hi ha d'altres obsessius (la guerra, el goig de la casa pairal...).

I, finalment, lliçó suprema, testimoniava la necessitat de la humilitat en acceptar —enmig dels triomfs— la presència colpidora de la mort, que s'enduia una gentil cantaire de setze anys, Carme Tort, la vigília del darrer concert londinenc.

Les audicions al Teatre dels Camps Elisis i al Palau del Trocadero parisenc, i l'Albert Hall, de Londres, marcaren un dels punts més alts de la trajectòria de Millet i de l'Orfeó.

Carta a mossèn Lluís Romeu. 16 de maig de 1914

Molt estimat mossèn Romeu: (...) Doncs què, ¿no vol parlar de París i Londres? Si vol venir, ja sap que que ens donarà alegria, que la gent de bé fan companyia bona. Però, si de cas, decideixi's de pressa, perquè ja tenim les llistes plenes; hi ha gran demanadissa i el viatge surt baratet. Mare de Déu, quins tràfecs! Déu faci que en sortim en bé, com sempre. Als programes, hi posem la seva *Cançó de Nadal;* els francesos hi trobaran una seva *chanson à boire*, que Catalunya ha transformat fent-la cristiana i bella.

Resi per nosaltres, mossèn Romeu, que el gran món *civilitzat* no se'ns mengi. Què hi farem! La mar, com més té, més brama; sempre volem anar més amunt. Però cregui que jo més desitjo la pau arrecerada; estimo més un *adagio* interior que un *apassionato*. No sé si és que em torno vell, o que vaig fent consciència que el regne de Déu és a l'interior de l'home. Desitjo la pau, no la lluita; però som al ball, i hem de ballar. Seu de cor, com sempre

Carta a mossèn Lluís Romeu. El Masnou, 5 d'agost de 1914

Mossèn Romeu amic: Les seves cartes m'agraden molt; tenen coses de la seva música, tan natural, tan escaient, com de rajar de font bosquerola. *Vaja*, que les seves cartes m'agraden! Potser ho fa que m'alaben! Però és que en rebo d'altres que m'alaben, també, i no hi trobo aquesta música. Amb això, moltes mercès de les seves lletres tan estimades.

Ja li voldria parlar del nostre *cèlebre* viatge, però tinc el cap tan ple de guerres i de pianos del veïnat, que no sé què és més terrible. Aquí, a l'habitació de dalt de ma casa, al Masnou, hi estic molt bé. Encara hi ha les pintures que hi feren posar els meus pares: pintures blanques, parets emblanquinades, una sanefa als baixos —tota deslluïda ja per la fregadissa dels temps—, el sostre molt maco, alegre, amb una estrella al mig, tota florida, i el balcó esplèndid dominant aquest mar tan blau, amb el cel esblaimat a sobre (al capdavall, a la dreta, la ciutat comtal amb el Montjuïc avançat al mar). Molt maco, molt bé; però els pianos del veïnat em tornen a la prosa vulgar dels temps moderns: aquests valsos que aixafen l'ànima.

Si baixo a baix, em parlen de la guerra; si agafo el diari, guerra. Sort que l'eixida de casa té plantes amb flors, que alegren, i que els tarongers em parlen innocentment de ma infantesa, i de ma mare i de mos germans.

La guerra, els pianos, els valsos. ¿Quina feina ha fet la civilització moderna? Mala mestra. Volem volar, i no podem (...).

Moltes mercès de la seva invitació. Ja m'agradaria fugir cap a muntanya; però la... guerra, la... guerra...

Records als seus pares i una abraçada bona de
Lluís Millet

Mercès («Revista Musical Catalana», núms. 127-128, juliol-agost de 1914)

Un deure de justícia m'obliga a escriure el primer mot en aquestes pàgines, adreçades a explicar, recordar i sintetitzar la darrerament realitzada excursió artística del nostre Orfeó Català, tan sortosament estimat de la nostra bona gent de Catalunya.

Penso que jo dec ésser qui encapçali aquestes planes, retornant, en certa manera, amb expressions d'agraïment, el molt que devem a tants bons cors i bones voluntats, amb els generosos dons i activitats dels quals havem pogut realitzar un somni de molt temps cobejat i més estimat com més obstacles el feien de difícil assoliment.

Jo dec ésser qui remercïi, perquè, sigui com sigui, jo he resultat el més honorat en les dites i lletres d'uns i altres, essent jo qui menys entusiasme hi posà, quan el projecte féu la primera bullida, no empenyent, sinó deixant-m'hi arrossegar, no entusiasmant ni deixant-me entusiasmar: no per modèstia (perquè tinc consciència que l'art de Catalunya té vera eficàcia de cosa sincera, té tremp de raça, i, per tant, té el dret d'ésser respectat per propis i estranys), sinó per haver-me ja fugit quelcom d'aquella fumerola que empeny la joventut cap a la glòria, i encara, segurament, més que això, pel cansament de les fatigues acumulades, per no dirne, potser amb més justesa, falta d'esperit de sacrifici, o, més vulgarment i brutalment, mandra.

Doncs jo, que no hi he anat, sinó que m'hi portaren, bé haig de dir gràcies pel reial present tan generosament donat.

Que la finalitat desitjada s'ha aconseguit amb aquest viatge, és cosa que la nostra bona gent ha vist ben clar, demostrant-ho amb els alegrois i cortesies que ens han premiat amb escreix totes les fatigues i angúnies que forçosament acompanyen totes les empreses difícils dels homes; àdhuc la joia liberalíssima de l'art no és donada sense l'esforç primordial; àdhuc el pa de l'esperit no es guanya sense la suor fructificadora del treball.

Ens han estimat i honorat, a l'estranger, i el nostre art ha sigut reconegut perquè portava un ànima a dintre. No érem fills bords de l'art universal: cantàvem la cançó apresa de la mare, i el nostre cant tenia sentit de vida perquè portàvem afirmació de raça que encara creu i espera. Heus aquí la nostra força, força de tota la moderna renaixença catalana.

Nosaltres, humils cantaires, havem aixecat sobre la nostra feblesa el nostre cant de voluntat i afirmació d'ésser. Això ens aguanta, això ens entona. I això ha sigut comprès per alguns, endevinat per tothom, que ha trobat en nosaltres un no sé què de nou, una mica oblidat del món modern. Cantant les cançons de la terra havem sotraguejat els públics estrangers, i han trobat una sensació que els ha commogut perquè hi portàvem la sinceritat del nostre ésser, que els nostres mestres, eminents alguns d'ells, han expressat amb l'emoció del que és naturalment i profundament sentit. Cantant els diferents espècimens de la música clàssica i universal, no ens havem encongit dins la disfressa de la severitat corgelada, sinó que, com a nins jugant amb patriarques, amb lleugeresa de cor, els dèiem la nostra lliçó tal com l'havem entesa i sentida; que els genis tenen tants caires mirallejants com ànimes honestes i entusiastes s'hi acosten a delectar-s'hi. Davant d'això, algun crític ha arrugat les celles; mes nosaltres preferim dir-hi la nostra, sincerament, que escarnir el dels altres, ja classificat, mes per a nosaltres inadequat de sentiment. I aquest és el nostre orgull: dir-hi la nostra en el concert de l'art universal; i aquest ha estat el nostre èxit: no nostre, sinó de la Catalunya renaixent, que ens ha fet néixer i créixer i ens envia pel món i ens rep amb llorers com si l'obra nostra no fos obra de tots.

Doncs jo que, com a major responsable de l'empresa artística, me n'he emportat la glòria més visible; jo, que tinc consciència que l'esforç primordial es féu malgrat la meva passivitat; que l'empenta de l'organització va ésser portada per aquella ànima generosa i optimista, providència de la nostra institució, que té el do d'encomanar l'entusiasme a tothom; jo, que he vist un mestre company no descansant dia i nit, organitzant, escrivint a tothom que calia de l'estranger, fent viatges ràpids fatigosos, i encara fent pesats assaigs preparatoris, tot amb un seny i una activitat admirables; jo que, com tothom, sé els patronatges obtinguts, com el suprem del cap sobirà de l'Estat espanyol i el d'algun patrici, que ajuda i fomenta sempre tota obra patriòtica i artística... jo, en nom de la Junta Directiva, en nom de l'esperit vivificant de l'Orfeó Català i en nom propi, dono a tots grans mercès.

(...) I, tots plegats, donem gràcies a Déu per tot: fins per la lliçó de dolor i d'humilitat que Ell volgué donar-nos al final de la nostra jornada. Els homes som febles per l'orgull, i tot el bo que pensem fer ens reïx en pretensió de mèrit propi: llavors, la mà forta de Déu ens obre davant dels ulls l'abisme de la nostra petitesa. La realitat forta i terrible de la mort en una xamosa companyona nostra, ens donà la lliçò de la humilitat, perquè, en el fons de les nostres cantades, hi guardem sempre els sentiments nobles de la reialesa humana, sense la buidor de la vanitat totxa, perquè siguin així expressió de la noblesa del nostre origen, i de l'excelsitud de la finalitat nostra.

Amb el cap acotat, donem-ne també gràcies a Déu.

EL CANT LITÚRGIC

La iniciativa de celebració d'un Congrés Litúrgic —sorgida del Congrés d'Art Cristià del 1913— cristal·litzà ràpidament (1915) gràcies a l'empenta de dues figures cabdals, mossèn Frederic Clascar i el pare Gregori M. Sunyol, i s'inscriví dins la línia normalitzadora impulsada per Pius X i continuada per Benet XV.

Una línia comprensiva d'una acció global, per la consecució musical de la qual Millet maldava, des de feia temps, pràcticament (amb la Capella de Sant Felip Neri), amb la directa participació en congressos internacionals (Estrasburg, 1905) i nacionals (1912: III Congrés Nacional de Música Sagrada, amb la conferència El cant popular religiós*), i amb l'exemple creatiu (justament el 1915 culminà la publicació de la primera sèrie de* Cants espirituals per a ús del poble, *vint-i-una composicions de caire religiós sobre poesies del pare Lluís M. de Valls).*

Per tot això, i per l'alta significació de la seva persona, Millet no podia ser absent d'aquella manifestació, malgrat les reserves inicials exposades al pare Sunyol, en una epístola on li remarcava ja la conveniència de la intervenció musical comunitària de tota l'assemblea, anticipant-se, així, als corrents pastorals posteriors.

La participació de Millet es concretà en una elaboradíssima conferència, El cant del poble en les festes de l'Església *—els exemples de la qual foren interpretats per l'Escolania i un cor de monjos sota la direcció dels pares Gregori M. Sunyol i Anselm Ferrer—, paradigma de les seves conviccions cristianes i musicals.*

Carta al pare Gregori M. Sunyol. 23 d'abril de 1915

Estimat P. Sunyol: Crec prudent escriure-li per refermar el que vaig dir a la Junta de la Comissió del Congrés Litúrgic: no és encertat, ni em puc comprometre, fer la conferència.

Primerament, en aquella època, amb tota seguretat, estaré encara amb els exàmens a l'Escola; l'any passat, ja els va haver d'avançar per l'excursió de l'Orfeó a l'estranger, i no puc abusar de fer variar el pla d'exàmens seguidament, ja que solen durar fins a mitjan juliol.

Després, tinc prou feina variada, perquè pugui fer una cosa amb una mica de solta; i, finalment, donat el cas que forcés la màquina per arreglar els exàmens i em quedés temps per a escriure —tot, coses prou difícils— un cop la ploma a la mà, no sabria pas què dir, perquè, del cant popular al temple, no *atinaria* a dirne gran cosa més del que vaig escriure per a la conferència del Congrés de Música Religiosa; la meva erudició i la meva fecunditat són prou escasses. ¿No li sembla que, amb tants arguments, no hi ha de què pogués complaure'ls? Prou lluïment i importància promet el Congrés perquè jo no hi porti una pífia, ja perquè un cop compromès no pugui fer res, ja perquè, si arribés a fer-ho, no els pengés un desengany en demèrit de tot el bo que segurament s'hi farà.

Les coses repetides, cansen, sobretot si surten de la mateixa mà. A mi em sembla que si mossèn Romeu fes la conferència, sortiria una cosa bella, perquè el nostre amic estima i sent la cosa, i no té pèl de *tonto.*

Vostè, que veu la cosa clara, convenci els seus amics de Junta, que farà una bona obra.

¿Què té pensat per al servei musical del culte, els dies del Congrés? Absolutament, crec que tot ha d'ésser executat per la Comunitat i Escolania del Monestir. Tenen prou elements i sentiment de la cosa per fer-ho dignament. Però, ¿no fóra bonic que els cants invariables de les Misses que se celebrin, fossin cantats pel *poble,* que en aquelles circumstàncies serà, la majoria, de sacerdots? No fóra més eminentment litúrgic? Encara que no fos gaire perfecte, fóra imposant que tota l'església ressonés amb els *Kyrie, Gloria,* etc., alternant amb l'Escolania! Encara que fos la *Missa d'Angelis,* que tothom sap, bé o malament; fent potser una mica de tria i amb un o dos assaigs a Montserrat mateix, encarregant que tothom s'ho repassés amb cura amb algun assaig parcial, potser podria resultar una cosa *hermosa* i eminentment educadora per a la clerecia.

Pensi en això i digui'm el seu parer, amb tota franquesa.

El cant del poble en les festes de l'Església
(Conferència llegida el dia 8 de juliol de 1915,
al Congrés Litúrgic de Montserrat)

Prou voldria jo tenir veu eloqüent i forta per cantar mon tema tan nodrit de sentit transcendent. Però sóc portat aquí quasi arrossegat; no m'han valgut per res mes paraules categòriques expressant la impossibilitat de preparar degudament ma dissertació: mes ocupacions, ma distracció en una munió de quefers que no deixen esplaiar l'ànima en les altes consideracions de les coses altes de l'esperit. Res no m'ha valgut. M'han portat aquí, en aquest sant lloc, per parlar alt d'una cosa santa, i voldria dir-la bé, ben dintre de mi mateix, per remoure-us l'entusiasme, per coadjuvar tots a la gran obra de la restauració espiritual de nostre poble. La diré com sàpiga i a corre-cuita, tal com surti de primera empenta, confiant en l'ajuda de Déu i en la vostra benvolença.

(...)

El cant és la llum de la paraula; és l'expressió dels afectes sincers i profunds; és la necesària exterioritza-ció de la plenitud de l'ànima. No cantar el poble en la litúrgia, quasi vol dir distracció, incomprensió, desas-sociació de sentiments o, almenys, manca d'aquell caliu amorós que demana l'expressió clamorosa dels senti-ments profunds.

En l'antiga litúrgia, la classe humil cantava espon-tàniament; el sentiment viu, la fe sincera, reclamaven el cant; en la nostra època de crisi religiosa, s'ha de fo-mentar el cant popular en l'Església perquè la funció desenrotlli l'orgue; s'ha d'orientar el sentiment popu-lar per mitjà de la participació directa en les funcions litúrgiques.

Quin relleu tindrien les festes de l'Església si el po-ble hi prengués part directa! Quin sentit pleníssim de vida cristiana se'n desprendria! Tot l'anell litúrgic de l'any brillaria radiant i *hermós*, ple de sentit místic, penetrant tots els fidels les profunditats augustes dels sants misteris!

En els quefers de la prosa de la vida, necessitem sempre un ideal que ens enllumeni, que ens atregui cap a un punt lluminós prometedor de feliç realitat. L'ideal ennobleix el treball més humil. Els cristians tenim sempre, sobre nostres caps, l'ideal del sobre-natural; som els únics que servim dignament, perquè en totes les coses, en últim terme, sols servim l'únic amo, que és el Déu Creador. Som els únics lliures, per-què som els fills de la Llibertat. El nostre ideal, en totes les coses de la nostra vida, és tan poderós, que tot ho enllumena: alegries i tristeses, treballs, dolors i platxèries, els dies benaurats del repòs joiós i els dies rúfols de la lluita dura i penosa. En pau i en guerra, tenim el Crist, amo i senyor, que ens mostra un port etern, finalitat suprema on tot es resol en l'equilibri de la joia divina. Així, en els quefers de la gàbia mundanal, la llum de Crist ens porta i guia, i per això, tot l'any, son record ens acompanya, presentant-nos davant nostra ànima el mirall de son pas per aquest món per aixecar-nos del fons de l'abisme a les excelsituds de la vida plena de la divinitat.

En el temps de pressentiment de la vinguda de Jesús en la terra, en l'època anomenada d'Advent, tot el poble cristià hauria de tremolar del desig del Nadal lluminós que fa florir d'alegria tota la humanitat.

El temps de l'Advent és l'època de l'expectació. El Promès als patriarques, el Llibertador de l'esclavatge, el Potent entre els potents, la Llum, la Gràcia, la Dolçor, la Veritat i la Vida de l'ànima, se'l sent que s'acosta en sa majestat digníssima; i els esperits tremolen de goig i de temença en sa misèria. Oh, poble!, recull-te dins tu mateix, neteja aquest mirallet del cel que tens com guspira divina dins aquest vas de fang que en diem cos, i canti tothom, del més humil al més poderós, responent al cant sagrat dels sacerdots:

Rorate, coeli, desuper;
et nubes pluant Justum

I quan Jesús és nat, ¿qui no cantarà, per gota cristià que sigui? Si fins l'home més enfangat en els delers del món sent una rialleta en la seva ànima! Si tot riu i plora d'alegria! Un alè misteriós passa per l'aire, que fa abaixar les altíssimes torres de l'orgull, que fa redreçar tot el més humil de la terra, i el gros i el xic tot se troba en l'uníson de la dignitat igualadora de coses creades per la mateixa bondat de Déu. No hi ha gran ni petit davant del miracle de Nadal, davant de la simplicitat absoluta de Déu. Déu immens fet un nin, *propter nostram salutem.* Oh, canta, poble; canteu, infants! Que canti tot el més humil de la terra, perquè ja no hi ha res, per petit que sigui, que no sigui digne de la divinitat! I tu, classe treballadora, que sents enveja del ric, ¿què fas, que no saps aprofitar-te del tresor de la pobresa? Oh, si sabessis quan difícil és tenir a la mà la poma prohibida i no tastar-la!; a tu, Nostre Senyor t'ha posat en un lloc arrecerat perquè més fàcilment et conservessis i milloressis pel gran goig del cel, i tu et dónes mal temps enverinant-te les sangs, desitjant allò que no omple l'esperit i esmussa, moltes vegades, la vida de l'ànima. Mira Jesús en el bressol; estima'l i et sentiràs fort, d'una riquesa més poderosa que l'or, i et sentiràs a dins l'alegria, aquella alegria que ha fet cantar tot el poble cristià durant vint centúries les cançons de Jesús en el pessebre, aquelles nadales que ens fan tornar el cor de nin i l'ànima blanca, aquelles tonades que porten l'alegria més pura al cor perquè són filles de la simplicitat, de la pobresa d'esperit, que és una gran riquesa per a l'ànima.

(...)

Al cor de la Setmana Santa, en el Dijous i Divendres Sant, el poble podria també cantar-hi, prenent una part més activa, entrant més endins en tota aquella litúrgia tan meravellosa. Les Matines del Divendres Sant, que es canten el Dijous a la tarda, podrien pendre un relleu extraordinari amb la cooperació del poble. Penseu en els *Responsoris,* de Victoria, d'una expressivitat tan profunda, d'un dolor tan punyent, ben assajats i cantats per la capella, fent de replà al seguit i majestuós bordó dels salms en els quals la clerecia alternés amb el poble, compenetrant-se així, aquest, d'aquella altíssima poesia; penseu en el *Miserere,* d'Allegri, on batega tota la compunció d'una gran ànima atribolada, alternant també amb els versos resats a l'uníson pel poble! Quina intensitat de vida íntima religiosa tindria l'Ofici litúrgic! Quin tremp religiós agafarien els esperits!

(...)

Oh, poble, si sents veritablement el dolor que fibla l'ànima, ¿per què no has de cantar la cançó del penediment i de l'adoració? Si tens els sentiments ensopits en ton cor, fes un esforç i canta, que el cant et remourà el fons de ton ésser i s'aixecarà d'ell l'ànsia de la immortalitat suprema, el tast d'aquella vida alta que fa de l'home un semidéu. No; no seràs superhome per l'orgull de dominar, per la potència de ton braç de ferro, per la força i penetració de tos ulls en comptar les estrelles del cel i els raigs radiants del sol; no; seràs superhome per una potència més fina i més penetrant, per una força de l'esperit radiant d'amor, de gràcia, de lluminosa caritat que et donarà ànsies d'abraçar el món, de sacrificar-te per ton pròxim; que et farà trobar el valor de la vida en aquest fons amagat que guarden les coses creades, com es guarda una idea al fons de l'ànima, la idea de la divinitat, que és la clau de la vera vida mortal i eterna.

(...)

Potser som lluny, encara, d'aconseguir que el nostre poble prengui una part tan activa en les esplèndides manifestacions litúrgiques de l'Església. Encara hi ha cristià que es dóna vergonya de cantar al temple; i tenim, quina tristesa!, molta part de poble, del nostre simpàtic poble, per altra part enriquit de tan belles qualitats de sobrietat i honradesa, allunyat del tot del coneixement i sentiments religiosos. I encara una altra angúnia tortura l'ànima del cristià; és el terrible vici del malparlar i de la blasfèmia, que, com serpent verinosa, s'arrapa a la llengua de molts infeliços. Mes una cosa dóna esperança, enmig d'aquesta misèria: és el no sentir mai una blasfèmia contra la Mare del bon Déu. ¿No hi veieu, en això, com una mostra del fort instint del poble, que al mig del naufragi i de la desesperança de salvació no deixa per això de vista la barca llunyana que el pot salvar? Cap a la fi, ¿no és ella la dolça regina nostra, el pont de la gràcia? Així com infantà el Déu de la glòria, ¿no està infantant tothora cristians que eren nàufrags de l'escepticisme modern? ¿I quin català, per distret que sigui en coses de religió, i fins blasfemi, en veure aquestes muntanyes, el nostre Montserrat, no sent com un entendriment d'amor filial, com un esponjament al cor? Hi ha qualques coses fonamentals en el fons de nostra raça que no desapareixen mai: una és l'amor a nostra llengua, una altra és l'amor a la Mare de Déu! Si des de petits la veiem tan *hermosa*, tan gentil, i voltada d'aquestes muntanyes que fugen de tota forma vista, com dient-nos: «Mireu més enllà de les coses ordinàries, mireu més enllà del món de cada dia; hi ha quelcom de nou que mai no s'acaba en grandària i en bellesa, que és Veritat nua, font de tota veritat vestida, i teniu ulls forts de catalans i cor ample de catalans per a veure de lluny les clarianes de l'infinit!». I al cor d'aquestes muntanyes la veiem, la doça Moreneta, que ens somriu sempre i que no ens deixarà caure mai al fons de l'abisme. Mireu com, tan poc arrelat que tenim el cant del poble a l'Església i, això no obstant, la salutació a la Verge és allò que sentireu més sovint cantar pels fidels en el temple. La *Salve Regina* forma sempre el cor més nombrós en nostres esglésies. I és que en la *Salve* hi ha tot l'entendriment i la dolçor i l'esperança que necessita el cor de l'home, i Maria és l'estrella d'aquesta esperança; perquè es demostra Regina com no hi ha hagut cap dona, puix que és verge i mare: té tota la plenitud i tota la puresa. A Ella podem clamar els qui tenim el cor prou despert per a conèixer que aquest món no és casa nostra, ben nostra, i ens hi trobem desterrats; i mirant la seva dolça cara trobem consol als nostres plors i gemecs; i animats pel seu confort, la clamem advocada perquè ens doni el fruit de les seves entranyes, el dolcíssim Jesús, que, tenint-lo a Ell, ja ho tenim tot.

Però tot això que jo dic enraonant ho direu millor vosaltres cantant. Que el cant ho diu tot; perquè, com que surt del cor, i el cor és el gran endevinaire, porta un sentit ple que mai no porten les paraules. Canteu, doncs, a la Verge, perquè el que jo no he sabut dir sobre l'afecte i conveniència del cant del poble en les funcions litúrgiques, ho digueu vosaltres directament, davant la Verge, cantant-li: *Salve*.

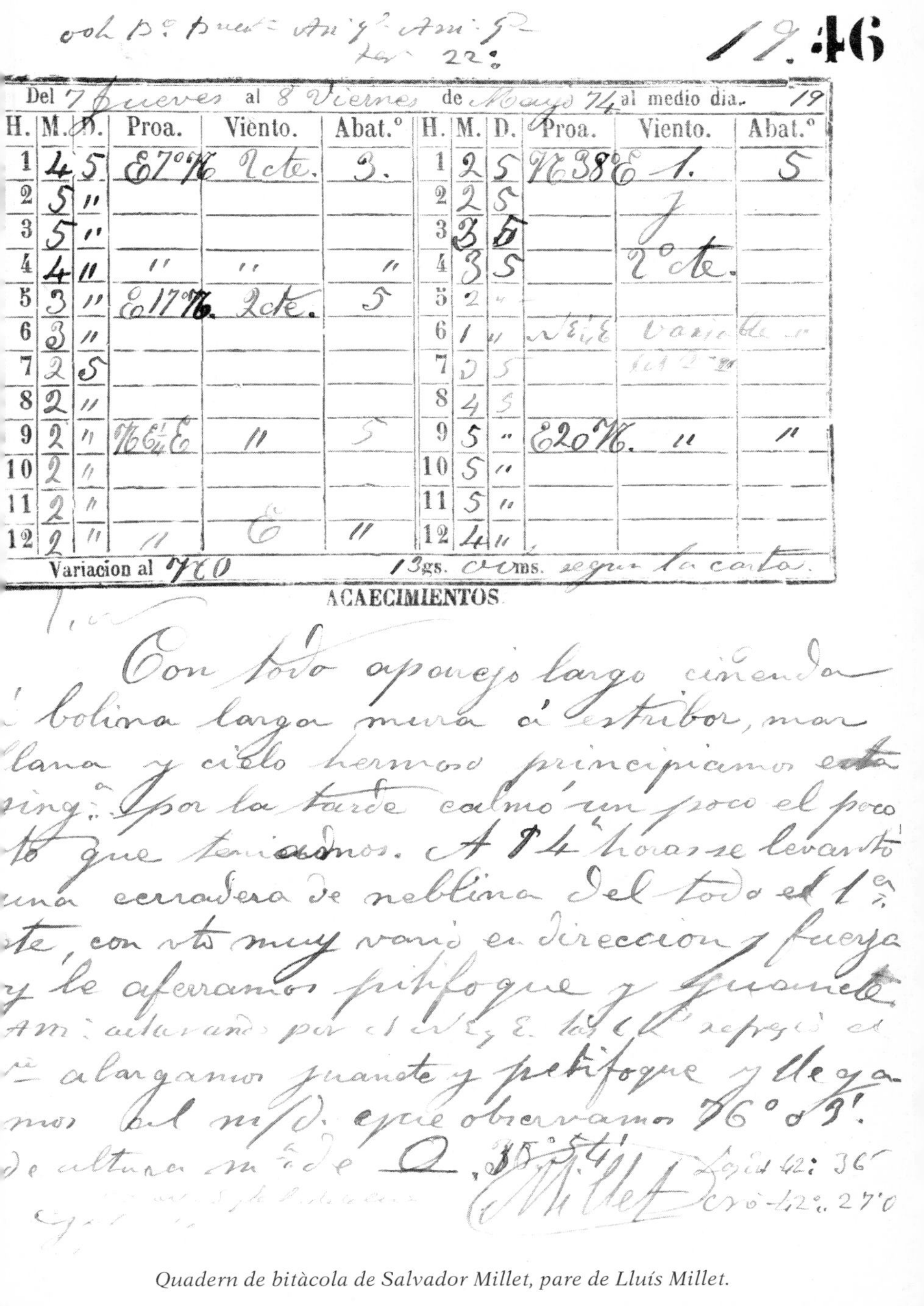

ooh B.º buen Am. g.ª Am. g.ª
tar. 22.

17.46

Del 7 Jueves al 8 Viernes de Mayo 74 al medio dia. 19

H.	M.	D.	Proa.	Viento.	Abat.º	H.	M.	D.	Proa.	Viento.	Abat.º
1	4	5	E7°N	1cte.	3.	1	2	5	N38°E	1.	5
2	5	"				2	2	5		"	
3	5	"				3	3	5			
4	4	"	"	"	"	4	3	5		2°cte.	
5	3	"	E17°N.	2cte.	5	5	2	4			
6	3	"				6	1	"	NE¼E	variable	"
7	2	5				7	3	5			
8	2	"				8	4	5			
9	2	"	NE¼E	"	5	9	5	"	E20°N.	"	"
10	2	"				10	5	"			
11	2	"				11	5	"			
12	2	"	"	E	"	12	4	"			

Variacion al NO 13gs. ... segun la carta.

ACAECIMIENTOS

Con todo aparejo largo ciñendo á bolina larga mura á estribor, mar llana y cielo hermoso principiamos esta sing.ª por la tarde calmó un poco el poco to que teníamos. A las 4 horas se levantó una cerradera de neblina del todo el 1.º te, con vto muy vario en direccion y fuerza y le aferramos petifoque y guanete. Am.: ... alargamos guanete y petifoque y llegamos al m/d. que observamos 76° 03'. de altura m.ª de ☉ 35°54'

Millet

Quadern de bitàcola de Salvador Millet, pare de Lluís Millet.

Lluís Millet, als 6... *i als 25 anys.*

El quartet del cafè Pelayo: Millet, Cioffi, Pàmies, Soler (1891).

Dibuix de David Santsalvador (1935).

11 de setembre de 1936: concert al monument de Rafel de Casanova.

Un dels «Cants espirituals per a ús del poble», escrits durant la guerra civil.

Amb la néta, M.ª Dolors (1938).

Una de les últimes fotografies del mestre.
A la Basílica de la Mercè; a l'harmònium, Pérez Moya.

Lluís Millet, al llit de mort. 7 de desembre de 1941.

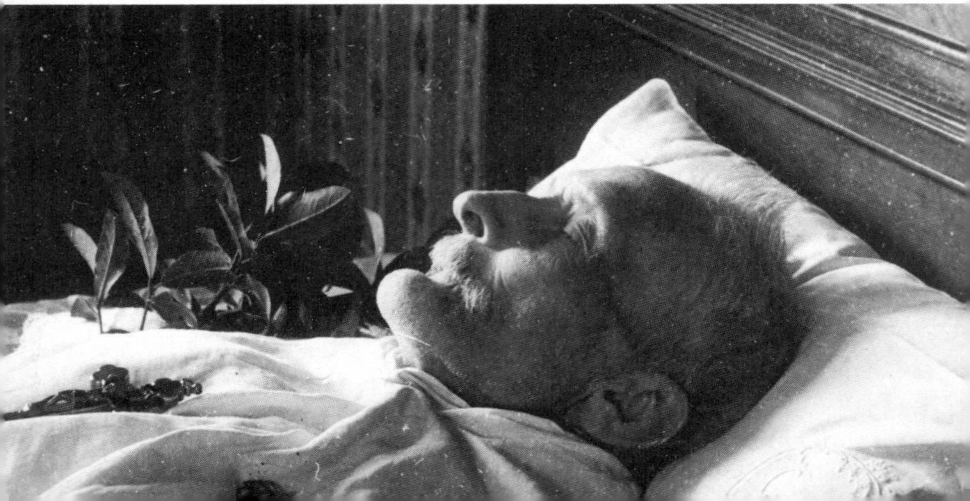

UNA ÈTICA, UNA ESTÈTICA

L'estètica de Millet fou indissociable d'una actitud ètica monolítica i increbantable. A la base d'aquesta actitud ètica, uns fonaments solidíssims: l'amor a la terra, un cristianisme de soca-rel, i la devoció a la cançó popular.

L'amor a la terra experimentà l'evolució lògica de la intransigència juvenil a la sedimentació possibilista imposada pel pas del temps; les conviccions religioses es mogueren sempre dins de la més estricta ortodòxia i el respecte a la jerarquia; i l'elogi de la cançó popular, esdevingué el leitmotiv *dels seus escrits.*

En l'exposició programàtica del seu pensament (discursos, al·locucions, conferències), aquests elements són reiterats una vegada i una altra, amb una insistència de caire gairebé evangelitzador, i amb un èmfasi no amagat pels trets més idealistes.

El discurs pronunciat al certamen musical d'Olot (1915) n'és un exemple paradigmàtic. L'enaltiment del sentiment de pàtria respon a un enamorament gairebé romàntic (amb referències indefugibles a l'esplendor dels temps passats), traduït en un cant a les belleses naturals i en l'elogi apassionat de la parla, amb una imatgeria fresca i expressiva.

I la cançó és vista, no pas com a relíquia històrica, sinó com a element viu i palpitant que, perquè respon a les més íntimes essències comunitàries, ha de ser el factor generador de l'art musical genuïnament català.

Discurs llegit al Certamen Musical d'Olot. Setembre de 1915

Prou *hermós* significat té aquesta festa, perquè jo pugui dir-vos qualque paraula que consoni amb aquest moment expectant de cosa bella, de cosa noble i gentil, de cosa perfumada d'ideal.

Perquè tots vosaltres esteu, ara, frisosos per un sentiment vagarós, per un no sé què que aviva el caliu de l'esperit, que fa més bells els rostres i més penetrant la llum de les mirades. És que esteu aquí cridats per un sentiment viu de Pàtria, i esperant sentir sa veu en la modalitat més pura, més fonda, més intensa; espereu sentir la Pàtria en l'encant de la música seva, de la música que gronxa la nostra mar blava, de la música que porta la flaire de la reïna de nostres pins, de la música que té la majestat de nostres muntanyes, la sobrietat de nostre seny i l'honesta gentilesa de nostres dones. Veniu aquí cridats per l'afany de l'ideal, i l'ideal no és més que el reflex d'aquest misteri harmoniós que portem dins nostre, aquest afany que ens fa sospirar tota la vida; perquè l'ideal és papallona divina que vola fugitiva en ésser sollada pels dits de la realitat mundana.

L'ideal de Pàtria no és res més que l'amor ben ordenat de si mateix, perquè la Pàtria és la irradiació mútua dels nostres afectes, amb tot el que ens volta; la Pàtria és el cercle més ample de l'amor de família; la Pàtria comprèn fins el reflex més llunyà de tot el més íntim que fa la modalitat nostra; i per això comprèn tothom que parla com nosaltres, que té la mateixa llum en el mirar i el mateix posat en el gest, i acull els mateixos costums i té semblant manera de viure.

(...)

La nostra Pàtria, ens la sentim a dins des del néixer, i en obrir els ulls de la consciència coneixem que no podíem trobar altra terra que la que ens volta, ni altre cel que el que ens cobricela. Si tota ella és tan *hermosa*, de tota *hermosura*! Si és tan bella i tan honesta que ens encanta l'esperit sense que el desvari dels sentits faci perdre al seny les regnes! *Hermosura* forta i lluminosa, sòbria i radiant; altes muntanyes i delitoses valls; neus eternes i aires tebis perfumats per la flor del taronger allà prop la mar salada: la nostra dolça mar, l'amiga nostra, que encara està orgullosa d'haver bressolat nostres herois, aquells catalans tan nobles que servien els reis més nobles de la terra. Aquella mar nostra, que riu i joguineja i crida eriçada de blancor immaculada; que ens porta la gràcia i la serenitat de l'antiga Grècia; i que, en besar les nostres platges arenoses, estirades amorosament, i en acaronar la nostra costa brava, es torna gràcia nostra, salut nostra, temperança nostra, flexibilitat per al nostre tremp d'almogàver.

I la nostra parla? En coneixeu de més bella? Jo en conec no gaires i no gaire profundament, però estic segur que no n'hi ha cap al món, ni n'hi ha hagut de més noblement bella; noble sense pompes vanes, penetrant i ràpida per a expressar els moviments forts i sincers de l'ànima. Té la salut de la pagesa i la noblesa de la senyora palatina. És esquerpa i riallera. Té el tremp de l'acer i la dolcesa de la mel. No porta els perfums embriagadors de les aromes orientals, però porta una forta sentor d'espígol i una frescor de ginesta que adelita els sentits i entona l'ànima. I ella és filla nostra; que si una altra parla se'ns imposés, prompte la informaríem a la faisó nostra, la pastaríem al nostre sentir i a l'esperit que ens aguanta; que tenim força per a ésser nosaltres i no cap altre i per vèncer tot el que al nostre esperit empatxi.

I la llengua té un accent, i l'accent és música, tonada; que respon als encisos de l'ànima, a les passions del coratge, a les exuberàncies de l'ésser quan l'home vibra per una vida plena, per una emoció de les facultats supremes. I si la parla és pròpia, també ho ha d'ésser la tonada: perquè no ha d'ésser de menys valor la substància que la forma, la cançó que la paraula. Perquè la música, la vera música, és la plenitud de la paraula; és la vera paraula viva i encelada, perquè respon a un estat més vibrant de l'home, a una vida més plena i més completa; és la bella expressió sentimental i directa de l'home; i, per tant, la característica de raça no hi és pas esborrada sinó sublimada, magnificada, amplificada, i amb un més intens sentit de transcendència. (...)

Hi ha música natural i música artística. La música natural té per forma la cançó, la follia, el ballet. La música artística té les formes complexes que ha trobat l'home treballat per una cultura refinada. La música natural ha sigut la primordial en tots els ordres, en ordre del temps i en ordre de la forma; primer és l'aigua regalada de les deus de la muntanya alta, saltant per les roques salvatgines, que els jocs d'aigua ben ritmats i elegants dels sortidors vistosos del jardí clàssic.

I nosaltres la tenim, la cançó nostra, ben viva, que respon a l'accent de nostra parla. Per la deu de la canal de la nostra tradició raja encara el filó de l'aigua fresca i regalada capaç de fer renéixer la florida de la nostra música artística. Perquè jo no sé quina virtut té la cançó nostra que fa rompre en espontaneïtats els talents músics de la nostra terra. La tonada catalana canta i refila, sospira i gemega, riu i salta i dansa amb un encís tan virginal, que ens corprèn i ens alegra, ens porta la dolçor dels somnis de la jovenesa; porta la blavor de nostre cel, la sentor de nostres camps, i amb ella ens sentim rejovenits com en bella primavera. Jo no sé, ni puc dir, el misteri de la bellesa i encants de la nostra cançó; és el misteri de la raça que canta el fort i dolç plaer del viure. Jo no sé què tens, cançó, que sols et trobo comparable a la florida del virginal primer amor de l'home: aquella dolçor del mirar, la cadència harmoniosa del parlar, la gràcia honesta del bell caminar; i encara tot això sublimat per una fortitud tota ennoblidora!

(...)

Nosaltres, si tenim Pàtria, si tenim llengua nostra, si tenim cançó, tenim música catalana. I tot això ho havem tingut sempre, perquè sempre n'han existit les causes fonamentals. Sempre, en tots els temps, no ha faltat aquesta expressió sublim del fort sentir de nostra raça; i si en períodes de nostra història no trobem el filó de la tradició nostra, la sentim retrobada, l'endevinem, en les èpoques més esclarides de la nostra cultura artística passada: és com una deu d'aigua que es perd i reïx a estones enmig d'una selva verge i meravellosa.

Ara mateix la retrobem, la deu viva de la nostra inspiració oblidada. En despertar del somni de l'oprobi, en aixecar-se Catalunya amb l'esperit renaixent, vibrant de vida plena, ha llançat a l'espai el cant afirmació de son ésser; l'eruga filadora s'ha tornat papallona voladora, radiant de colors als raigs del nostre sol magnífic.

I Catalunya ha cantat en la veu de sos poetes i sos músics. Un vent de profecia ha inflat l'accent de nostra parla, i els cors s'han esvalotat amb la joia d'una nova vida. Nova vida precursora d'una altra més forta i més intensa; la vida de la Catalunya plena, plena i conscient, digna i magnànima, sublimada en la força i en la finor espiritual que de la veritat davalla: la nostra Catalunya somniada, que pressenten nostres cors, que batega en nostres cants i que demana la força esclatant de nostre sol, la gençor de nostres camps, la majestat aspriva de nostres muntanyes, la magnificència de nostre cel, la blavor de nostra mar i aquesta sentor de tota nostra terra: aquest regust de cosa forta, dolça i aspra a la vegada, que regula nostre seny, dóna força al nostre sentir i volada generosa a nostra fantasia.

(...)

cadència harmoniosa del parlar, la gràcia honesta del bell catalanesc i encara tot això sublimat per una tonalitat tota ennoblidora!

(...)

Nosaltres, a l'entorn Pàtria, si tenim llengua nostra, si tenim cançó, tenim música catalana! I tot això ho havem tingut sempre, perquè sempre n'han existit les causes fonamentals. Segurament, en tots els temps, no ha faltat aquesta expressió sublim del fort sentir de nostra raça; i si en períodes de nostra història no trobem el fil de la tradició nostra, la sentim retrobada, l'endevinem, en les èpoques més esclarides de la nostra cultura artística passada: és com una deu d'aigua que es perd i neix a estones enmig d'una selva verge i meravellosa.

Ara mateix la retrobem la deu viva de la nostra inspiració oblidada. En despertar del somni de l'egoisme, en aixecar-se Catalunya amb l'esperit renaixent, vibrant de vida plena, ha llançat a l'espai el cant afirmatiu de son ésser; l'eruga filadora s'ha tornat papallona voladora, radiant de colors als raigs del nostre sol magnífic.

I Catalunya ha cantat en la veu de sos poetes i sos músics. La veu de profeta ha inflat l'accent de nostra parla; tots cors s'han esvalotat amb la joia d'una nova vida. Nova vida precursora d'una altra més forta i més intensa: la vida de la Catalunya plena, plena i conscient, digna i magnànima, sublimada en la fuga i en la llum espiritual que de la veritat davalla sobre nostra Catalunya somniada, que pressentim nostres cors, que batega en nostres cants i que demana la força esclatant de nostre sol, la gençor de nostres camps, la majestat esquiva de nostres muntanyes, la magnificència de nostre cel, la blavor de nostra mar i aquesta sentor de nostra terra; d'aquest regust de cosa forta, dolça i aspra a la vegada, que regala nostre ser, dona força d'aquest sentir i volada generosa a nostra fantasia.

EL VINT-I-CINQUÈ ANIVERSARI

L'exaltació jubilar dels 25 anys de vida de l'Orfeó (1916) es concretà en una sèrie d'esdeveniments artístics de primer ordre; iniciada amb una audició a la Sagrada Família, tingué l'exponent més emotiu en un concert a la Casa de Caritat, i els més solemnes en les audicions de Les Estacions, *de Haydn, del* Requiem, *de Berlioz, i en tres «Concerts històrics», resum i compendi de tota la programació de la corporació.*

A punt de complir la cinquantena, Millet esdevenia una figura indiscutida; i la seva obra assolia també idèntica consideració, coneguda de tot Catalunya i objecte d'admiració dels nuclis musicals peninsulars i internacionals.

La celebració pública del 25è. aniversari fou el complement de l'íntima commemoració corporativa, en els actes de la qual trobem novament el perfil justíssim de Millet. Dos d'ells suscitaren sengles escrits definitius: la visita a Montserrat (23-25 de juliol), en la qual l'acció de gràcies (amb una magistral glossa homilètica del canonge Collell) era completada per un magne concert a la comunitat benedictina, i la sessió rememorativa de l'acte fundacional (6 de setembre).

Aquests dos textos testimonien el profund senti-

ment de gratitud, l'íntim lligam amb la comunitat de què forma part (de la qual rep l'escalf i es converteix en portaveu) i el sentit de submissió a una transcendència suprema (simbolitzada en l'Art, la Pàtria i la Fe).

Reflex d'unes lectures que eren el seu nodriment constant, la prosa de Millet pren ressonàncies bíbliques («Germans, al·leluia!») per expressar la joia inefable, i comença d'arrelar la menció metafòrica d'una simbòlica relació paterno-filial.

Montserrat i l'Orfeó Català
(«Revista Musical Catalana», núms. 151-152, juliol-agost de 1916)

Montserrat és nostre, és de tots els catalans; i nostre tan íntimament com ho és la mare per al fill, la casa pairal per a la fillada. Montserrat és la concreció de tots els nostres amors més nobles, més purs i més genuïns de raça. És un enamorament que ens el trobem innat, que ens el trobem a dins sense saber com; que ens bressa l'esperit des de la nostra infantesa fins a les hores de la posta de la vida. És un amor de cel i de terra, que no ens deixa. Solament per aquest amor, la gent catalana no pot perdre l'aire de noblesa, la fesomia inconfusible que endolceix d'un raig de llum la pròpia energia. Aquests penyals singulars ens atrauen la vista i el miracle de la natura ens aviva el miracle de la fe en la nostra ànima. I el pare hi porta el fill, l'espòs, l'esposa, i tota la família catalana hi troba i hi xucla l'essència d'aquesta dignitat austera i enlairada de la llar catalana. Montserrat és un segell de la Providència en el cor de la Pàtria, un segell del dit de Déu que marca, com a cosa seva i estimada, tota la terra i ànima nostra. Des d'eixos cims veiem la nostra mar, la nostra sirena endolcidora de les platges serenes lluminoses; veiem els ramats de cases que formen pobles i vilatges; veiem els rius que serpentegen fertilitzant la terra verdejant, i veiem les altes cimes que majestuosament vetllen tot el tros de terra que Déu ha fet nostra. Aquí sentim com el batec sublim de l'esperit de raça.

L'Orfeó Català, que nasqué i ha crescut per l'amor, que canta perquè té un cor enamorat, se sent montserratí des de sa naixença. Quan les noies del cor brodaren la seva ensenya, ajudades d'unes dames que tenien per lema la Caritat, ja la Providència féu que la benedicció del símbol de sos cants fos donada per les sagrades mans d'un gran bisbe de la pàtria als peus de la Verge morena de la serra. Allò fou el nostre bateig. I ara al cap de vint anys, havem tornat a la muntanya santa per celebrar amb intimitat de cor i amb alegria de l'ànima el nostre vint-i-cinquè aniversari. I si llavors vinguérem aquí, com infants a la falda de la mare, rient i mig jugant, avui, majors d'edat, havent corregut món i havent-nos afalagat les subtils aurèoles de la fama, admirats, ens havem trobat més nins que abans, amb una tendresa al cor, amb una alegria a l'ànima, com si d'aquestes muntanyes en fluís un doll de vida immortal. Com nins ens havem trobat als peus de la Verge graciosa i havem oblidat llorers i lloances del gran món de les ciutats, i com nins havem resat tot cantant les cançons pietoses, i com nins havem saltat per les muntanyes; i amb el cor esponjós havem donat gràcies a Déu i a la Morenor radiosa d'haver-nos conservat així, sense perdre la innocència de la gràcia primera que aquí rebérem en el nostre primer esclat de vida.

I ens havem trobat germans dels escolanets; i havem respost als seus cants, i tots plegats havem mostrat a la Verge bruna que tots som uns, fills senzills del poble amb cor lleuger, per dir-li amb cadència de la terra :«Rosa d'abril, Morena de la serra, grans i xics aquí tots som fills vostres. A estones, el grans anem pel gran món i entonem coses madures que els esperits profunds troben al fons de la seva ànima inquieta; però com que el vostre amor no ens deixa, no l'havem oblidada, la tonada de la terra estimada; l'havem mostrada als homes i n'han rebut consol; per això, encara ens trobem germans dels teus escolans, i per això estem tan alegres avui, no sentint-nos de la fatiga de vint-i-cinc anys de vehements cantades».

Sí; a Montserrat havem fet un bon descans d'alegria plena; els records i les esperances s'han confós en realitat joiosa. Les altes dignitats de l'Església, els humils escolanets, amorosament ens han rebut, com a germans d'un mateix ideal, i havem escalat els turons estimats com amics de la infantesa. I tot això ha estat com una continuació i augment grandiós del cant d'amor que començàrem fa un quart de segle a la Pàtria i a la Fe. Ha estat com un íntim i intens coneixement del sentit de la nostra obra; d'aquesta obra que començàrem a les palpentes, quasi innocents, i que Déu ha guiat pels camins ennoblidors que perfeccionen i dignifiquen l'home.

Sí, la nostra alegria, a Montserrat, la nostra emoció, ha estat tan viva perquè després de vint-i-cinc anys ens havem trobat que havem realitzat quelcom que lliga i es fon amb tot ço que significa de sant, noble i digne aquesta muntanya única i meravellosa del cor de Catalunya.

Parlament, en el dia del 25è. aniversari de l'Orfeó Català. 6 de setembre de 1916

Germans, al·leluia! Fa avui vint-i-cinc anys que començàrem una bella obra; i tothom diu que bella l'hem feta. Fa vint-i-cinc anys que començàrem amb somnis i il·lusions de joventut, i, de somni en somni, d'il·lusió en il·lusió, com volant i pujant en escala lluminosa, ens trobem en un replà de la muntanya ideal i els papallons radiants de les lloances eixuguen de nostre front la suor de nostre treball lleuger!

Al·leluia, germans!, perquè havem sigut humils per rebre de Dalt l'Esperit consolador que és Veritat, Bellesa i Amor. Havem sigut homes, germans: Al·leluia!

I ésser home és això: tenir ulls i saber mirar; copsar

la bellesa que ens volta, cel i mar, muntanyes i planúries, rostres d'amics, de germans; les dolces cares de la mare i de l'esposa, el raig de sol del fillet i de totes les clarors dels humans que ens volten.

Ésser home és tenir cor transparent, que totes les clarors commouen; i, de tot, fer-ne un pa dolç que, si algun cop amargueja, és per a enfortir més el tremp de l'ànima. Tenir cor és tenir capsa amorosa, clara, de cristall claríssim on, de totes les belles clarors, se'n fa una de sola, poderosa, potent, que filtra les llunyàries de l'infinit que ens crida. Ésser home és, encara, tenir intel·lecte que entén i comprèn, frena i detura, guia i empeny aquestes forces cegues que ens mouen i sotraguegen. Ésser home és tenir seny per a ben mirar, seny per a ben amar i seny per a ben pensar; i llavors tot l'esperit no s'atura, com cavall amb ales, vers el Sol de la Veritat.

Mes totes les coses del món no són iguals, amics. Entre totes diuen quelcom de l'Infinit, i cada una a sa manera. I ésser humil és mirar segons la mena de nostres ulls i amar en la modalitat de nostre cor, ésser obedient a la modalitat del nostre ésser. Perquè no som amos, som criatures; i quan l'orgull ens desvia és que amos volem ésser.

Nosaltres ens havem trobat catalans, i catalans havem volgut ésser. I havem entès totes les coses que ens envolten; havem trobat més formoses les muntanyes, més radiant el cel, i la mar dolcíssima; tots ens havem trobat germans amb un amor fort, dolç i intens; havem entès d'on veníem i a on devem anar, i el cor s'ha omplert d'emoció, i l'esperit s'ha exaltat i, oh, germans...!, havem cantat. Que cantar és vida plena, és el parlar de tot l'home en estat d'harmonia de cos i d'esperit, dels sentits i de l'intel·lecte. I, en les cançons dels avis, hi havem trobat un regust tan saborós, que tota altra música en sent enveja; perquè ens ha fet tornar com nins i, amb el cor lleuger, la cançó ha pres volada, tota humida d'amorosa, i la cançó que es moria torna a viure en les colles de pertot arreu de

Catalunya que s'han encomanat la nostra fal·lera; aquesta fal·lera que ens fa viure.

Germans, al·leluia!, perquè un amor en porta un altre. Quan s'estima bé el que és propi, s'estima i comprèn el dels altres. Els homes, uns són blancs, els altres negres; uns parlen clar, els altres fosc; uns usen llenguatges ressonants d'harmonia plena i gallarda; en altres, la parla és lluminosa i la gràcia canta en dolcesa; altres parlem un bell parlar i només nosaltres en sabem la saboria, dolça i forta: cant de l'ànima.

Però en tot això, amics, en tota aquesta gamma radiosa, hi ha un mateix fons que l'aguanta, una cadena misteriosa i potent que al fons del cor ens diu que som fills d'un mateix Pare. I en la humilitat, veient les coses ben mirades, aquest fons ens el sentim, i entenem i ens fem nostre el dels altres.

Un amor en porta un altre. I per això de la música de la terra, que ha crescut en nosaltres i ha sigut ocasió de fruits esplendorosos de compositors nostres, havem passat a la de fora casa, d'avui i dels temps passats, i, com que amb amor ho havem fet, la cançó forastera ha sigut nostra també i, amb la nostra faisó, entesa i alabada.

Mes, com que totes les músiques són filles d'una música més alta, com que tots els amors de la terra són un ansiós anhel d'un Amor més alt i sublim, així, ¿com podíem nosaltres, en nostra febre de bellesa, no tastar i enamorar-nos de la música que a l'esperit recull i a l'esperit enlaira a la suma realitat de Déu? De la música, que és la humilitat feta gràcia divina, transformació de l'home en benaventurat del Cel!

La música religiosa, la tastàrem de seguida en nostra naixença, junt amb la cançó popular, i tinguérem la inspiració d'anar a la flor, a la més pura i sincera, que, exalçada per alguns vidents, ja resplendia en l'alba d'una bella renaixença. I nosaltres, del tast, en quedàrem tan gustosos, que després en férem grans convits, i alabat sia Déu!, fins havem ajudat a la dignificació del cant en nostres esglésies.

Al·leluia, germans!

Però no ens enorgullim. Això ha estat com una gràcia, un do, i si ens en gloriegem, tot el nostre mèrit, si en tenim, serà una girada al ridícul; els nostres cants, llavors, no foren sincerament bells; parlarien una llengua estranya a la gràcia del cant, i per més ben entonat i modulat que fos, fóra art bord, que no posa ales als cors dels oients, i el benifet a nostre poble fóra estroncat. L'elogi és una gran temptació, els aplaudiments són estímul, la crítica dura i desconsiderada talla les ales a la inspiració encelada; però si volem fruir encara en nostre art col·lectiu, si volem donar encara goig a nostres germans de pàtria, arrecerem-nos sempre en humilitat que, com retreu i glossa el nostre mestre, el gran i enyorat bisbe Torras i Bages, ella no és més que la Veritat.

Oh, Veritat! Vine al nostre cor i no ens deixis; que, mentre sies la nostra mestressa, gaudirem en el cel de l'art, fent bé a nosaltres mateixos, fent bé a Catalunya!

Fa vint-i-cinc anys que començàrem. Érem ben pocs, rellogats, de caritat, en una societat patriòtica. Però érem joves i plens de fe, i ànimes generoses, que mai no ens han deixat, ens encoratjaven.

I ja ho havem dit, un amor en porta un altre: els somnis de la nostra joventut es tornaven cants que anàvem polint, polint, perquè responguessin a aquell somniar despert de nostre cor jovenívol. Per l'ambient hi havia alè de renaixença, que nostra joventut absorbia com una força vivificant: l'amor a la vida! L'amor a la terra! Amors primaverals amb sentors d'embriaguesa! ¿Qui no canta, amics, en tal puixança, encara que no en sàpiga? I la terra nostra anava deixondint-se en sobresalts d'entusiasme, i nosaltres, ¿havíem de callar, llavors? La passió ja cridava i la sang bullia. Vinguen germans!, i amunt i fora! I la colla anava engrandint-se, i els mestres érem ja un aplec. Ja vénen nois que fan pura nostra tonada i després noies, florida d'abril, amb la mestra de cor jove i generós. Amunt i fora! I com ens havíem d'aturar, si l'Art és tan bell i la Pàtria encara ens crida i la Fe encara creix en nostres ànimes! Quin mèrit té el nostre treball, oh cors nobles que ens alabeu? El goig no té mèrit i les nostres alegries pesen més que els nostres afanys i fatics.

No és veritat, oh mestres, germans meus? ¿No ho sentiu així, cantaires estimats?, que encara que no ho mereixi, deixeu-me que us anomeni fills. Sí, fills; perquè aquesta paraula és ben amorosa i amor és nostre lligam, i amor és qui ens empeny, i amor qui farà la nostra vida llarga, gaudint i treballant per a Catalunya.

Germans i fills meus: Al·leluia!

LA PLENITUD

La consolidació de l'etapa precedent es refermà en el període comprès entre 1917 i 1930, esdevingut el de la plenitud institucional i personal, fins on ho permetia la manca de l'esposa i la subsegüent situació familiar.

Artísticament, és l'època de grans realitzacions, al cim de les quals ha de ser situada l'execució de la Passió segons sant Mateu, *de Bach (1921), les audicions a Roma (1925) i la interpretació de la* Missa Solemnis, *de Beethoven (1927); i, flanquejant-les, una activitat incansable (gràcies, en gran part, a la gestió de Francesc Pujol, subdirector des del 1917), traduïda en la presència per tota la geografia catalana (de Girona a Reus, del Masnou a Figueres, de Sallent a Vilafranca, de Mataró a Lleida, de Manresa a Tàrrega, etc.), en la represa de les obres simfòniques més estimades (*Novena Simfonia, *de Beethoven,* Les Estacions, *de Haydn), en la instauració de noves sessions monogràfiques (Concerts de Cap d'Any), en la celebració de festivals específics (Manén, Ravel, Clavé), en les col·laboracions reiterades amb l'Orquestra Simfònica de Madrid, en el retorn al conreu dels madrigals, en l'increment dels enregistraments discogràfics iniciats el 1915...; i, per sobre de tot, en l'esclat, el 1930, de les audicions a*

Sevilla i a València, en el de les celebrades al Palau Nacional de Montjuïc i en el del gran Festival d'Orfeons.

*Corporativament, l'Orfeó veu reconeguda la seva significació, tant nacionalment (executor de les fundacions Eusebi Patxot i Llagustera i Concepció Rabell i Cibils, director de l'Obra del Cançoner Popular de Catalunya) com internacionalment (membre de la Societat Internacional de Musicologia). Perdura també l'atribució de signe catalanista, acrescut per les dificultats operatives en el període de la Dictadura, per la clausura imposada per Primo de Rivera i pels incidents que acompanyaven sovint les interpretacions de cants patriòtics o assimilats a aquesta valoració (*Els segadors, El cant de la senyera, La Balenguera*).*

*És el moment, també, de la projecció màxima de Millet en la funció magisterial. Després de la Festa dels Orfeons (1917), la seva persona es fa omnipresent en la vida coral: des de la presidència de la Germanor, als nombrosíssims parlaments; es prodiga en l'àmbit musical (jurat en multiplicitat de concursos) i ho fa també en la formulació ideològica per mitjà de conferències (*De la cançó popular, Santa Cecília, Transcendència de la moral en l'art*).*

Encara, la seva significació cívica és reconeguda en ésser-li oferta la presidència dels Jocs Florals de Barcelona (1918), dels de Lleida (1921) i dels de Reus (1923); i la docent es concreta en la vice-presidència de la Comissió d'Educació General de la Mancomunitat (1918) i, sobretot, en la Direcció de l'Escola de Música (1930).

No falten, tampoc, les distincions a títol personal, tant del país (és donat el seu nom al carrer on va néixer, és fet soci i director honorari de molts orfeons), com de fora (Cavaller de la Legió d'Honor francesa, el 1918). I entra en l'àmbit de les figures col·lectivament sentides com a exemplars amb la publicació d'un primer compendi biogràfic: Lluís Millet, *de Baltasar Samper.*

En els escrits del moment es trasllueix la situa-

ció personal, i allò que perden en ímpetu expositiu ho guanyen en maduresa expressiva (bé que, sovint, amb caigudes en reiteracions a causa de la freqüència de tractament del mateix tema), fins a convertir-se, molts d'ells, en exemplars literàriament. S'hi traslluеix, també, una progressiva reclusió en uns esquemes considerats inamovibles, sense cap mutació funcional.

Lentament, però, els nous corrents culturals situen l'entitat com a dipositària d'un sentit tradicional i comença d'insinuar-se un divorci amb la societat coetània: al Modernisme, ha succeït el Noucentisme; a l'adhesió incondicional dels intel·lectuals, la crítica desinhibida del Manifest groc*; a l'acceptació del model estètic proposat per l'Orfeó, els nous camins empresos pels compositors d'aquella hora.*

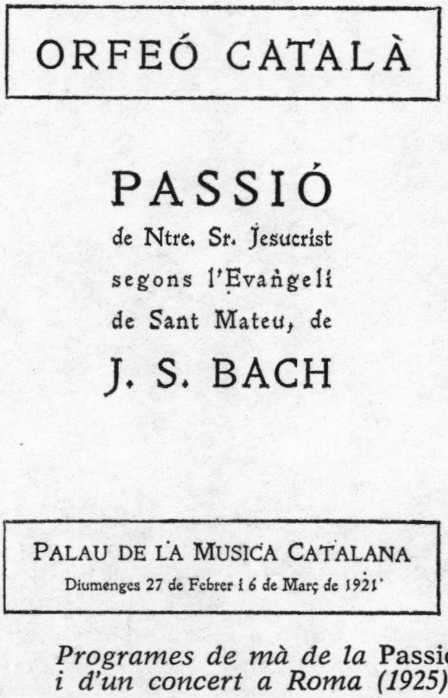

ORFEÓ CATALÀ

PASSIÓ

de Ntre. Sr. Jesucrist segons l'Evangeli de Sant Mateu, de

J. S. BACH

PALAU DE LA MUSICA CATALANA

Diumenges 27 de Febrer i 6 de Març de 1921

AUGUSTEO

STAGIONE 1924-25

XLIII

GIOVEDÌ 7 MAGGIO 1925, ALLE ORE 17 PRECISE

SECONDO ED ULTIMO

CONCERTO DELLA SOCIETÀ CORALE

ORFEÓ CATALÁ

DI

BARCELLONA

DIRETTA DA

LLUIS MILLET

È vietato entrare nella Sala o uscirne durante l'esecuzione dei pezzi.

NON SI CONCEDONO BIS

Programes de mà de la Passió, *de Bach (1921), i d'un concert a Roma (1925).*

LA GERMANOR DELS ORFEONS DE CATALUNYA

«Per l'Orfeó Català. Amb motiu de ses bodes d'argent»; amb aquest títol, «La Veu de Catalunya» (9 de març de 1916) publicà un extens article del fundador de l'Orfeó Gracienc, Joan Balcells, que constituí una veritable crida adreçada a les entitats corals catalanes per a suggegir-los la reconeixença a Millet i a l'Orfeó.

El tornaveu de la invitació s'estructurà en un impuls col·lectiu que, en mans d'una comissió entusiasta —Joan Llongueras, Joan Balcells, Joaquim Pecanins, mossèn Francesc Baldelló i Joan Gibert i Camins— cristal·litzà en un gran acte d'homenatge.

El dia 27 de maig de 1917, 52 orfeons de tot Catalunya —n'havien estat fundats 88 des del 1891— amb 5.000 cantaires, es constituïen en un cor immens que, sota el guiatge de Millet, oferia una històrica audició a la plaça de Catalunya.

Abans, però, els actes oficials a l'Ajuntament i a la Diputació —amb l'ofrena del volum Pel nostre ideal, *recull dels escrits de Millet, costejat per subscripció popular— deixaven constància del reconeixement públic per la tasca cultural realitzada.*

La dinàmica col·lectiva generada per la Festa dels Orfeons féu néixer la Germanor dels Orfeons de Ca-

talunya (1918) —amb Millet com a president—, organisme associatiu al qual pertangueren, pràcticament, totes les entitats corals existents.

L'activitat de la Germanor —fins a la seva decapitació el 1939— es concretà en l'ajut i el consell a les agrupacions membres, en la formulació d'uns acords vinculants, i en la celebració d'uns Aplecs Comarcals periòdics (1918: Manresa; 1921: Vic; 1922: Figueres; 1923: Reus; 1931: Manresa; 1932: Tàrrega; 1933: Terrassa).

Els mots de gràcies de Millet a la Festa dels Orfeons i el discurs en un dels Aplecs, transcrits a continuació, testimonien a bastament el seu tarannà d'apòstol i de patriota.

Discurs pronunciat al Palau de la Diputació (27 de maig de 1917) en la Festa dels Orfeons de Catalunya

Nobles senyors, amics i germans: Gran diada és avui per a la meva ànima; diada forta i esplendent per a l'Orfeó Català, per a tots els qui en ell tenim posat el cor, la pensa i l'esperit. Jo em sento atuït i no sé pas com expressar el que voldria.

Voldria obrir-vos el cor amb tota sinceritat, ja que la barreja de sentiments que em commouen, sentiments d'agraïment profund, sentiments de joia íntima, sentiments d'esporuguiment per la magnitud de la festa d'avui; d'aquesta barreja de sentiments, dic, jo no en sé pas trobar la vera expressió per a dir-vos, oh! germans de Catalunya, oh! amics i germans meus, tot el sentit i significança. Però si jo no sé expressar ço que sento, vull almenys provar d'expressar el que jo crec que significa verament aquest homenatge que, als de l'Orfeó Català, ens omple el cor d'agraïment i de joia, com també d'atuïment, per la grandesa de vostra generositat vers nosaltres.

Trobar el ver sentit de les coses és un gran goig

per a l'esperit, perquè l'esperit està sempre àvid de veritat i coneixença. Buscar, doncs, el ver sentit d'aquesta festa del cant que avui ens alegra, buscar-lo i trobar-lo, serà cosa, oh bons senyors, que farà augmentar el goig de tots i a mi i a tot l'Orfeó Català ens deixarà sense ombra d'angúnia pel que pugui haver-hi d'extremada ponderació en els elogis i magnes obsequis amb els quals ens honoreu.

El sentit d'aquesta festa és sentit de vida, de vida bona. És senyal de la frisança del bon cor, del gran cor de Catalunya. És un expandiment de la força de la nostra raça que creix i es desvetlla, que cobra consciència de son ésser, de la modalitat que la vigoritza, i que, reconeixent-se, sent la frisança del cant, del cant que és l'expressió més alta de l'home. La raça s'ho sent a dins i expansiona aquesta força amb esplets de vida material i espiritual; se sent posseïda del gran neguit i esclata; la sang bull i l'esperit s'exalta. Ja ho he dit altres vegades i ara no sabria dir altra cosa, que la meva tonada és curta i monòtona: l'Orfeó Català nasqué en moment tan propici, que no tingué altre remei que créixer i arrelar, que enfilar-se i donar ombra; i tots els qui l'infantàrem ens hi trobàrem lligats com pare al fill, com cos a l'ànima, i no podíem abandonar-lo, no podíem pas viure sense ell si tant l'amor ens hi unia, si era com vida de la nostra vida. I, que l'Orfeó nasqué en hora propícia, ens ho digué de seguida la nostra rebrotada, els orfeons de tot Catalunya, que deien també la nostra tonada, perquè trobaven que els esqueia i que era com eco del que a dins ja portaven d'amor a la terra i a tots els ideals nobles de la vida. Aquesta rebrotada, aquest esplet, ens deia que havíem estat sincers, ja que veus de tota la nostra terra ens responien a l'uníson de nostres ideals, amb la sinceritat i entusiasme d'allò verament sentit i estimat.

Ara, en veure'ns majors d'edat, tots els nostres germans de cant s'han alegrat i han vingut a fer-nos acatament expandint una gran joia, i com que són tan bons, tan nobles de cor, han vingut fent corrua de tot Catalunya, els de les planures, els fills de la muntanya i els que a prop la nostra mar s'estimen; de tot Catalunya han vingut a la noble ciutat de Barcelona, resum de la Pàtria, per honorar-nos de prop fins a tocar-nos. Oh germans, que Déu us ho pagui!; amb tota l'ànima us ho dic. Jo voldria tenir el cor ben gran i la pensa ben alta i un gran poder de paraula per a cantar la vostra bonesa, per a exaltar la vostra virtut d'humilitat, la vostra fe i esperança que vostra visita significa.

Oh, prohoms de Catalunya!, vosaltres que regiu el ressorgiment de la nostra terra beneïda, terra poblada de lleialtat, mireu-vos-els aquí, tots en el palau de més alta significança de tot Catalunya; mireu-vos-els aquí, tots els mestres i capdavanters de les colles dels cantaires de la Pàtria, que en aquest moment estan alegrant els nostres carrers ciutadans, amb les barretines i mantellines damunt llurs caps, com si ens portessin tota la virtut de les terres baixes i altes de tot el terrer catalanesc; ells porten, tots, la més forta espiritualitat de nostra terra; ells canten perquè la bonesa els sobreïx del cor; ells canten perquè creuen i esperen; ells canten perquè ho senten a dins i comprenen la glòria d'ésser catalans. Oh, senyors, vosaltres, que avui ajunteu vostra voluntat a la llur voluntat en honorar l'Orfeó Català i, en ma persona, tots els meus companys mestres estimats; jo us demano, tot donant-vos mercès de vostre acatament, que honoreu a ells, perquè ells han vingut per amor, han vingut dòcils a la veu de la terra que se senten a dins; han vingut per cantar tots plegats, perquè el cant de cadascú s'abracés un amb l'altre, fent-ne un de sol, com un de sol és nostre ideal; i pensant de bona fe honorar l'orfeó més antic de la terra, no han fet més que honorar la llur noble taleia, l'amor del cant catalanesc. Oh, alts senyors de Catalunya, no deixeu que això mori, ni que minvi; ajudeu amb tot el vostre poder que això tan bell creixi i prosperi, que arreli al fons dels nostres costums, del nostre ésser, perquè sigui salvaguarda de la nostra espiritualitat i bonesa. Protegiu-ho i enfortiu-ho amb tot el vostre poder, perquè així Catalunya sigui sempre prosperant, no solament en força material, sinó, sobretot, en força espiritual noble i digna.

El sentit de la festa d'avui, diada del Sant Esperit, és aquest: una abraçada de germanor d'ideal; per això els homenatjats en sentim noble satisfacció; i tot sentint profund agraïment a tantes bondats, exclamem: Oh nobles senyors capdavanters de la nostra terra, germans i amics de cant!: un mateix amor a la nostra pàtria, un mateix ideal ens acobla en aquesta diada; encara que el nostre mèrit no correspon a tan alts obsequis, beneïda aquesta causa que dóna lloc a la nostra abraçada i a l'enlairament d'una de les coses més pures i dignes del renaixement de la nostra Catalunya.

Nostra tasca (Parlament al IV Aplec de Germanor dels Orfeons de Catalunya. Reus, 6 de maig de 1923)

Estimats cantaires: Voldria parlar-vos llargament dels deures que teniu com a cantaires que sou de la pàtria; de la finalitat de la nostra obra; de la manera de vèncer els obstacles i dificultats que l'obstrueixen; dels mitjans que havem d'emprar per a perfeccionar-la, dels nobles sentiments amb els quals havem d'emparar-la, de la influència que té per a la nostra perfecció individual i per al progrés i perfecció del nostre poble. Però la feina d'avui és llarga i, per tant, el temps de què puc disposar és curtíssim. No puc, doncs, fer altra cosa que resumir breument, una mica a la bona de Déu, tot el que em volta pel pensament a l'escalf de l'afecció del cor, ja que la nostra tasca, si porta per guia la llum clara d'una idea noble, està enardida per un entusiasme fervorós encès per l'amor.

Vosaltres sou els cantors d'una part principalíssima de Catalunya, homes, dones i infants, joventut florida del camp fertilíssim de Tarragona. «Gent del camp, gent del llamp», diu l'aforisme popular. Sou carn viva de la mare Catalunya i teniu l'esperit ardit per ésser l'avantguarda de l'exèrcit de l'ideal de pàtria.

De vosaltres depèn, doncs, en grant part, que aquest nostre exèrcit cantador de fe, de pàtria i amor no s'aturi mai en el camí de la perfecció.

La nostra tasca és bona, estimats amics; i bona vol dir que s'ajusta al nostre bé, del cos i de l'esperit; és a dir, a la nostra natura. A l'home, li convé el cant com esplai dels sentiments que endins del seu ésser es mouen. S'entén, però, dels sentiments nobles; dels sentiments que anomenem bons; dels sentiments que ens dignifiquen i que, separant-nos de les bèsties, ens circumden amb l'aurèola de reis de la creació.

Quan tenim una gran alegria, quan sentim una intensa esperança d'un gran bé, quan una profunda tristesa, no desesperada però enyoradissa, ens domina; és a dir, quan l'amor, que és la flor de tot bon sentiment ens corprèn, llavors el cant és l'única expressió adequada i surt espontani i vibrant d'emoció sincera. No canta l'home dolent que sent l'enveja dins l'ànima; no canta l'ambiciós que per l'egoisme no repara a sacrificar tota llei de justícia; no canta el jugador que amb ulls plens de cobdícia en un racó de taverna o de casino malmet el guany del treball que porta el pa a la família; no pot cantar l'home de passions insanes que no sent altre delit que el goig bestial de la carn.

Però canta, canta i refila tota ànima generosa que sent l'ànsia del sacrifici per al bé del pròxim o per a l'assoliment d'un noble ideal; canta l'infant innocent la melodia clara en els esplais dels jocs a ple aire i a ple sol; canta el jove o donzella enamorada que en son cor cova l'amor puríssim engendrador de la família, primer nucli vital de la pàtria; canta el pagès sota el cel blau en la planura assolellada o en la muntanya alta, sota la fronda verdejant, en la pau del treball i de la natura; canta la mare prop del bressol en contemplació de l'infantó, amarant-se del goig més pur d'aquí a la terra; cantem quan l'amor a la nostra terra ens omple el pit, quan l'amor a la pàtria ens fa vibrar les fibres més íntimes del cor, quan enyorant la llibertat perduda anhelem la deslliurança.

Però no sempre, amics meus, el cant porta aquesta bondat, aquesta puresa. Hi ha cants barroers, cants que podríem dir bords, que porten la llavor de les males passions; que, en sentir-los, no donen la forta alegria ni la dolça tristesa; que encomanen el neguit i la frisança en comptes de portar pau i entusiasme. Són, per exemple, aquestes cançons de moda que porten el nom estranger de *couplets*, la lletra i la música dels quals no tenen altre valor que la despreocupació de tota decència i la preocupació del desvergonyiment escandalós. Són les tonades d'aquestes danses exòtiques de ritmes vulgars i melodies decadents. Però aquesta música no és vera música; és la moneda falsa de la música. No obstant això, aquests cants bords, aquestes tonades eixorques són avui dia la música corrent de pobles i ciutats, que empesten cors i ànimes. Nosaltres, estimats orfeonistes, som l'estol purificador de tanta malura; i, d'això, n'haveu de tenir consciència perquè així el vostre entusiasme no decaigui, sabent que el vostre cant no és tan sols esplai en els moments de repòs del vostre treball quotidià, sinó que és també i sobretot feina constructiva d'un gran valor moral.

Som catalans, i tots en volem ésser, però és pot ésser bon català i mal català. Ésser català vol dir tenir per mare Catalunya, i a la mare, la devem honorar demostrant-li el nostre amor buscant la perfecció de nosaltres mateixos, curullant-la de glòria, procurant que tot el fet per catalans sia al més perfecte possible, fent una guerra ardida contra tot el que ens desnaturalitza, contra tot l'exòtic, contra tot el que denigra l'home.

(...)

Però hi ha obstacles, amics, obstacles formidables, enemics temibles que portem a sobre nosaltres mateixos. Hi ha l'egoisme, hi ha la sensualitat que tot ho degenera; hi ha l'ambient de l'època de postguerra que ha desenfrenat pel món el temporal de l'anarquia, de l'odi i de l'orgull anihilador de l'home.

Ah, cants, amics meus, vinguen cants i més cants per a ofegar tanta malura, per a aclarir l'aire, per a sanejar l'ànima, per a asserenar l'esperit. Que cantin els nins i les noies i els homes, tots junts, la nostra cançó vella, que sempre és nova; que ens tornem a trobar catalans tots d'una peça, amb cap alt, cor noble, lliures de mans i lliures d'esperit, com diu el poeta. Nosaltres som la veu de l'ànima de Catalunya, de l'ànima pura de Catalunya, que ajunta germans amb germans amb l'harmonia de l'accent de raça; nosaltres donem consciència del nostre ésser amb la melodia vivent de l'esperit de Catalunya. Nosaltres allunyem rancors i divisions amb la cançó nostrada, filla de l'amor de totes les nostres generacions passades, on nia la virtut de l'ardidesa dels nostres antics almogàvers, la dolcesa de tota mare catalana, l'alegria de tota la nostra joventut florida, tota la fe antiga que donà tremp al nostre caràcter; la nostra cançó, que reflecteix la serenor i blavor del nostre mar, la placidesa de les nostres valls i l'altivesa lliure de les nostres muntanyes; la cançó franca i ardida i oberta com el nostre parlar i com el nostre caràcter.

Ja ho veieu, doncs, estimats meus, si la nostra obra és essencial per al bé de Catalunya. Jo ho veieu, si cal que posem tot el nostre esforç i tot el nostre sacrifici per a no deixar-la decaure i per a donar-li cada dia més empenta i més perfecció. Perquè cal que busquem la perfecció, amics. Sense perfecció, el nostre cant no tindria eficàcia, i la perfecció no s'aconsegueix sense un treball constant i conscient (...).

TRES CONSTANTS: SINCERITAT, CATALANITAT, AMISTAT

L'onze de novembre de 1915, al Teatro Español de Madrid, Amalia de Isaura estrenà les Canciones epigramáticas, *d'Amadeu Vives.*

L'èxit de l'estrena fou paral·lel al judici de la crítica, que saludà amb entusiasme la nova producció de Vives.

Millet, no. Millet no podia deixar-se arravatar per una estructura formal que, al seu criteri, no s'adeia «a l'ossada catalana»; i així ho manifestava lleialment a l'amic. No podia, ni volia, fingir amb qui havia estat «l'únic amic de ma vida».

L'exposició franca, i respectuosa, del seu punt de vista és la mostra clara d'una arrelada sinceritat, condició indispensable de l'autèntica amistat —susceptible de modificar els capteniments col·lectius (carta a Llongueras)—, febrosament desitjada i enyorada, a causa de la seva solitud familiar, en acostar-se a la cinquantena.

La postura estètica i cívica de Millet era absolutament definida: senzillesa expressiva (exemplificada literàriament amb la menció dels fundadors del renaixement català) i idoneïtat del continent (fins i tot en l'expressió lingüística) amb el contingut.

El sentiment de catalanitat, la fidelitat en l'amistat i la sinceritat suprema, foren uns trets constants de Millet. I hi fou fidel fins a la mort.

Carta a Amadeu Vives. 3 de gener de 1917

Amic Vives: (...) He llegit la teva rebentada a en Pena, que em va fer passar una bona estona. Ets un escriptor de punta! El pobre Pena va amb el cap baix, perquè diu que t'estima... i perquè li deu coure.

De totes maneres, em sembla que tu estàs una mica *febrós* i desorientat en relació a Barcelona. Aquí se t'estima i tothom et considera nostre, malgrat els teus pecats (que et deus reconèixer). Et creiem i et sentim músic català, però és clar que et voldríem veure sense cap classe de disfressa. Tu diràs que ha estat la necessitat que t'ha obligat a fer això o no fer res. Però jo crec que estàs prou alt per no ésser tan esclau d'allò que tu t'esforces a creure necessitat.

De cor a cor, et voldria parlar llargament i en conversa, no escrivint, sobre aquest argument de ta vida. Oh, que bella la sinceritat a cau d'orella entre dos amics!

Tot el d'un català de gran valor, és català encara que s'expressi en modalitat forastera. Però és ben veritat que quan un català parla castellà, encara que solament no parli en la llengua castellana, tampoc no es pot dir que parla català; i es veu clar que si en català parlés, tot fóra més bell i ple de gràcia de la sinceritat nadiua.

Hauràs notat que jo encara no t'he parlat de les *Epigramàtiques,* essent una obra tan important i notable com és. I és que, de les teves coses, no en sé parlar, o no voldria parlar-ne, sense vessar-ne tota la sinceritat que et dec a tu, que has estat potser l'únic amic de ma vida.

La teva obra, la veig bella, acabada, amb tots

aquells elements que fan ésser una obra durable per moltes generacions futures. Mes, ¿què ho fa, que no puc acabar d'estimar-la ni de gustar-la?

Els meus companys de «Revista» m'han encarregat que jo en faci la crítica, i jo no acabo de donar forma a tot el que voldria dir de la teva obra i del que significa. ¿És que en una obra d'art un es pot desprendre de si mateix i observar-ne el valor objectiu sense sentir-se-la a dintre? Em sembla que no.

I jo, sigui per l'ambient en què em trobo, de certa idealitat religiosa, sigui pel regust catalanesc (potser esquifit, si tu vols), sigui pel que sigui, no puc trobar, tot i esforçar-me, una equivalència del meu amar i gustar la cosa amb el que hi demostra d'excel·lent l'observació crítica. I la teva obra, la veig sincera i amb fonda musicalitat i de bon gust, i honrada si vols, però molt sovint hi trobo, també, com un deix de sensuals complaences que no escau a l'ossada catalana que per dins tot ho aguanta (...).

És que sóc curt de vista, amic Vives? ¿És que sóc esquifit d'orientacions? ¿És que sóc covard per gaudir de l'espavilament dels sentits? Jo ja sé que, a la catalana, també es poden fer —i prou que se'n fan!— coses no gaire enlairades. Però en el teu, em sembla veure-hi un encís foraster que em sembla desentonar en el teu *joc sensual*. És com una feblesa per una dona estranya. Què sé jo!

Ja t'ho he dit, que no sabia com dir-ho. Tu que tens prou cap obert, esbrina-ho, si pots, el que vull dir.

I així la «Revista» no porta encara la notícia de l'obra notable, mestra potser, del nostre amic Vives.

Una abraçada (i dispensa'm) d'aquest amic de cor i ànima

Carta a Amadeu Vives. El Masnou, 13 de setembre de 1918

Amic Vives: Molt de greu vaig sentir de no poder venir l'altre dia a Sant Pol. Ja em sentia amb molta feina a sobre i per això no havia assegurat ni al teu fill ni a en Llongueras que vingués. I vet aquí que el matí del dimarts vaig fer comptes de la feina imprescindible del dia i vaig aguantar fort la temptació. El pitjor és que el dilluns de la setmana entrant no em toca altre remei que baixar definitivament a Barcelona... Quin greu em sap, no poder-te veure a casa en la quietud d'aquí, al Masnou, per divagar, xerrant, de totes les coses que sempre havem estimat tu i jo. Tot aquest estiu he pensat a venir a veure't i comprometre't a venir vosaltres aquí i, anant i venint de Barcelona, m'he passat sense poder complir els desigs. Però si us esteu a Sant Pol tot el setembre fins passat el 24, encara vull venir amb en Llongueras per divagar una estona, o sinó, els dies que sigueu a Barcelona, abans de retornar a Madrid, vull veure't i sentir aquesta música que fas, que tu tant estimes i per això a mi ja em convenç abans de sentir-la. Ai, amic Vives, com em falta l'amic, aquell a qui un ho explica tot, i aquell que ho explica tot a un. La dolça intimitat que nosaltres teníem en aquells temps lleugers ja un poc llunyans. Tu encara tens esposa i un noi que ja és un home; jo sols tinc un noi, molt maco i pas mal xicot, seriot de dins però criatura encara, i m'ho haig de remugar tot per dins ben solet. Oh! la dolça amistat, verament és cosa ben humana; i tan poc que es troba! ¿No et sembla que tota la tristesa de l'esperit ve de l'enyorament d'una vera amistat? Quan estem tristos pel pecat, enyorem l'amistat de Déu; quan ens sentim tristos per nostra mesquinesa, enyorant com un complement nostre, ens falta una compenetració humana, un amic que ens entengui i que s'interessi pel mateix que ens interessa; enyorem la simpatia desinteressada d'un amic al costat nostre; parlar amb l'ànima nua de les coses que formen l'ambient de la nostra ànima. Escriu-me, si et plau, i digue'm quan ens veurem. Per a tots vosaltres, records ben afectuosos.

Carta a Joan Llongueras. Montserrat, 24 d'agost de 1925

Estimat Llongueras: He rebut la seva carta, que li estimo molt. Estimo, sobretot, aquests desigs de l'ajut del Cel a la meva pobra persona.

L'amistat és una de les coses més dolcees del món; i la de vostè, la trobo tota plena de les virtuts que desperten la simpatia: l'escalf de l'ideal i la cordialitat. L'amistat és una forma de l'amor, però de l'amor més desinteressat; és una composició d'idees i sentiments, una mútua comprensió del fons de la persona i dels seus anhels. L'amistat fa comprendre el sentit bo del món, multiplica les forces de l'esperit i desperta l'optimisme. Tots la busquem, l'amistat, i tots la brindem, però en el món el mal està barrejat amb el bé i li posa boires i l'ennuvola i l'estrafà, i l'amistat no floreix a penes, l'amistat pura i sincera.

Aquells homes que es reserven, els homes freds que no vibren, els homes secs que no senten, els envejosos que no estimen, els orgullosos i vanitosos, aquests homes, que tants n'hi ha al món, no poden despertar ni obtenir una vera amistat. I com que, d'aquests vicis, tots en portem un poc a sobre, per això l'amistat tan enyorada, la trobem tan poc al món. L'amistat és una missatgera de Déu, i si ella regnés al món, el regne de Déu davallaria al món. I dispensi tanta *retòlica,* que deia aquell.

Carta a Amadeu Vives. 3 de març de 1926

Amic Vives: Noi, quina carta! M'has atuït! T'escric amb la impressió formidable que m'ha fet, encara que sense rumiar-la. Tu tens una intel·ligència fonda i poues d'ací, poues d'allà, i sempre en treus coses que regalimen.

M'has convençut? Home, per ara no; ja ho rumiaré, tot el que dius. No he tingut prou temps. Ai, el fons de les coses, que costa de veure'l clar! Jo només sé el que em penso molt creure i tota la vida sento a dir i crec haver experimentat que, en general, la nostra gent és sòbria, amiga de la simplicitat i enemiga de la faramalla; i això sembla encomanar-se en general a totes les manifestacions de la nostra raça. Un Ramon Llull, per exemple, el nostre sublim exuberant, és una excepció que confirma la regla. En les nostres *Cròniques,* en el mateix Ausiàs March, en els fundadors del nostre renaixement (Milà i Fontanals, el pensament de Balmes, Llorens i Barba, doctor Torras, i Verdaguer), jo hi veig un sentit catalanesc, amb la senzillesa de l'expressió, amb la franquesa, amb la ponderació. És aquest el sentit que a mi em sembla sentit català, que ve de lluny, no sé si essencial o no, però que resulta.

És aquesta opinió, potser mal expressada, i potser sí que d'una manera massa absoluta, que jo exposo en el meu pobre article.

El teu tremp sempre serà català, tens raó, fins fent *Doña Francisquita,* però, *pillo,* no n'hi ha prou del gest (en això sí que em sembla que no em convenceràs). La teva traça mata massa sovint, o, si vols, disfressa la teva natura. ¿Vols dir que, a vegades, no t'enganyes tu mateix? Sí, les teves primeres obres madrilenyes i les curtes d'un acte, el *Don Lucas* admirable, portaven, totes, aquells batecs inconfusibles. Després, de tant en tant, també ha vingut l'aigua pura, però la vestidura, el manlleu de la disfressa, ens ha robat el nostre Vives. Dispensa, Vives, et parlo estimant-te; vull dir que no hi vegis malícia. T'abraça

EL MASNOU

Arrelat a la terra que el veié néixer, Millet sentí sempre una profunda atracció per la casa pairal.

Si l'activitat vocacional i professional el situà necessàriament en l'àmbit urbà, sempre més guardà —això no obstant— l'inconscient desig d'un retorn als orígens.

El Masnou és sempre present en la trajectòria milletiana, fins i tot en el somieig juvenil. I ho serà en un grau progressivament més fort, a mesura que els anys portaran a l'evocació dels records d'infantesa, amb la remembrança constant dels pares i dels germans.

L'estimació pel Masnou ultrapassa l'afecte natural per allò que és propi i esdevé gairebé un factor visceral determinant. Les arrels llatines s'expliciten en l'al·lusió reiterada a la lluminositat transparent, a la puresa ambiental, al mar indefallent, font d'encanteri...

Aquesta visió, en certa manera panteista, portava ben naturalment a la formulació d'un credo artístic mediterrani en De cara al sol i a la mar blava.

L'anàlisi d'alguns dels escrits de Millet referits al Masnou —nombrosíssims— mostra la fidelitat an-

cestral, que és expressada literàriament en el discurs de gràcies quan fou donat el seu nom (1918) al carrer on va néixer, i col·loquialment en l'epistolari.

De cara al sol i a la mar blava (Del balcó de ma casa pairal). El Masnou, febrer de 1913

La música de la Costa de Llevant hauria de tenir una serenitat tota salabrosa, tota d'harmonia harmoniosa; temperant els sentits i obrint l'esperit a la llum esplendorosa de la blavor forta del mar, i del cel a la llum blava i esblaimada.

Hauria de cantar cançó de mare, d'escalforeta enyorada de la mare, i tonada pura d'infants, germanets i amics nostres, que corren jugant en els llargs carrers assolellats de cases encantades a la remor bressolant de les onades.

Hauria d'ésser música oblidadissa de les tonades ciutadanes i de les modes totxes pels enginys superbiosos de civilitzacions malejades.

Hauria de tenir l'alegria dels tarongers fruitats, i la puresa blanca dels ametllers florits, i la patriarcal vetustat del garrofer centenari, que en el suau ondulat terrer amplament estén la brancada del fruit negre carregada.

La Costa de Llevant és un vas de l'infinit; un vas clarificat, a la llum del sol tot encantat.

Els acords han de sonar amb una perfecció novella i tota plena de sentit de meravella.

Discurs en l'acte de donar el seu nom al carrer on va néixer. El Masnou, 30 de juny de 1918

Amics i germans: Això d'ésser homenatjat és una cosa ben estranya per a un home. Perquè un home sempre es troba petit en el món; petit davant la natura, tan forta, tan viva, tan esplendent de meravelles, que un s'hi troba embadalit en tot moment que l'esperit no dormi; petit davant l'obra comuna de tots els homes, que és un engranall de magnificències, que els esperits uns als altres han encomanat i ha fet créixer cada escollit amb noves clarianes lluminoses; petit pel sentiment de l'infinit que tenim arrelat al fons de l'ànima, que fa que mai no puguem atènyer el fruit de nostres esperances. Petit es troba el creient per la fe en un Déu, principi i fi de tota cosa, que no comença ni acaba, que és la substància del poder, de la saviesa i de la bellesa; que és la mateixa llum i l'aliment de tota existència possible; que és la mateixa alegria, perquè és l'amor, que és igual que dir veritat i vida. Petit es troba, i més que petit, miserable, el cristià, el creient en l'august misteri de la divinitat humanitzada, en aquest resum sublim de l'amor, únic camí del nostre ennobliment i perfecció. Si petit, doncs, es troba tot home per gran que sia, davant aquest conjunt de meravelles, ¿com m'haig de trobar jo, que no sóc més que un pobre escolà del temple de l'art bell de la música?

Però vosaltres ho haveu volgut, i per més que jo us deia que no ho volia, us he cregut i m'he deixat portar aquí al carrer de casa perquè m'afalaguéssiu amb la moixaina temptadora de la lloança. I creieu que ho és, de temptadora, la lloança! És cosa que llisca tan quietament, que el més despert no se n'adona. És cosa tan fina i tan plaent, que el qui se'n creu més lliure, sobtadament es troba que li ha malmès tota aquella sinceritat virginal de la humanitat vertadera. Però jo crec que aquí, al carrer de casa, tots ens podem enganyar innocentment. Vosaltres creient i dient-me que sóc un gran home, i jo en complaure-m'hi com si veritablement fos un gran personatge.

En aquest moment, a mi em sembla que m'he tornat petit, o que encara ho sóc, d'infant, i que tots som infants encara, jo i vosaltres; i que juguem a reis i a papes; sí; tots sou nois del carrer de casa, avui, i jugant, m'ha tocat a mi fer de rei, i n'estic content com si veritat fos i vosaltres, bons companys, m'acateu i em feu reverència. Ai! que només falta la mare que s'ho miri des d'allà el portal, consirosa per la carta esperada del pare navegant per les Amèriques! I, no us penseu, ja érem bona colla de quitxalla, en aquell temps de ma infantesa! I com corríem, per aquest carrer tan llarg i assolellat! I quines batusses i engrescaments cap al tard, sortint d'estudi! Llavors bevíem, sense adonar-nos-en, l'alè del nostre esdevenidor. Sota aquest cel tan blau, dintre les blanques parets d'aquestes casetes, tan blanques com les ànimes quietes que hi vivien; sota els tarongers de nostres eixides, amb l'olor del marduix i de la menta dels humils terraplens; amb les volades, en les migdiades, cap a la sorra, on la sirena de la mar ens cridava lluminosa per emmorenir-nos la pell sota aquest sol ardent que ens creava imatges fosforescents en nostres cervellets lleugers; respirant aquell alè es forjà el nostre tremp per a quan fóssim homes. Néts de pescadors; fills de marins intrèpids que solcaven la blavor fins als nous móns, sota les ales d'aquelles mares, tan netes i tan pures com la cançó de la «mare de Déu quan era xiqueta» que acompanyava, des del bressol, l'ardència del sol d'estiu en les migdiades estiuenques; en aquest ambient, s'emmotllà el nostre esperit i es trempà nostra natura. I encara que després tots ens haguem escampat, qui per ci, qui per lla, la inclinació primera ha ressorgit, i la sembra ha fet brotada dintre la varietat de temperaments i preferències.

Així és, amics i germans, que si jo, vida enllà, he fet alguna cosa de bona mena que per circumstàncies especials ha sigut vistosa per a molta gent de Catalunya, si en ma vida he aixecat un llumet que ha resplendit amb un poc de virtut, és que portava a dins aquesta gràcia que Déu ha donat a la nostra vila, a sa natura i a la simplicitat de sos veïns. És que ha fet florida el germen bell i honest de nostra infantesa. Si la cançó catalana ha estat la meva enamorada i no m'he dat vergonya de fer-li acatament, ha sigut perquè aquesta cançó no era altra que la cançó d'aquest cel, d'aquesta mar; la cançó d'aquest carrer en la meva primerenca edat, la cançó de bressol de les cambres humils d'aquestes cases; la cançó de la mare, que és la cançó que no mor mai dins les nostres ànimes.

I així es comprèn que vosaltres, masnovins, demostreu avui tanta bondat envers ma persona, i per això jo en sento goig tan íntim. Perquè creient festejar-me a mi, posant el meu humil nom al carrer de casa, no feu més que honorar el sa esperit que ha emmotllat la nostra manera d'ésser, no feu altra cosa que glorificar la santa simplicitat i honradesa de nostres avis; vostres reverències no signifiquen altra cosa que l'amor que serveu a aquest trosset de terra lluminosa i serena que ha deixondit els nostres sentits i ànimes al goig del viure. Jo solament he estat el motiu, l'ocasió d'aquest esclat, que és cosa noble perquè porta el reconeixement i l'amor al que és l'essència de l'ànima masnovina. Aquesta modalitat de l'ànima masnovina no és més que un caire, un miratge de la gran ànima catalana, una resplendor parcial de la gran foguerada de l'esperit català, i per això la meva cançó apresa inconscientment en aquest carrer, en aquesta vila estimada, ha trobat ressò en tot Catalunya (...).

Carta a Amadeu Vives. El Masnou, 2 d'agost de 1919

Amic Vives: Vine dimecres vinent. Vine amb la dona i el noi. Vine al matí, que dinarem a prop dels tarongers de l'eixida, a sota el *toldo,* amb molta claror de sol i de verdor de l'humil hortet de casa. A casa, és un lloc pur; no s'hi senten sorolls, i la casa és neta... i jo hi tinc els records de la mare (...).

Carta a Vicenç M. de Gibert.
El Masnou, 30 d'agost de 1928

Amic Gibert: Gràcies de la seva carta-felicitació.

Sense la resplendor de les bones amistats, les grans diades no foren completes.

Sí, seguim aquí, prop la mar *llatina*; però, per mi, no és res més que masnovenca. Aquesta blavor no em parla llatí, que em diu coses que no entenc (poc més o menys, com el llatí) però que sento, que em penetren. Em diu coses als sentits, als ulls grans claredats i a l'esperit idees vagues d'infinit. I no solament el mar parla, que el cel és un mar més ample i blau també, encara que, de vegades, és esblaimat, càndid i innocent. I no solament el mar i el cel, sinó tota cosa que està a sota i de cara: les pujades i baixades, les eixides i els terrats, la menta i el marduix i l'alfàbrega ufanosa de verdor, tota flairosa, i la blancor de les parets... Em sembla que faig versos... plego!

Però cregui que, per a mi, estar-me aquí al Masnou és com una espècie d'encantament. Segurament és un estat més fisiològic que espiritual. Però tot plegat té un regust d'intimitat amorosa que em sembla que no és cap pecat. Hi entra el paisatge, l'ambient, l'aire, però també la veu íntima de la sang dels pares, el record de la meva mare, tan neta, tan feinera, tan plena de seny portant la casa. I el meu pare, quan arribava dels llargs viatges d'Amèrica... el recordo, que l'anàvem a rebre al cap del carrer per fer-li l'amistat, i ell feia anar el cap com si passés records i jo pensava: «El pare ja és vell...».

Tot això és dolç, a l'estiu, reposant de les musicades hivernals (...).

Carta a Montserrat Salvadó.
El Masnou, 23 de juliol de 1929

Benvolguda Montserrat: Molt agraïts pel feix esplèndid de plantes floridores. L'Albina les plantà de seguida i les regà, i sembla que totes arrelaran al Masnou... Sembla que la nostra eixida serà l'enveja de tota la vila; quan aquest eixam de verdor novellament plantada es comenci a matisar de tants colors de glòria, tothom preguntarà: «Què és, això? Reina santíssima, d'on ha sortit aquest bé de Déu?». Nosaltres direm: «De la bona amistat i de la gentilesa d'una Montserrat». Volia fer un sonet a l'estil Boada, i no m'ha sortit! Però sí que surt tot un devessall de gràcies, gràcies plenes, de l'Albina i d'en Lluís Maria (...).

Carta a Montserrat Salvadó.
El Masnou, 2 d'agost de 1930

Apreciada Montserrat: Sí, vàrem rebre les plantes florides enviades per vostè, i l'Albina, l'endemà, les plantà i regà a dojo amb molta cura i afició —tal com ella fa totes les coses— i sembla que viuran totes, o quasi totes. Gràcies, doncs. El jardí (*sic*) de casa és el més bell del carrer, gràcies a vostè que l'alimenta tan graciosament. No es descuidi de regraciar de ma part el bon Joan, que portà el feix a coll fins a Barcelona. Que Déu li ho pagui (...).

El Masnou, bé, molt bé; cada dia més lluminós, menys els dies que està núvol. Jo estic espantat de la manera que corre el temps de la mandra! La vida és molt curta, realment, i encara més l'estiu vagarós. Jo, aquest Masnou, cada dia l'estimo més. Quan no pugui assajar, ni cridar, ni insultar, hi vindré a fer la sonsoneta, fins que vingui la *lletja*. Que el bon Déu la faci maca! (...)

«AUREA MEDIOCRITAS»

Un viure modest fou el panorama quotidià de Millet, regit per l'idealisme pur, sense altres ambicions que les netament artístiques. Conseqüent amb la seva teoria de la primacia absoluta de l'esperit, no gaudí pas d'una vida econòmicament folgada.

Aquell que, en la infantesa, era destinat familiarment a obrir-se camí en l'àmbit comercial, i la irrefrenable vocació del qual el convertí en capdavanter musical i cívic de Catalunya, es guanyà la vida amb l'exercici de la docència a l'Escola Municipal de Música (completat amb limitades classes particulars), amb les activitats de la Capella de Sant Felip Neri, i amb la funció de director de l'escolania de la Basílica de la Mercè.

Mai no acceptà cap retribució de l'Orfeó; fins i tot, una proposta en aquest sentit, presentada a la Junta General de l'entitat el dia 15 de gener de 1911, fou refusada rotundament pel mestre, el qual, com a única diferència amb qualsevol altre soci, era exempt, només, de les quotes reglamentàries.

La carta al president Joaquim Cabot regraciant una atenció en espècie, pinta amb un encant indefinible —amb amistosos advertiments davant de possibles reincidències en el gest— la senzillesa d'un temperament franciscà.

Carta a Joaquim Cabot. 30 de desembre de 1920

Estimat President: He rebut l'obsequi que aquesta Junta m'ha fet l'honor d'entregar, acompanyat de tan bones paraules. Jo ho agraeixo tot, venint de vosaltres, que tant m'estimeu i que jo tant estimo.

Hi ha tanta sinceritat, en l'amor que tots sentim per aquesta obra de l'Orfeó, que és obra de tots, és cosa tan íntima aquest deler i aquesta fal·lera, que no cal pas que ens ho diguem i ponderem els uns als altres; tots hi fem el que podem, tots els qui hi som capdavanters, en un sentit o altre, cadascú segons el seu lloc i les seves aptituds.

Jo sóc en el cap de la part artística, perquè m'hi he trobat, perquè Déu ho ha volgut, donant-me aquesta vocació tan dolça encara que, a voltes, fatigosa. Realment, aquesta vocació profundament sentida porta un goig, en son exercici, pagador en excés de tota fatiga. Vosaltres trobeu que és poc, encara, aquesta recompensa, i voleu mostrar vostra estimació envers la meva persona d'altra manera, que junt amb l'honor hi vagi un esforç d'utilitat per a la vida pràctica. Ja que ho voleu, sia.

Jo he reparat que, guanyant sempre ben poca cosa, mai no m'ha faltat res; que si, de vegades, ha vingut un temporal, un sobtat aguant ha dreçat la barca; per això l'ambició no m'ha portat mai les angúnies que em dóna la manca d'assaigs per a preparar una cançó bella i difícil. Amb això, aneu en compte de no enllaminir-me, que despertant-me unes aficions, no m'esmusseu les altres, menys prosaiques i més fines.

Repeteixo que de tot cor us agraeixo les vostres manifestacions d'estimació, vinguin com vinguin, en formes més o menys ideals o prosaiques, que, en totes elles, hi trobo aquesta saba cordial que ens ajunta en una obra bella i noble, esplai i enfortiment del nostre amor per Catalunya i per la bellesa, resplendor de la Veritat Suprema.

Senyor President i amic: Déu us ho pagui!

EL LÍDER

En una antinòmia permanent, Millet es debaté entre l'espiritualisme de les motivacions i l'exigència dreturera del líder.

Conductor de masses, l'energia que en la nissaga familiar s'havia exercitat en el risc de la nàutica o en els afers comercials, s'encarnà en Millet en un procedir autoritari i inflexible un cop considerats els factors en joc en cada situació concreta.

Aquesta actitud resoluda, li féu superar les inevitables crisis de creixença de l'entitat, imposar contracorrent un repertori insòlit (lluita per la música religiosa), situar en el terme just la valoració dels seus actes (justificació de les actuacions a Madrid), replicar a qui pontificava sense coneixement de causa (polèmica amb Xènius) o, com el document que segueix, refusar preteses lliçons de catalanitat.

Els antecedents immediats de l'afer ajuden a comprendre'n l'abast exacte. El 9 d'octubre de 1921 havien tingut lloc uns greus incidents en el segon Aplec de la Germanor dels Orfeons de Catalunya, celebrat a Vic: l'agressió d'uns oficials de l'exèrcit espanyol, sabre en mà, contra el públic que cantava Els segadors. *Poc temps després (22 del mateix mes), l'Orfeó, amb l'Orquestra Pau Casals, interpretava uns fragments de* La Celestina, *de Pedrell.*

La intenció inicial de cantar l'obra en castellà, seguint l'original, basat en el text homònim de Fernando de Rojas, fou posteriorment modificada i l'execució es féu en català.

A la protesta de la Unió Catalanista, ressò de la d'una part dels cantaires i fruit de la sensibilització col·lectiva pels esdeveniments de Vic, davant la pretensió de donar l'obra en la llengua original, respongué Millet en forma lapidària, tot posant de manifest una forta jerarquització orgànica i estructural, amb papers assignats de forma inamovible.

Carta al senyor president de la Unió Catalanista.
23 de setembre de 1921

Honorable senyor: Permeti que sia jo qui contesti la seva carta, dirigida al President de l'Orfeó Català, ja que, en l'assumpte de què tracta, no hi va intervenir per a res cap individu de la Directiva que no fossin els mestres.

D'aquest assumpte de *La Celestina,* al qual vostès es refereixen, els han mal assabentats; no hi va haver pressió als coristes perquè cantessin en castellà, ni *refús* d'aquests a fer-ho en aquesta llengua.

La nostra intenció era que es cantés en la parla original, perquè així era sentida per l'autor de la música, perquè els solistes així l'havien de cantar, i també per la molta dificultat de traduir el text clàssic del segle xv, pensant que hi ha ocasions en què no es denigra la Pàtria emprant allò de bo que puguin tenir fins els enemics d'ella.

Un agrupament de cantaires homes exposà respectuosament com els venia a disgust de cantar aquella part en castellà, i els mestres, que també sentíem la ferida dels recents fets vergonyosos de Vic, fent-nos càrrec de llurs sentiments, resolguérem de fer la traducció malgrat els arguments exposats anteriorment.

Res més hi ha hagut. Els nostres coristes estimen i

respecten prou sos mestres i coneixen prou la catalanitat sencera de la nostra obra, per a no obrar amb cordial rectitud. A més, saben que nosaltres no podem permetre que mani qui no ha de manar.

No admetem la lliçó de catalanitat que vostès volen donar-nos. Havem provat de sobres, tots els mestres de l'Orfeó, que som catalans de cor, de llavis i de fets. Jo, personalment, fa trenta anys que ho estic provant, i els altres mestres, igualment, fa una pila de temps. El que hi ha és que existeixen diverses modalitats de mostrar el catalanisme. A nosaltres ens cap el noble orgull de demostrar-lo amb sacrificis i fent feina per Catalunya, que estimem i adorem almenys tant com qualsevol altre.

LA PASSIÓ, *DE BACH*

«Quan els primers acords del gran cor inicial de la Passió *ressonaran a la sala de l'Orfeó; quan, en aquest gran cor, les veus pures dels infants entonaran la cèlebre melodia de l'*Agnus Dei, *sentirem tots nosaltres l'emoció de viure una hora memorable, no solament en la vida musical de Catalunya, sinó també en la vida espiritual d'arreu. Bach, el gran Bach, és a casa seva, a Catalunya!» Això deia Albert Schweitzer a «La Veu de Catalunya», la vigília de la primera audició a Espanya de la* Passió segons sant Mateu, *de Bach (27 de febrer de 1921).*

Lluís Millet havia esperat llargament aquest moment; i just al punt de maduresa —quan havia provat el seu tremp en versions de moltes obres simfònico-vocals— interpretava una de les obres més importants de tots els temps.

En foren solistes vocals: Andreua Fornells, Àngela Esquerdo, Pilar Roca i Matilde Ensenyat, sopranos; Concepció Callao, contralt; Emili Vendrell i Georg A. Walter, tenors; Ricard Fusté, Josep Basté i Ramon Crespo, barítons; Sandro Griff, baix. I solistes instrumentals: doctor Albert Schweitzer, orgue; Fritz Flemming, oboè; Theodor Menge, oboè d'amor; Eduard Toldrà i Josep Recasens, violins; Gaspar Cassadó i Antoni Planàs, violoncels.

Francesc Pujol i Vicenç M. de Gibert realitzaren la traducció catalana del text, adaptada a la música. Millet, amb paciència i amor franciscans, havia burinat la sensibilitat d'Emili Vendrell fins a convertir-lo en un «Evangelista» inigualable.

Les versions de la Passió *en els dos anys immediatament posteriors tingueren el corol·lari d'un acte d'homenatge al Palau de la Música Catalana amb la inauguració (1 d'abril de 1923) d'una làpida commemorativa de l'estrena a Espanya del gran fris bachià. Els mots que Millet hi pronuncià incideixen en els conceptes bàsics: humilitat, amor a la bellesa, sentit de l'obra col·lectiva.*

Discurs de gràcies en l'acte de commemoració de la primera audició de la Passió segons sant Mateu, *de Bach (1 d'abril de 1923)*

Greu falliment fóra en mi no agrair aquesta manifestació solemne commemorant les primeres audicions donades a Catalunya de la *Passió de Nostre Senyor Jesucrist segons sant Mateu,* de Joan Sebastià Bach. Fóra falta en mi no agrair-la i no expressar els meus sentiments, a vosaltres, cors generosos, ara, en aquests moments en els quals, amb fets i amb paraules, demostreu vostre entusiasme per les altes manifestacions artístiques.

Falliment fóra en mi no agrair aquest acte vostre generós, perquè els artistes no fantasiem bellesa sense el desig de donar-la a fruir al pròxim; i la paga més preada per nosaltres és el ressò que la nostra obra artística desperta en el públic, a qui nosaltres fem ofrena de la nostra tasca. Quan l'artista no veu comprès el seu treball, quan després que ell ha vibrat en la sensació de bellesa, donant-la a fruir als altres, no es veu correspost per la comprensió; quan el seu dolç patir en la bella obra no desperta el dolç fruir en l'auditori, li sembla que la seva obra no és acabada, que no ha complert amb la finalitat de germanor universal que porta al fons tota obra humana, i l'artista cau en el marriment del dubte de si la seva obra és manca de bellesa i, per tant, de l'eficàcia de les formes creades per a reflectir el profund sentit estètic.

Quan la tasca de l'artista no és de pura creació sinó d'interpretació d'una obra d'altri i aquesta obra és d'un geni eminent i una de les més sublims de son estre creador, llavors la responsabilitat de l'intèrpret creix a proporció del geni i de la sublimitat de l'obra interpretada. I per això, en aquest cas, l'aplaudiment i la lloança l'alegren donant-li senyal de l'eficàcia de la seva dolça tasca.

La sublimitat del geni de Bach i de la seva obra augusta, la *Passió segons sant Mateu,* ¿qui la pot prou alabar? Doncs, ¿com ens atrevírem nosaltres, o millor dit, com jo, coneixent ma petitesa, vaig gosar emprendre la direcció de les execucions d'una obra tan alta? Jo us ho diré: Primerament fou per l'amor, per l'embriagament del nèctar místic que regalima de la música aquella; per aquella fe profunda i pietat ingènua que em corprenia i em donava ànsies de rabejar-m'hi a pler, estudiant-la i fent-la estudiar als altres; perquè cap obra d'art s'estima prou, ni es coneix prou, fins que un s'hi ha barallat per dominar-la i fer-se-la pròpia; fins que aconsegueix emmotllar-la, vivificar-la en els elements que té disponibles. Llavors, un la canta tota; hi busca el sentit en sos més petits detalls fins que se la fa natura pròpia. Jo era petit per això; però l'amor, l'enamorament dóna empenta, dóna ales i fa semblar baix el que és alt i dóna llum i força. Segonament, tenia jo prou experiència dels mitjans que em voltaven, de l'entusiasme dels nostres coristes, de l'ajuda dels mestres companys meus, sobretot de l'amic Pujol, a qui es deu la seguretat i l'aplom dels nostres coristes en els grans cors de la *Passió.* Comptava amb la vàlua d'alguns solistes catalans de primer ordre, un d'ells sortit de la falda amorosa del nostre Orfeó, i que ha resultat, com tots sabeu, un Evangelista inimitable.

Coneixia la vàlua i el temperament dels nostres músics d'orquestra i, sobretot, sabia que si algun element ens faltava tenia un guia, un conseller, un procurador del qual podia esperar tot compliment a tota falta d'elements i a tota mancança pròpia; aquest guia, aquest Mentor, era el Dr. Schweitzer. Sense el Dr. Shweitzer potser no hauríeu encara gaudit de la *Passió*, de Bach; almenys, la nostra execució hauria pecat d'una menys sòlida comprensió de l'obra. Ell fou, el doctor amic (el germà, com ell s'anomena a nosaltres), el qui ens animà a l'estudi de l'obra, el qui ens donà consells per a la seva interpretació, com també ho havia fet anys enrera en l'audició de la gran *Missa en si menor*. Per fi, ell s'oferí a buscar-nos tots els elements que ens manquessin, i ell mateix a executar la part importantíssima d'orgue. En aquest moment és just, justíssim que faci jo constar el nostre agraïment al gran crític de Bach, al gran apòstol de la seva obra; a aquell home abnegat i benefactor, el Dr. Albert Schweitzer. I heus aquí com la part presa per mi en aquestes audicions va quedant reduïda a ben poca mida.

Començaren els treballs de traducció del text alemany els amics Pujol i Gibert. El treball dels amics fou llarg i delicat, perquè si difícil és traduir en forma galana un text estranger conservant tot el sentit de l'original, molt més ho és si la traducció és d'obra musical, havent d'ajustar-la al ritme melòdic sense perdre res de les intencions expressives de l'autor. Aquesta dificultat creix extraordinàriament si, com en l'obra de Bach, es tracta d'un text evangèlic, el qual reclama una traducció estricta de sentit i fins de paraules. En Pujol i en Gibert venceren magníficament totes aquestes dificultats fent-nos present d'una traducció no solament fidel, sinó també d'una forma digna i escaient.

Un cop llesta la traducció vingué la gran guerra mundial, la qual trencà el projecte que teníem de fer una edició de partitura de cant i piano amb el text català, que hauria servit per a tots els cantaires i que, posada a la venda pública, hauria servit per a la comprensió més profunda de la gran obra entre la nostra gent catalana. La guerra també fou causa que l'estudi s'ajornés. No volíem donar-la sense la cooperació del Dr. Schweitzer, i aquest, a causa de la desgràcia de la gran lluita del món, malgrat sos desigs, no podia comparèixer entre nosaltres. Per fi arribà l'hora propícia i començàrem a treballar els cors i els solistes vocals, i llavors fou també el començament del gran goig, el gran goig que dóna endinsar-se en el fons de les obres sublims de l'art. Llavors fou l'admirar, l'estimar, el gustar, l'enamorar-se, el trobar-se pres de l'encís, l'embriagar-se en les profunditats de tanta majestat, de tant recolliment místic, de tant cordialíssima pietat, de tanta estupenda realitat en els recitats, de tanta grandesa i de tanta humilitat, de tanta noblesa augusta. En veritat us dic que hi ha moments de goig en l'estudi de les obres sublims que no són mai igualats en les audicions públiques, on l'artista difícilment se sostreu de l'ambient per a restar del tot pur vivint l'obra artística. Oh, aquells moments dels assaigs, de l'estudi, quan un troba el punt just, la realització somniada i s'hi entrega amb cos i ànima; són moments que paguen tots els treballs i totes les fatigues.

I heus aquí com tot gaudint, preparant l'obra amb l'entusiasme dels cantaires coristes, amb la vàlua i talent dels solistes distingits, més tard amb els professors d'orquestra de gran temperament, com són els nostres, alguns d'ells solistes de gran mèrit, i també amb la cooperació, en els primers anys, d'alguns admirables artistes alemanys; rodejat jo de mestres ajundant-me i de guies i consellers eminents especialitzats en el gran estil; heus aquí, repeteixo, com arribàrem a la primera audició d'aquesta obra cabdal de l'art de tots els països i de tots els temps, l'èxit de la qual ens complí el goig que havia anat creixent en nosaltres a mida que l'obra anava preparant-se.

Ara, vosaltres haveu fet vessar la mesura i fins haveu volgut generosament eternitzar, en certa manera, la nostra gesta. Jo crec que els artistes, creadors o intèrprets, som la gent que, pel que verament tenim d'artistes, mereixem menys l'elogi pels nostres treballs. Nosaltres som els amants de la bellesa, els enamorats de l'etern bell. En els moments que som artistes, som uns vertaders posseïts. La bellesa ve de Dalt, ve de Déu directament: nosaltres, si de cas, tenim el mèrit de la humilitat en rebre-la, de deixar-nos posseir; tenim fe en ella i som humils, som bons nois i ens deixem encelar al goig inefable del Bell etern. Alabem Déu, bon Déu, qui tast de Cel ens dóna! Aquests vostres dons, estimats germans de Pàtria i d'art, ens donen goig i alegria en aquest sentit, en el sentit que havent commogut els vostres cors, sabem que havem estat humils a la gràcia de la Bellesa i sabem que vosaltres també n'haveu estat per a copsar-la de nosaltres; que també cal humilitat per a prendre-la dels llavis dels artistes. I això, com us deia al principi de mon pobre parlament, quan l'artista no es veu correspost per la comprensió, quan el seu dolç patir en la bella obra no desperta el dolç fruir en qui l'escolta, li sembla que la seva obra no és acabada. Ara sabem nosaltres que amb les audicions de la *Passió de Nostre Senyor Jesucrist, segons sant Mateu,* de Joan Sebastià Bach, havem fet obra acabada. Gran és la nostra alegria.

(...)

L'OBRA DEL CANÇONER POPULAR DE CATALUNYA

Tots els esforços de recuperació del cançoner tradicional menats des de mitjan segle XIX quedaren sistematitzats i estructurats en el decenni dels anys vint gràcies a l'Obra del Cançoner Popular de Catalunya, de la Fundació Concepció Rabell i Cibils, de mà del seu marmessor, Rafael Patxot.

L'octubre del 1921, Patxot s'adreçava a Lluís Millet i proposava a l'Orfeó la direcció de l'Obra, l'objecte de la qual era de verificar un corpus musical de totes les cançons catalanes (cançons pròpiament dites, jocs infantils amb tonada, cants i cantarelles d'infants, danses i comparses, tocades i crides típiques, i tota mena de música popular).

Mesos després (6 de gener de 1922) tenia lloc al Palau de la Música Catalana la sessió inaugural de l'Obra del Cançoner Popular de Catalunya.

A la vegada que era estimulada la donació voluntària de documentació per part de qui en posseïa, també el 1922 era convocat el primer concurs destinat a premiar reculls de material folklòric, i l'estiu del mateix any s'iniciaven les «missions de recerca» —treball de camp a cura d'un músic i un literat— que persistiren sense interrupció, en l'època estival, durant catorze anys seguits.

Globalment, l'Obra del Cançoner aportà uns fruits abundosos: a mitjan 1936 els seus arxius superaven els 40.000 documents. La seva tasca es manifestà també amb la publicació dels Materials de l'Obra del Cançoner *i del* Diccionari de la Dansa.

En la comanda de Patxot, Millet hi veia una certa culminació de la seva obra, dedicada justament a l'exalçament de la música catalana. L'entusiasme respectuós de la seva resposta es converteix en cordial colloqui epistolar (amb consells d'ordre musical i també de tipus pràctic) amb qui millor podia comprendre'l: el seu fill Lluís Maria, que efectuà «missions de recerca» per l'Empordà, l'estiu del 1927.

Carta a Rafael Patxot. 9 de novembre de 1921

Molt honorable senyor: La vostra proposta que, com a executor testamentari de Na Concepció Rabell i Cibils —que al Cel sia— feu a l'Orfeó Català que dirigeixi la bella obra del corpus musical de totes les cançons populars de la nostra terra, és acceptada, estimat senyor, amb un gran goig i un profund agraïment. Tota l'obra de l'Orfeó Català no té altre fons ni altra finalitat que l'exalçament de la música catalana, ajudant així a la conservació i desenrotllament del més pur sentiment de raça, del tremp fort i subtil que li dóna ésser i caràcter.

En la cançó popular hi ha la llavor de tota música, la força virginal promotora de tota eclosió màxima. Per ço la cançó tradicional del nostre poble és el nostre amor, l'estímul que mou i enllumena els nostres delits. La vostra comanda ve a ésser un reconeixement d'aquestes nostres amors, i ve a satisfer el desig vehement que temps ha teníem de poder realitzar, ajudats de tots els catalans que puguin i vulguin, la magna obra del complet aplegament, ordenació i estudi del cant viu de l'ànima catalana.

Quanta honor per a nosaltres, noble senyor, si arribem a portar a bon terme aquesta obra, complint els vostres desigs tan enlairats com ben expressats en vostra carta, de presentar la flor i la branca, tota la florida i l'enramada, posant-hi el cor i el seny, aclarint i ordenant totes les valors, descobrint totes les perspectives pròximes i llunyanes i les influències diverses de la germanor universal, totes aquestes coses que vós haveu somniat i nosaltres somniem mig atordits i esverats, però que el cor ens diu que no serà pas somni esfulladís; que el cor no enganya quan és fort en la fe i esponjós en l'amor.

Jo espero, digne senyor, que Déu ens ajudarà veient la vostra reialesa de generositat i la nostra fidelitat en l'afany que creà i ha fet créixer l'obra de l'Orfeó Català.

Carta a Lluís M. Millet.
El Masnou, 28 de juliol de 1927

Estimat Lluís M.: Ahir, a la tarda, vaig rebre la teva carta del 26. Veig que has rebut les meves amb la targeta per a en Tomàs, i la recomanació de no veure aigües de font. La previsió mai no és de massa.

Estic content de la teva animació en la feina de recollir cançons. És una pràctica d'una eficàcia transcendent; és beure l'aigua regalada de l'ànima del poble, a la deu mateixa immaculada; és copsar directament l'esperit i el tremp de raça. Artísticament, també té una eficàcia extraordinària, perquè encomana aquella vida jove, natural i espontània que ha de tenir tot art veritable, sense encaparraments de subtileses estranyes ni de rebuscaments exòtics.

Escolta bé la cançó, entrega-t'hi de cor, que ella, la gentil, fructificarà dintre teu un dia o altre en l'expressió del teu propi temperament i natura (...).

Carta a Lluís M. Millet.
El Masnou, 9 d'agost de 1927

Estimat Lluís M.: Ahir vaig rebre la teva del 7. Veig que la collita de cançons va augmentant; així, a cada nova carta teva, em pots donar notícies que m'interessen. Jo, en canvi, no et puc explicar novetats; ja saps que la vida que portem aquí al Masnou és quieta i somorta, bona per a reposar. Però jo no me'n canso. Ahir, a la tarda, pujàrem al Garrofer de l'Indià i baixàrem pel dret vinya avall. Feia un caient de tarda molt agradable, molt tranquil·la i no gaire xafogosa. El Masnou es veia arrupit, tocant la mar amb ses cases blanques, i la blavor ja esmorteïda del Mare Nostrum, el cel esblaimat amb la lluna vigilant donant certa pàl·lida claror; la verdor de les vinyes, i tot plegat, tenia una dolcesa i una puresa que corprenia i encomanava un plàcid benestar i una beneïda tranquil·litat a l'ànima.

Cada lloc del món té el seu paisatge, que, si se sap contemplar, revela la modalitat de la gent que hi habita, que hi ha nascut; revela també el caire de ses costums... i per força, també, la modalitat de la cançó que s'hi troba. Fixa-t'hi. Encara que només s'hi trobin variants de les que es troben als altres indrets, les variants, la manera de cantar-les, els moviments, algun canvi de ritme o de modalitat, indiquen per força concomitàncies íntimes amb el paisatge. Naturalment, per comprovar aquestes concomitàncies és precís ensopegar un bon cantaire, i això ja es veu que és una mica escàs (...)

L'IDEALISME NEOPLATÒNIC

La creença en la bondat intrínseca del fons tradicional, vist com a reflex de l'absolut, portà Millet a considerar la cançó popular com a base del que, per a ell, havia de ser l'estètica musical catalana, i a esgrimir-la com a arma de combat contra el decadentisme urbà.

D'ací la significació que atribuïa a la conferència, pronunciada el 1917, De la cançó popular catalana, *en la qual incorporà fins i tot, en les mostres exemplificadores de les tesis, una cançó original d'un bosquetà,* Sidro *Pallerols, que conegué en una estada al Pla de la Calma el 1902.*

La menció d'aquella conferència al pare Sunyol, de Montserrat, era acompanyada faceciosament de l'exposició del seu «activisme cívic» i de l'actitud relativista amb què havia rebut la distinció del govern francès de «Cavaller de la Legió d'Honor» (arran, especialment, de la celebració d'un cicle de concerts de música francesa en el qual donà la versió de Les benaurances, *de César Franck).*

Ell aspirava a ser «cavaller» d'un altre Senyor, el qual servia amb els mitjans més insospitats —fins participant en un «míting contra el joc»— i de qui, en la faceta musical, es considerava un simple instrument.

La dependència total d'un Ésser suprem, la identificació bellesa-moralitat, l'exposà Millet en un dels seus escrits més treballats, Transcendència de la moral en l'art, *tributari especialment de les doctrines de sant Tomàs i de la de Torras i Bages (d'aquest darrer, fins amb paral·lelismes d'argumentació dialèctica).*

Carta al pare Gregori M. Sunyol. 15 de gener de 1918

Molt estimat P. Sunyol: Aquest *cavaller* queda avergonyit de tanta bona voluntat que vostès, els bons pares de la Verge dolcíssima, tenen per ell. Jo prou voldria ésser-ne digne, però, no essent-ne, queda més demostrada la caritat esplèndida dels sants guardians de la Moreneta.

Digui-ho al Rev. P. Abat, al P. Deodat i al capità dels escolanets, el P. Anselm. A tots, jo els beso la mà i els demano que sempre m'estimin tant. Que és un gran tresor tenir el cor de tan santa germandat.

Jo miraré, si Déu m'ajuda, d'ésser cavaller estimat d'Ell, que dóna el ver honor a les ànimes bones. Jo miraré de correspondre a la caritat que vostès em demostren.

De totes maneres, si no sóc bo, cregui'm que haig de fer un esforç per a ésser-ne; perquè em trobo davant la gent, quasi sense voler, donant lliçons de patriotisme, de religió, de moral, etc., i m'embranco a dir i a fer coses que, si en el Judici Universal resulta que jo embarco i em quedo a terra, totes les ànimes predicades per mi em tiraran els trastos pel cap per venedor de vinagre!

Amb la meva conferència sobre la nostra cançó, vaig procurar donar una lliçó de sinceritat a l'alta societat de Barcelona (era dedicada a la Junta de Dames). Vàreig atacar amb tot *descaro* els qui, essent catalans, parlen castellà, i la religió superficial del *senyoriu* modern; les danses poca-vergonyes de nostres salons, etc.

Ara, últimament, fins he cooperat activament a un míting!, contra el joc! Diumenge passat, al Masnou, al meu poble, vaig predicar, sota aquell cel i aquell mar de ma infantesa. Jo he servit de bandera per a aixecar *tolle-tolle* contra el joc que uns quants influents volen establir en aquell tros de cel. I sembla que els roïns ja estan mig vençuts i es donen. Visca!

Oh! I encara faig altres conspiracions que no puc dir! Res, que si vostès no m'ajuden amb ses oracions, en aquell Judici, *Dies irae, dies illa,* faré un paper ben pobre.

Digui al P. Anselm que ja li vaig enviar les teories demanades, que digui als escolanets que un cavaller sense *caballo* els les regala perquè els estima, i que els estima perquè ells estimen la Verge dolcíssima; i que quan se sentin en força gràcia de Déu, no m'oblidin; que jo també sóc un escolà ben retardat, que en això de saber música i saber estimar Déu, sempre estem a les beceroles (...).

Transcendència de la moral en l'art (Conferència llegida a la Biblioteca Balmes, el dia 4 de maig de 1928)

Verament, una cosa és la moral i una altra cosa és l'art. Però si totes les coses del món tenen relació, si totes tenen un engranatge que sotmet les jerarquies més baixes a les més altes, si tot és un vaivé d'atraccions i repulsions, si tots els fenòmens humans, per a ésser verament tals, han d'obeir a una llei superior que segella l'augusta jerarquia de l'home per sobre els éssers que el rodegen, no hi pot haver dubte que la llei moral treballa per dintre i per fora en ésser admesa o rebutjada pel lliure albir; no es pot dubtar que la seva influència, més o menys evident, es reflectirà en el caràcter de l'obra humana, que la segellarà amb una dignitat més imponent com més intensa sigui la seva influència.

Qui diu llei moral diu virtut, diu abnegació, noblesa i puresa d'intencions, alta valoració dels sentiments, noble ardidesa, amorositat lluminosa, ordre i harmonia de la intel·ligència, equilibri de facultats, moviment progressiu envers la perfecció. I tot això que ix de la llei moral, si és l'ànima de l'obra artística, no es pot dubtar que la fa resplendent d'una alta dignitat, que la segella d'una noblesa, d'una forta unció, d'una pura amorositat, d'una llum transcendent que l'aixeca a una categoria sublim inassequible a les obres artístiques mancades o poc influïdes d'aquest tremp de la virtut moral.

(...)

Els qui som artistes i els qui, encara que no ho siguin, senten l'art amb vehemència, sabem tots que el tast de la bellesa és com una follia inefable, un encís que ens emmena, que en els moments que hi estem corpresos ens domina i se'ns emporta. És l'oblit de tota cosa; no és memòria, és possessió d'una present i actual bella realitat. És l'oblit de tota cosa en la fruïció d'una activitat interior que dóna un goig inefable a tot el nostre ésser. És una espècie d'equilibri inflamat, d'un benestar il·luminat; és com una ascensió lleugera, sense esforç, com un afinament i depuració de totes les nostres facultats; una cosa tota espiritual, principalment, però amb la qual també s'identifiquen tots els nostres sentits. A mi em sembla que quan la bellesa ens domina el cos, irradia, en certa manera, de les virtuts de l'harmonia encesa. Intel·ligència, cor i sentits fan una sola realitat en la revolada; una unitat que, essent-ho tot, ensems és ben bé una cosa nova; s'entén i se sent, però d'una manera diferent de quan les facultats no estan unides. És com si, de l'ajuntament de totes les facultats, hagués sorgit una facultat única, potent i regina. La bellesa pren tot l'home i el porta a una unitat suprema.

La bellesa, en fer-se humana, adquireix modalitats diferents; s'encarna en nosaltres mateixos i pren els nostres caires més íntims. No creen tots els artistes de la mateixa faisó; i fins els qui copsen la bellesa de l'obra creada, no la copsen pas en la mateixa forma. Tan cert és aquell principi dels escolàstics que diu que allò que es rep pren la forma del recipient. Baixa del cel, la bellesa; perquè si del cel no fos baixada, d'on vindria? Però, com que ella és amor, es conforma amb nosaltres i es fa nostra íntimament: ella s'humanitza i, a nosaltres, ens encela. És ella virtut meravellosa, no és egoista. És mare amorosa que es fa infant amb els fillets i juga amb ells amb mots innocents i rialles clares i gestos graciosos que l'amor omple d'un sentit transcendent.

Verament, la bellesa així compresa, així sentida, qui pot dir que se separa de les lleis de la moral? Aquesta fruïció pura i alliberadora, aquesta il·luminació de tot el nostre ésser, aquest afinament de la nostra natura, aquesta santa llibertat harmoniosa, ¿com pot anar contra les lleis que regulen la nostra activitat humana? Aquest ple viure en la unitat d'ànima, cor i sentits, ¿com pot ofendre les eternals lleis de la justícia?

Conformada la bellesa a la nostra natura, pren totes les nostres modalitats i reflecteix, en fer-se humana, tot el tremp del nostre ésser i les modalitats del nostre viure, dels nostres sentiments i creences, de la nostra fe i de tots els nostres entusiasmes. Així ella prendrà mil matisos, adés severs, adés graciosos, adés fulgurants i plàcids i serens, adés augustos i profunds, ara rient, ara plorant, ara jugant, ara pregant. En aquests diferents matisos, si la bellesa és pura, la moral mai no hi sofrirà. Si les passions que dicta l'obra artística no són turbulentes per la insanitat, si les sensibilitats que la modulen no són afaiçonades per la baixa sensualitat, si la petulància no enguerxa i resseca la morbidesa de les formes i priva la virginal espontaneïtat, l'obra artística restarà bella i pura, i, per tant, eficaç per a despertar el nostre ver sentit estètic. És a dir, mentre l'obra artística no contrarii la llei moral, restarà legítimament bella.

L'art, doncs, cal que sigui moral, encara que ell no sigui la moral. L'home és una unitat sobirana, i Déu ens guardi de desenquadernar-lo per peces menudes; i en aquesta unitat ço que regeix el seu ésser és la llei suprema per la qual és el que és: home.

I aquesta llei moral transcendeix en tots els actes de l'home, transcendeix d'una manera evident, per tant, en l'obra d'art humana, de tal manera que, com més alta és l'obra d'art, com més sublim i més ens penetra i ens admira, si ho observem, veurem que és perquè més poa en el sentit etern de la moralitat.

(...)

La bellesa autèntica, la bellesa pregona, la verge bellesa, la troben, millor dit, és donada als artistes que principalment són homes complets, que són homes, pel tremp de la seva ànima, que senten el desfici de l'amor a tota cosa i a tota criatura, que senten la vida sobre d'ells amb una responsabilitat augusta, i que això els porta a l'adoració de la força primera, a l'escalfor il·luminada de l'amor a la causa eternal, a l'agraïment i a la penetració de la divinitat augusta. És a dir, la bellesa autèntica, la intuïció i el goig de l'harmonia universal és donada solament a la vera humilitat abandonada a les mans de la Bondat immensa de Déu; és donada al vas humà ben buit de si mateix, i sols il·luminat pel llumet claríssim de la seva ànima. Llavors, l'home artista és l'instrument de Déu, perquè es troba en la plenitud de la llei moral, en la llei tota compresa en el primer manament del Decàleg.

Llavors l'artista intueix amb claredat l'harmonia del món i de l'etern, intueix la gràcia íntima del joc de totes les coses creades, el caràcter que les especifica, intueix la llum dels esperits i la força que els mou, endevina l'harmonia del més enllà i s'extasia amb un sentiment inefable que és un tast de felicitat suprema que toca el viu de l'ésser. Llavors gusta el tast de l'infinit.

(...)

EL CENTENARI CLAVÉ

La filiació claveriana és patent en molts escrits de Millet, fins al punt que una transcripció exhaustiva dels textos reportaria una evolució reveladora: de l'aparent reticència juvenil del primer escrit (malgrat la pertinença, com a subdirector, a l'Associació de Cors de Clavé el 1895), fins a la devoció de la maduresa que imposaria, fins i tot, la imprescindible referència en l'hemicicle del Palau de la Música.

Aquesta admiració, altrament, no fou només dialèctica, sinó demostrada amb fets; al llarg dels anys, i en els ambients més diversos (des dels concerts al poblet més humil fins a les audicions a París i a Londres), Millet interpretà Clavé, convertit en paradigma racial i exemplar en la polèmica amb Xènius, i esdevingut bandera d'identitat arran del Centenari, celebrat sota la Dictadura de Primo de Rivera.

Tota la vida coral catalana experimentà seriosos entrebancs en aquell període; a les dificultats de funcionament corporatiu de la Germanor dels Orfeons de Catalunya, eren afegides les traves imposades als orfeons (molts d'ells clausurats o intervinguts governativament).

D'ací que el Centenari Clavé fos instrumentalitzat, fins on fou possible, per a afirmar una consciència i un sentiment nacionals objectes de repressió.

Millet hi participà d'una manera activa, musicalment (sessió commemorativa al Palau el dia 18 d'octubre de 1924), i literàriament.

Clavé («Revista Musical Catalana», núm. 247, juliol de 1924)

És el geni musical de l'albada de la nostra renaixença. En l'hora primera d'aquell dia clar en què el sentiment de catalanitat es deixondia al toc fecund del romanticisme, un home músic, poeta de temperament, una ànima simple, transformava en substància per als humils el deler i joia que enardia els esperits escollits, que foren els iniciadors i sembradors de la nova era.

Un nou delit s'emparava de Catalunya, una consciència s'iniciava i una amor s'encenia. Una primavera començava, i si els arbres de gran alçada esdevenien frondosos, si el cel clarejava a la nova llum, si l'aire es temperava amb escalfors generadores, els arbres humils i les plantes xiques, tota l'ocellada i els petits insectes i tota prada i herbei havien també d'alegrar-se i reflectir la nova vida. A l'alta intel·lectualitat dels pensadors, dels estètics, dels primers poetes, dels folkloristes, havia de respondre la classe humil del poble, transformant, a la seva manera, els exemples que li mostraven les altes categories de l'intel·lecte.

Però el poble, per a fer-se seu el que és de dalt necessita un intèrpret, un intermediari que, posseint la mateixa natura que aquell, tingui el poder de la visió aguda i la facultat d'assimilador i de creador. Aquest intèrpret fou en Clavé.

En Clavé, creiem nosaltres, no tingué pas sobtadament consciència de la seva missió; ni de cop i volta posseí la cultura necessària per a fer obra verament de bon gust; però aquest mateix falliment dels seus inicis li permeté una influència i eficàcia sobre la massa popular que no hauria tingut posseint des del principi una cultura superior.

Ell fou el músic-poeta del poble; començà per emprar la mateixa pobresa artística de les danses i cançons vulgars de l'època i, a mida que el poble l'estimà, ell, que era un escollit de la bellesa, anà excellint, arribant a la creació d'una obra, si no sempre perfecta, d'una força, catalanitat i sana alegria, d'un regust de natura tan singular com pocs exemples es troben en la història de l'art.

Dues influències insanes tingué l'obra artística d'en Clavé: l'exòtica de l'òpera italiana, que absorbia tots els talents musicals contemporanis dels països llatins, i la de la música vulgar ciutadana de la Barcelona vuitcentista. Però, la humilitat i ingenuïtat del nostre músic, la seva bonesa i simplicitat, el seu optimisme, l'alegria clara d'aquella ànima, amaraven i vivificaven aquelles formes pobres i degenerades. I quan per la influència de la nova alenada catalanitzadora, havent els Jocs Florals obert les portes del temple de la poesia nostrada, redreçant-se la Morta-viva virginal i somniosa d'un avenir misteriós de glòria, en Clavé se sentí ferit per la cançó tradicional de raça patentitzada pels patriarques del nostre Renaixement, llavors creà la part forta i immortal de la seva obra, els cants corals singulars en la seva força i catalanitat, francs i oberts, amarats de natura, amb frescors idíl·liques inefables, amb intuïcions descriptives genials. L'obra d'en Clavé era el ressò, en el poble, del moviment intel·lectual dels romàntics il·lustres, dels arqueòlegs i folkloristes; responia a l'ambient mateix que creà els Jocs Florals i inspirà els primers poetes. Era el cant d'albada del nostre Renaixement.

(...)

Perquè ell és el creador del cor català, Catalunya li ha d'estar agraïda profundament. El que significa aquesta munió de gent del poble que canta en conjunt l'accent musical de la pròpia raça, és d'una transcendència social i patriòtica incontestable.

En Clavé, a més d'ésser un gran artista popular, tenia la vocació inestimable d'un apòstol. Ell va aconseguir fer cantar tot Catalunya, que és com si digués-sim agermanar en un mateix sentiment tot un poble. Ell sentia la necessitat d'acoblar les veus de la gent humil perquè donava així el pa de la bellesa al qui de fam patia, als seus germans de classe i de pàtria; ell fruïa en les grans sonoritats de molts pits ressonant alhora, de molts cors bategant al mateix ritme, entonant l'expressió bella de llurs sentiments; ell era la veu de l'artista del poble, que el mateix poble, fent-se-la pròpia, eixamplava i engrandia. Era un gran educador del sentiment popular. I aquesta és la seva major glòria.

Deixar morir aquesta obra seria un pecat immens de tot Catalunya. Els cors, en el nostre poble, són l'element artístic de més eficàcia d'educació popular. Són el mitjà meravellós per a servar el nostre esperit fidel a la natura per la qual Déu ens ha fet com som: catalans.

Els orfeons moderns són fills hereus de l'obra coral del geni d'en Clavé; la modalitat és diferent perquè en el món tot evoluciona i la vida és moviment; però l'esperit és el mateix. Som els continuadors d'aquella eclosió esplendorosa. Som els qui volem servar el cant de germanor de tot un poble, per mantenir la seva força vital, el que constitueix el seu ésser.

Catalans, honoreu Clavé. Ajudeu, fomenteu, doneu alè, doneu nova vida al cant coral de Catalunya. Feu-ho per amor al mestre i per amor a vosaltres mateixos.

EL ROMIATGE A ROMA

En la situació creada per la Dictadura, el vell desig de portar l'Orfeó a Roma esdevenia una conveniència cívica de fer sentir a l'exterior una veu genuïnament catalana.

L'escaiença de l'Any Sant fou la motivació idònia per a acomplir l'antiga aspiració. I a fi d'evitar qualsevol manipulació espanyolista del propòsit —els pelegrinatges havent estat centralitzats sota el control del Primat de Toledo— l'Orfeó obtingué el patronatge de les Societats Cecilianes, a les quals era adscrit per la seva condició de conreador constant de la música religiosa.

La presència romana (abril-maig del 1925) és un dels cims de la vida de Millet. Els cants davant del sant Pare, Pius XI (en l'audiència especial, i en la missa celebrada pel Pontífex), eren l'ofrena del Millet cristià, que veia la seva obra encoratjada amb paraules afectuoses («... poques vegades en la nostra vida, durant la qual la Divina Providència ha sembrat llargament força gaudis artístics, havíem experimentat el goig d'avui...») i la senyera beneïda pel successor de Pere.

Més que no pas l'acolliment fratern a la Pontifícia

Escola Superior de Música Sacra, els cants en la qual foren rubricats amb la concessió del Diploma d'Honor d'aquella institució; més que no pas els judicis encomiàstics de la crítica musical després dels dos concerts a l'Augusteo, l'abraçada de Pius XI a aquell Millet que s'apropava a la seixantena, eren la consagració definitiva d'un impuls que havia pres cos, trenta-quatre anys abans, en un humilíssim racó de la Barcelona vella, l'íntima justificació d'una conducta regida per uns postulats ferms, novament confessats en exposar la motivació del romiatge.

El sentit del romiatge de l'Orfeó Català a Roma (desembre de 1925)

No hi ha paraules més ben esmerçades que les dictades pel deure de la gratitud. Nosaltres, la gent de l'Orfeó Català, si havem fet volada a Roma, si, en aquella bella i eterna ciutat, hi havem sojornat admirant, cantant i adorant, ha estat per gràcia de la vostra generositat, bons amics de l'Orfeó; ha estat per la bonesa del vostre cor, per l'entusiasme vostre per tot allò mateix vers què, nosaltres, cantaires, sentim entusiasme, escalf i delit que no s'acaba. Ha estat amb l'empenta amorosa de la vostra generositat que havem pogut abastar el dolç fruit d'un gran goig en l'alta ciutat dominadora dels temps històrics i de l'esdevenidor llunyà i etern de l'home. Just és, doncs, que encara que sigui amb paraula trencada i humil, jo, que sóc com el capità d'aquest petit exèrcit cantaire, procuri contar-vos quelcom de les nostres emocions a Roma, del sentit del nostre romiatge, de l'enllaç de totes les nostres dèries, il·lusions i ideals amb aquesta nostra visita, la més transcendent de totes les nostres visites a llocs estrangers; perquè ella compendia, en certa manera, el sentit, la raó d'ésser, l'origen i la finalitat de tota la nostra obra.

(...)

Aquesta vegada la responsabilitat era més forta i la consciència més gràvida d'una gesta més transcendent. Anar a Roma, quantes vegades no ho havíem somiat!, quantes voltes ho vèiem a prop del nostre encalç! Ara es complia el gran desig, ara la bondat de Déu ens hi portava, i el cor ja ens deia que la ventura no es desdiria pas d'acompanyar-nos. Jo no hi anava pas del tot content de la preparació que havíem pogut fer dels nostres programes, per més que formats fossin del repertori tradicional nostre. I és que jo somio sempre, en casos semblants, i sobretot en aquesta ocasió tan assenyalada, una restauració progressiva del cor, un perfeccionament de sonoritat, una major subtilesa i profunditat d'expressió que, ai!, mai no tenim temps d'assolir. Però quan ve el moment que s'ha de complir el compromís contret i havem fet el que havem pogut, em conformo tranquil i resto amb confiança plena en els nostres bons coristes tan valents i plens de bona voluntat quan són a la feina, i en el meu propi temperament que, quan el perill és lluny, de vegades s'aclofa i es neguiteja, però que, quan el té a sobre, s'enardeix i crida amb més orgull que un monarca. Alabat sia Déu, que cada u és com Ell l'ha fet!

(...)

I les nostres senzilles cançons harmonitzades amb tants diferents matisos, que a casa nostra ja fa estona que són murmurades més o menys vergonyosament per alguna intel·lectualitat preocupada, aquestes flors redivives, foren l'encant dels oients; s'hi refrescaven els sentits com si els portéssim l'aire de les nostres muntanyes, l'encís de les penes i alegries del nostre poble. Prou hi hagué crític que alçà el crit al cel demanant per a l'art italià un tal refrescament d'esperit arrencat de la natura! Perquè també els intel·ligents veien com, de les senzilles flors camperoles, havien sorgit els esplèndids cors del nostre Nicolau, on l'art i la inspiració s'agermanen a produir obra bella i definitiva. *La mort de l'escolà* i els altres cors del mestre prengueren el cor del públic romà, triomfant, com a tot arreu, de savis i ignorants. Mes si en els nostres cants, els propis de la nostra terra, hi posàvem cor i ànima, en els de la polifonia clàssica, en l'art de Palestrina, que des de Roma domina encara l'art profundament catòlic, no hi podíem pas plànyer tots els nostres sentits en donar-ne la nostra interpretació als ciutadans romans. El *Credo* de la *Missa del Papa Marcello,* que finalitzava l'últim concert de l'Augusteo, fou aclamat, i els crítics i personalitats musicals ens demostraren personalment el seu entusiasme i el seu agraïment pel nostre homenatge al gran geni de la polifonia romana.

Mes tot el sentit, la transcendència, tota l'emoció culminant, la finalitat primera, fou enclosa en l'audiència que la paternal bondat del Sant Pare concedí a l'Orfeó Català. L'obra de l'Orfeó ha estat fruit de la fe i de l'amor. Sense programa ideològic escrit en els seus estatuts, ha estat sempre per la fe i per l'amor que ell ha crescrut i s'ha fet estimar per propis i estranys. Ha estat per la bona fe, per la bondat, per la cordialitat, tot lligat per la força del cant, que l'Orfeó s'ha fet estimar, respectar i ha fet escola entre nosaltres. Sense ésser savis ni genials, havent començat sense posseir cap tècnica del cant, ni deixebles ni mestres, guiats i empesos per la fe i per l'amor, per la fe en la bondat primera i per l'amor a Catalunya, havem trobat el camí de l'expressió dels nostres sentiments en la germanor coral d'una gran família. El nostre mèrit, si el tenim, no és altre que el d'haver romàs un poc infants; i per això jo crec que Nostre Senyor ens ha fet el do de l'enamorament de la bellesa amb el delit de les cantúries, de l'amor a la pròpia natura amb el tremp de la perseverança. Hem estat un poc senzills, havem servat un cor lleuger i heus aquí que el nostre arbre ha florit i ha donat fruits saborosos. Ens havem deixat portar pels sentiments nobles, que són sempre gràcia divina, i per això, de la nostra petitesa, n'ha sorgit quelcom d'agradable als homes. La nostra anada a Roma, en el Jubileu de l'Any Sant, era el rendiment del nostre deute al Donador de tota gràcia. Era aplegar tots els nostres amors, tots els nostres delits, tots els nostres llors, totes les nostres alegries en el festeig de la bellesa, tot el nostre art, encara que humil, i fer-ne ofrena al cap visible de Déu en la terra, per dir-li: «D'Ell ho havem rebut, a Ell li tornem, que no és nostre; si encara ens deixa gaudir d'aquest do, alabat sia!; si vol que emmudim, Ell sap prou la mida de les coses i prou llarg ha estat el seu do i prou ple de goigs i alegries».

I heus aquí que el veritable representant de Crist, Verb i Saviesa increada, el successor d'aquell Pere pescador que pujà a ésser l'amo de les claus del Regne de la Felicitat, heus aquí que el Sant Pare, Rei dels homes de bona voluntat, escoltà la cançó catalana i s'hi complagué i ens ho digué amb paraules commoses, i beneí cordialment la nostra ensenya i cada un de nosaltres i la nostra obra i els amors i desigs més recòndits del nostre cor. Per la seva boca parlava Nostre Senyor. Oh la infinita Generositat! En presentar-li els seus propis dons, ens regracia i ens afalaga com si fossin cosa nostra!

Heus aquí acomplerta la finalitat del romiatge de l'Orfeó Català a Roma: una acció de gràcies a Déu per la nostra llarga i venturosa vida i un homenatge de pietat i respecte al seu legítim representant en la terra.

LA CLAUSURA DE L'ORFEÓ

Els èxits de l'Orfeó a Roma foren considerats per la Dictadura suspectes de deliberada acció catalanista. Per això els incidents ocorreguts en l'homenatge tributat pel F. C. Barcelona a l'entitat foren el fulminant detonador que en determinà la clausura.

Com a reconeixença del món de l'esport al món musical, el Barça organitzà un partit de futbol (14 de juny de 1925, Barcelona-Júpiter) en acte de simpatia a Millet i a l'Orfeó. La banda de música d'una esquadra anglesa, aquells dies a la ciutat, interpretà —abans de començar el partit— la Marxa reial *i* L'Himne *anglès. La reacció popular descrivia, més bé que res, les conseqüències de la situació política imposada per Primo de Rivera: l'ovació clamorosa a* l'Himne *anglès contrastà amb la xiulada impressionant a la* Marxa reial.

Pocs dies després, el general Milans del Bosch clausurà el Barça i l'Orfeó, adduint uns pretextos inversemblants: per al primer, un defecte formal en el permís d'espectacle; per al segon, el contingut pretesament polític d'uns fulls publicitaris de la «Revista Musical Catalana».

Atiada per la premsa afecta al règim, que parlava

de les «infamias perpetradas por el Orfeó Català en Roma» *on havia anat* «a escarnecer el idioma castellano, la lengua imperial de la patria, a renegar de Castilla, a escupir su dulce recuerdo» *(«Diario de Tarragona», 19 d'agost), la clausura de l'Orfeó (24 de juny - 13 d'octubre de 1925) suscità, en canvi, un fort moviment de protesta de la premsa europea. L'opinió formulada a «Candide» («...* ce qu'un dictateur vient de décapiter, ce n'est pas seulement la première association chorale du monde, c'est un groupement de bonnes volontés, dont la beauté morale égalait le rayonnement artistique...»*), era ratificada en termes semblants per «Le Journal des Débats», «Le Monde Musical», «Comoedia», «Le Courrier Musical», «Il Giornale d'Italia», «Courrier de Genève», «Santa Cecilia», etcètera i per l'àmplia resposta dels estaments musicals peninsulars.*

L'epistolari de Millet d'aquells dies mostra, juntament amb l'acceptació humil de la prova, la indomable voluntat de superar-la tot cercant camins alternatius per a prosseguir la immarcescible vocació.

Carta a Montserrat Salvadó.
El Masnou, 24 de juliol de 1925

Distingida deixebla: Li agraeixo la seva carta, que sempre dóna alegria rebre lletres dels deixebles. És una comunicació tota especial i agradable, la del mestre i del deixeble, i fa goig continuar-la, encara que sigui a distància i per mitjà de la ploma. Encara que aquesta sigui una música apagada i somorta, no deixa de portar l'eco de la melodia, i acords de les hores de lliçó, hores bones d'emoció artística, d'interpretació de l'art dels mestres (...).

L'Orfeó continua igual, mut i fermat de peus i mans. Vacances completes. Però ara fem provisió de fam de cantar, de forces de pulmons i de tremp d'esperit.

Aquí al Masnou, hi regna una mandra sobirana. Una dolcesa d'aire humit i de claror de sol resplendent. Aquí, a la casa on vaig néixer (ja fa uns quants anys!) m'hi sento bé i gronxat per sentiments d'infant; aquí, no sé odiar ni els tirans!

Carta a Vicenç M. de Gibert.
El Masnou, 30 de juliol de 1925

Amic Gibert: El seu article d'ahir a «La Vanguardia» m'ha tocat el cor; potser ho fa que em torno vell i em cau la bava; però la veritat és que en les seves paraules, tan ben ritmades, tan nobles d'estil, hi ha tanta bondat i tant d'amor envers la meva pobreta persona, que me n'he sentit tot corprès i... cofoi. Però sobretot, estimat amic, me n'he sentit dolçament agraït, d'aquest seu gest tan noblement humil i respectuós. Em sembla que ha fet una cosa bona, i que Déu li ho premiarà, encara que a mi me n'hagi pervingut un poc de vanitat, que el bon Déu, em sembla, ja em perdonarà, ja que la desgràcia amolla un poc el cor dels homes. De vegades, Nostre Senyor, per comptes d'enfadar-se per nostres misèries, hi deu fer la mitja rialla compassiva, i aquest joc de la divina misericòrdia amb les nostres mesquineses deu ésser una joia inefable per als nostres àngels de la guarda, interventors entre les coses del cel i de la terra.

A més, aquesta alternativa de la joia i la desgràcia, és la lliçó de la realitat transcendent de la vida. Ui!, com ens inflem, de seguida, els homes! I, com en la faula de la granota, volem esdevenir bons fins a rebentar-nos! I vet aquí que el xàfec de la malvestat, pluja benefactora, ens deixa xops i humils i vidents que ara som, ara no som, i que el millor que podem fer és acollir-nos de bon grat sota el mantell provident de l'omnipotència divina. Oh, si sempre sabéssim navegar en aquest vaixell seguríssim! Com feliçment ens riuríem de les malvestats i cataclismes! Però som homes, i els moments lluïts... són escassos. I per això necessitem, en ocasions, la dolçor de la bondat del pròxim, de la caritat del germà envers la nostra feblesa. Per això li agraeixo, estimat Gibert, el seu gest noble i humil. Déu li ho pagui!

Carta a Francesc Pujol.
El Masnou, 7 d'agost de 1925

Estimat Pujol: Tornat al Masnou m'he trobat amb notícies contradictòries sobre el fonament dels insistents rumors de l'*amnistia* per a les corporacions clausurades. El cert és que no en tenen, de fonament; absolutament.

En Pena, amb una carta del President de l'Orquestra Casals, en Vidal i Quadras, visità el Governador, que li digué que ell no en sabia res, d'aquesta amnistia, i que bé li tocaria saber-ne quelcom si el projecte existís; que ell no n'era pas partidari, i que així respondria al Govern si el consultaven; que les societats clausurades havien d'ésser obertes en diferents dates, segon els casos; que l'Orfeó Català, ell l'obriria l'endemà de fer les *cèlebres* declaracions per ell imposades.

En Pena li remarcà que no portava cap missatge, directe ni indirecte, de l'Orfeó i solament que l'Orquestra Casals necessitava saber si podia o no podia comptar amb el local per als concerts de l'associació de la qual és secretari.

Això de l'obertura de la nostra sala de concerts, també, doncs, resulta molt problemàtica (...). Tot plegat, ho veig molt malament. Ens haurem d'espavilar a organitzar-nos de manera que puguem continuar cantant d'una manera o altra. Ja us vaig parlar, en la meva anterior, de la proposició d'en Valls i Taberner del Politècnicum. És una solució que a mi m'agrada, per l'afinitat de fins amb l'Orfeó (...).

Convindria que tornéssiu aviat per aquí, que ja veieu que no falten assumptes «ferotges».

Carta a Francesc Matheu.
El Masnou, 18 de setembre de 1925

Estimadíssim amic Matheu: Quina mercè grandíssima m'heu fet amb vostra carta, tan bona per a mi, tan forta i noble de sentiment i d'idees! Beneït sia Déu, que quan som més al fort del temporal ens consola i conforta amb l'expressió d'aquesta tan rara i noble amistat! Veritablement, la dolenteria dels homes, les atzagaiades dels *tontos,* s'esmussen, i irradìen per als esperits de bona voluntat els goigs més purs, aquells goigs que segellen la nostra dignitat de fills del Pare, que tot ho ordena al Bé que és la seva glòria.

Ja pot fer, el dimoni, que, com més s'escarrassa, més l'esguerra, més treballa per al triomf de la Bondat. Sense la batzegada dels qui governen, contra l'Orfeó, ¿com hauria jo rebut aquestes mostres de la vera amsitat i de la sincera estimació? ¿Quin aplaudiment del gros públic val un sol tercet de la vostra carta ritmada, amb un sentiment tan noble de bona amistat?

Amic Mtaheu, que vagin fent, que nosaltres mai no hi perdrem mentre Déu ens guardi la humilitat d'ésser creients de la Veritat. Si ens bastonegen, ens treuen la pols; si ens apunyeguen, ens adonem que la nostra força no és pas ben nostra. I llavors ens trobem tal com som: una ben poca cosa mesquina.

Valem pel que ens dóna el Pare, i si Ell vol que la nostra obra valgui i duri, quin dret tenim a la queixa? No sempre aquestes idees les tenim al cor, prou se'n falta; per això la vida és sovint trista i desesperançada i l'argila de l'home és egoista i sap poc de les blavors d'amunt de l'aire. Jo, aquest estiu, amb poca diferència, l'he passat per l'estil dels altres, mirant el mar, les muntanyes, el cel ample, i poc m'he sentit de la punyida, distret amb les belles coses. Ara començarà, potser, el patir; la cançó serà diferent i trista i dramàtica; haurem de demanar almoina d'un local per a cantar, i cantar a mitja veu perquè la *sogra* no es desperti i no ens venti un altre tropell; ara ve el patir; ara veurem si el que pensem, de la humilitat i de l'obediència als designis del Pare, ho tenim verament al cor. Mes lluitarem, que sense lluita no hi ha victòria, i si al fons de l'ànima guardem un poc de recta voluntat, molt serà que el Pare no hi posi la resta.

Mentrestant, ningú no em treu el goig d'aquesta bella expressió de la vostra amistat, que estimo amb tota l'ànima i amb tota l'ànima us agraixo.

Carta a Montserrat Salvadó.
27 de setembre de 1925

Molt distingida deixebla: Vostè està encara en plena natura, que vol dir en plena bondat de Déu; jo ja he tornat a plena ciutat, que vol dir pols, brutícies i guerxeries dels homes. Jo, al Masnou, i els dies que vaig estar a Montserrat, també oblidava els contratemps i les fuetades dels homes; el sol, l'aire, la mar i les muntanyes amorosien i asserenaven l'esperit. Ara, a ciutat, tornem a les batzegades de la realitat innoble, als cops de cap i a les olors insanes de les clavegueres de la civilitat mancada.

Tot està igual, i els treballs són per a engiponar, de la manera que puguem, de seguir la nostra feina del cant, un art de pau que ara semblaria de guerra i de dolenteria. Alabat sia Déu, que Ell sap perquè permet les bajanades dels homes, i fa sempre quedar bé els homes de bona voluntat.

Com pot endevinar, no és pas hora de deixar Barcelona; hi tenim el carro encallat, i el sot és fondo i no ens podem distreure (...).

Carta a Joan Gibert i Camins. 15 d'octubre de 1925

Amic Gibert: Ahir fou aixecada la clausura de l'Orfeó Català, que ha durat prop de quatre mesos. Unes declaracions de l'ambaixador del Vaticà desmentint la calúmnia de les «atrocitats separatistes» de l'Orfeó a Roma, i un escrit nostre al Governador donant un poc de peixet a la «unidad», fent constar només la paraula «respeto», han fet que les portes del Palau fossin obertes.

Amb això, no cal que tireu endavant allò de la petició dels músics parisencs. Moltes gràcies a tots els qui ja hi havien treballat, sobretot a tu, bon amic i germà nostre. Que Déu t'ho pagui!

El que havem fet, ho havem fet amb tota serenitat i pensant en el major bé de tot el que estimem amb l'ànima.

Adéu, Gibert. Un altre dia escriuré més llargament. Ara no tinc temps més que per a enviar-te una abraçada.

L'ANTINÒMIA ESTÈTICA

Les ardideses de la música contemporània no foren apreciades per Millet que, bé que podia valorar-les per via intel·lectual, era incapaç (gairebé visceralment) d'estimar-les, si no penetraven al sentiment.

L'home que havia fet del sentit melòdic la condició bàsica de l'obra d'art, era radicalment negat per a acceptar la atonalitat.

Per això, encara que avui pugui semblar sorprenent, Millet era coherent en formular judicis irònics o negatius sobre La consagració de la primavera, *de Stravinsky.*

Totes aquelles provatures —«entremaliadures», en mots de Millet —eren als antípodes del seu credo estètic que, a la mateixa època, és evidenciat novament en una carta a Josep Valls en la qual ampliava l'estricte comentari a unes obres corals del jove compositor i s'endinsava —aquí sí, còmodament— pels camins més cars: l'estudi conscienciós, el treball constant, la sinceritat absoluta, els models clàssics, la cançó popular com a taula de salvació, l'arrelament a la terra natal (que, si no podia ser físic, havia de ser mantingut amb la lectura dels clàssics catalans), etc.

No, Millet no podia estimar Stravinsky o Honegger.

Carta a Joan Gibert i Camins. 23 de gener de 1922

Amic Gibert: (...) Verament, tinc ganes de conèixer quelcom del moderníssim, per formar judici amb coneixement fundat.

He vist, al suplement de la «Revue Musicale» unes petites peces de Honegger, les quals he trobat molt tristes, molt poca cosa i amb gens d'ànima. Em sembla que Stravinsky m'agradarà més (...).

Carta a Joan Gibert i Camins. 26 de gener de 1926

Estimat Gibert: Gràcies per la teva carta, tan afectuosa. També desitjo que hagis passat tu un bon Nadal, amb aquella dolça pau i profunda alegria que dóna la fe en la Veritat Omnipotent. No t'haig de perdonar res: mentre et recordis de mi, estimant-me, què més puc desitjar? L'estimació és el consol de la vida.

(...) Ja vaig rebre, per mediació de ton germà, *Judit*, de Honneger. Té talent, aquest senyor, però per ara no m'hi puc entusiasmar. No parla pas un llenguatge de l'altre món; em sembla que l'entenc, però no em toca cap fibra. Jo em recordo de les impressions primeres dels gran autors: aquella cosa que et pren tots els sentits i l'ànima! Aquests senyors, no em prenen res; em quedo tan tranquil, malgrat totes les seves entremaliadures (...).

Carta a mossèn Lluís Romeu. Divendres dels Dolors de la Verge, de 1928

Estimat mossèn Romeu: (...) Jo estimo més aquesta música seva que totes aquestes provatures avantguardistes, prenys de quimeres i vacuïtats miserables. Ara havem sentit al Liceu *Le sacre du Printemps*, de Stravinsky; no es pot figurar una cosa més pobra, malgrat totes les seves ardideses dissonants, els seus ritmes exasperats i la instrumentació enginyosa i, de vegades, *frapant*. Però aquesta gent ha mort ben bé la dissonància, perquè aquesta, sense el contrast de la consonància, ja no fa ni fum. I quina pobresa d'idees, Mare de Déu! (...)

Carta a Josep Valls. El Masnou, 11 de juliol de 1928

Estimat Valls: (...) Verament, els joves d'ara us trobeu en circumstàncies dificilíssimes; d'una part, a l'escola us ensenyen els procediments clàssics tradicionals i, d'altra part, teniu l'exemple continu dels compositors moderníssims que no empren altre procediment que el capgirament de tota norma establerta. Aquesta contradicció que trobeu entre l'escola i la música moderna us desorienta i, verament, és molt difícil sortir triomfants davant d'aquest maremàgnum tan contradictori.

Pero cal observar que en les obres que realment valen, per modernes i atrevides que sien, en el fons l'economia de forma i de mitjans és ben bé observada; un element no destorba l'altre, i tot guarda una lògica que, en últim terme, no és altra que la dictada per les lleis tradicionals.

I això, amic Valls, no s'assoleix sense el treball de molt temps, molt conscient, constant i ben dirigit. I, sobretot, s'hi arriba per l'estudi profund de les obres mestres del passat. Jo no sé, estimat amic, el que tu has treballat a la Schola Cantorum; no dubto que has treballat bé i de valent. Però em sembla que et falta encara la tècnica ferma definitiva, un estudi ben conscient dels grans models, entre els quals cal posar el perfecte Mozart, amb les seves obres principals, on domina la gràcia, la claredat i la perfecció.

Ja sento com tu em dius: «Bé, però què hi troba, de defectuós, en els meus cors?» És difícil dir-t'ho, així, per escrit, no directament, sense les obres al davant de tots dos. Però sí que et puc precisar, per exemple, certs encreuaments de veus, certes fregadisses i atapeïments, que en la música instrumental poden suavitzar-se i motivar-se per la diversitat de timbres, però que en les veus resten claredat i eficàcia als passatges on es troben (...).

Em sembla que, en una de les teves cartes, em deies que volies deixar els estudis de la Schola Cantorum, i anar a prendre lliçons amb en Dukas. Si no tens confiança amb els estudis de la Schola, faràs bé de canviar, perquè al deixeble, per treure profit dels seus estudis, li és precís una fe sencera en el mestre. Però pensa que, per a obtenir els resultats deguts, és precís, sobretot, un treball constant, llarg i assidu. I, en aplicar els estudis fets a les obres originals, cal no deixar-se enlluernar pels procediments més o menys moderns. El que cal és ésser sincer en una forma digna i, sobretot, adequada a la idea. Vet aquí el que produeix una obra bella i definitiva.

Ja veig com tu estimes la cançó popular de la terra, com el llevat amb el qual hom ha de trobar-se a si mateix. Aquest, verament, és el bon camí, i que et servarà dels perills de l'universalisme estèril. La cançó et farà retrobar a tu mateix i et salvarà d'aquest ambient parisenc perquè et conservis en la fortalesa característica de la nostra raça.

París és un gran centre de cultura. Però, en aquest gran centre tot s'hi barreja i tot hi resta mistificat, tota força s'hi evapora en una elegància eixorca de caràcter i de vera i noble espiritualitat. Si un hom va a París ja format, pot defensar-se del dolent i prendre'n el bo; però és més difícil de guardar-se de la mala influència si un està en estat de formació; un corre el perill de desnaturalitzar-se i esdevenir un artista esbravat de caràcter, d'una valor verament personal i de raça.

Sortosament, tu portes un llevat d'ideal i de sentiment catalanesc molt fort, que et pot preservar de la malura.

Procura, doncs, fer-te fort en la tècnica, prenent

un bon guia i preceptor, alternant amb l'estudi dels models dels clàssics, i no oblidis mai la cançó verge de la terra, aplicant-la sempre als teus estudis tècnics perquè en les obres originals sigui el fons de la teva personalitat artística. No deixis mai de llegir els bells llibres catalanescs, dels poetes nostres verament inspirats, de les *Cròniques* nostres de les glòries dels nostres herois que forjaren la nostra pàtria i, per tant, el nostre caràcter. I, quan puguis, vine de tant en tant a recobrar el contacte amb la terra mare, amb el nostre paisatge, mar i muntanyes, valls assolellades i cel puríssim, monuments antics, pedres que parlen el nostre llenguatge. En fi, cal buscar la intensificació d'aquest sentiment de natura pròpia que dóna el ver tremp i caràcter a l'artista digne d'aquest nom.

(...) Avant i fora! I visca la nostra música, aquella que és l'expressió més profunda del nostre ésser, la vera expressió de l'ànima de Catalunya.

un bon guia i preceptor, alternant amb l'estudi dels models dels clàssics, i no oblidis mai la cançó verge de la terra, aplicant-la sempre als teus estudis tècnics perquè en les obres originals sigui el fons de la teva personalitat artística. No deixis mai de llegir els bells llibres catalanescs, dels poetes nostres verament inspirats, de les Cròniques nostres de les glòries dels nostres herois que forjaren la nostra pàtria i per tant, el nostre caràcter. I, quan puguis, vine de tant en tant a recobrar el contacte amb la terra mare, amb el nostre paisatge, mar i muntanyes, valls assolellades i cel puríssim; monuments antics, pedres que parlen el nostre llenguatge. En fi, cal buscar la intensificació d'aquest sentiment de natura pròpia que dóna el ver tremp i caràcter a l'artista digne d'aquest nom.

(...) Avant i fora! I visca la nostra música, aquella que és l'expressió més profunda del nostre ésser, la vera expressió de l'ànima de Catalunya.

LA MISSA SOLEMNIS, *DE BEETHOVEN*

El centenari de la mort de Beethoven (1927) fou amplament commemorat a tot el món musical europeu.

Barcelona fou una de les ciutats que més s'hi distingí (concerts al Liceu, actuacions de l'Orquestra Pau Casals i de la Banda Municipal, sessions de lieder *i de música de cambra, publicació de la traducció catalana —obra d'Ignasi Folch i Torres— de la* Vida de Beethoven, *de Romain Rolland; de la* Vida de Beethoven, *de Vicenç M. de Gibert; de l'estudi* Les sonates de Beethoven, *de Blanca Selva, etc.). Millet hi aportà unes versions transcendents de la* Missa Solemnis *(8, 12 i 18 de juny), l'última de les quals —i el fet era una absoluta novetat en l'època— fou retransmesa per Ràdio Barcelona en connexió amb les principals emissores dEuropa, i enregistrada íntegrament, en directe, en dotze discs.*

Prop de trenta anys després d'aquella primera audició barcelonina de la Novena *beethoveniana, Millet revenia al culte al gran músic amb una de les obres més difícils del gènere simfònico-coral.*

Aquesta commemoració fou precedida per la important contribució al Congrés Internacional d'Història de la Música, celebrat a Viena (26-31 de març), on

Francesc Pujol llegí la comunicació de Millet La cançó popular i l'art coral a Catalunya, *en nom de l'Orfeó, i la seva pròpia* L'Obra del Cançoner Popular de Catalunya, *per l'Obra del Cançoner.*

Altra vegada, el simbolisme i la fidelitat: enmig de l'assemblea d'erudits i estudiosos de tot el món, reunits sota el signe de Beethoven, la veu franca i sincera de Millet exalçava la gràcia i la transcendència d'un gènere popular i humil; el mateix simbolisme i la mateixa fidelitat que havien fet aplegar les efígies de Clavé i de Beethoven per a presidir l'hemicicle del Palau.

Carta a Eduard L. Chavarri. 29 de juny de 1927

Amic Chavarri: Bon home, artista de cor, ànima generosa; Gràcies de cor; us els agraeixo molt, els vostres mots, les vostres cordialitats. Són aquestes enhorabones, les que estimo més, les que vénen dels homes que estimen i senten, que viuen amb el cor sempre esponjós per al bé i la bellesa.

Sí, verament, estic cansat; no pensava sortir-me'n, del meu atreviment de donar la gran obra de Beethoven. Déu m'ha ajudat, creieu-me; perquè jo ja sóc un poc vell i l'obra és immensa, immensa. I, gràcies a Déu, la inspiració del gran sord ha estat revelada als savis i ignorants, als elegits i a la plebs.

Però, veritablement, jo no comprenc com aquesta obra no ha triomfat sempre (perquè ha estat fins menyspreada per crítics i saberuts). Tenen les idees tant de caràcter, tanta força! L'home hi és sentit tan profundament, i el sentiment de la divinitat tan excels, que no es comprèn com no és sempre, i per tothom, exaltada com una de les més excelses inspiracions del geni.

Weingartner, un dia, em deia que l'acabava de dirigir a Anglaterra i que, *vaja,* que era una obra que no podia resultar, per les seves dificultats. En Llovet acabava d'arribar d'Amèrica del Nord: l'havia sentida a Nova York i se li havia fet pesada; un altre amic, músic excel·lent, l'havia sentida a París i no l'havia entesa; altres, havent-la sentida també a l'estranger, la trobaven entre el més «fluixet» de Beethoven. I, vegeu, aquí, nosaltres, humils cantaires catalans, l'havem feta admirar, i havem entusiasmat a tots, savis i rucs! Vegeu, amic, si això no és una gràcia del bon Déu i un do de l'esperit bellesa!

Gràcies en nom de tots, bon amic, i rebeu una forta abraçada d'aquest amic i germà

EL DARRER ESCLAT COL·LECTIU

A la caiguda de Primo de Rivera (1930), un renovat impuls d'optimisme congria les il·lusions col·lectives.

El goig de qui se sap vencedor de la llarga repressió soferta, s'expandeix exultant; amb més motiu en aquells qui, com els orfeons de Catalunya —individualment i col·lectivament— havien experimentat les conseqüències de la Dictadura, més dures com més representativa era l'entitat afectada; Millet i l'Orfeó, per exemple, a més de la clausura governativa, foren privats d'actuar en les manifestacions artístiques celebrades al recinte de l'Exposició Internacional del 1929.

Per això, la presència de l'Orfeó al Palau Nacional de Montjuïc en dues audicions memorables (16 i 23 de març de 1930) assolien, en aquell context, valor de símbol. I si la primera significava el retrobament comunitari, la segona —dedicada, en homenatge, als intel·lectuals castellans que en plena Dictadura havien defensat públicament la llengua catalana— era el gest d'agraïment a aquells dels quals s'esperava (vanament, tal com els fets immediats ho demostrarien) una activa comprensió del fet diferencial català.

Aquell estat d'optimisme col·lectiu tindria, en el camp de la música coral, la màxima manifestació en el magne Festival d'Orfeons de Montjuïc (13 de juliol de 1930), on prop de 6.000 cantaires, sota la direcció de Millet, testimoniaven la voluntat de persistir en la ruta empresa i de refer la vida corporativa de la Germanor.

En realitat, aquell gran Aplec —per a trobar un paral·lel al qual calia remuntar-se a la Festa dels Orfeons del 1917— havia de ser el comiat brillant d'un món (polític, social, econòmic, cultural) prest a experimentar canvis substancials. Millet, però, no podia —possiblement— adonar-se dels signes dels nous temps. L'obra dels orfeons de Catalunya, *article publicat després del Festival, n'és un exemple, sense la més mínima al·lusió a cap innovació operativa, mostrant el convenciment que «l'esperit havia restat sencer i més potent que mai».*

Al cap d'un any, només, les contradiccions es farien evidents, amb l'esclat de la crisi d'identificació entre l'orfeonisme i la societat catalana.

L'obra dels orfeons de Catalunya (A propòsit del Festival celebrat a Montjuïc)
(«Revista Musical Catalana», núm. 320, agost de 1930)

Després de la maltempsada de la Dictadura, en la qual els orfeons de la nostra terra patiren, com tot el que era expressió de forta catalanitat, ara, en afluixar-se la tirania, tota veu s'ha redreçat més potent que abans, amb un nou delit i amb una forta vigoria. En aquells temps tristos no podíem cantar la cançó massa explícita del nostre amor a Catalunya. Hi hagué orfeons que foren suprimits per la voluntat omnímoda, altres tancats per llarg temps, altres sofriren imposicions irritants; tots no gosaven moure's gaire per no cridar l'atenció dels gossos de presa que estaven sempre a l'aguait dels atrevits. Les nostres senyeres estaven desades per no sortir condicionades per la voluntat dels qui manaven.

Llavors es podia ésser català només de certa manera; això de l'amor a la terra havia d'anar amb comptagotes. El cant, que és expansió amorosa, el nostre cant dels orfeons que és fill d'aquest amor a tota cosa nostra, a tot el patrimoni del nostre esperit, aquest cant era sospitós de malfactor i de rebel a l'eixorca unitat venerada. Uns orfeons foren assassinats, altres moriren per consumpció, tots portaren una vida raquítica, però, gràcies a Déu, l'esperit, que té vida immortal, ha restat sencer i més potent que mai.

La prova, la tenim en el gran Festival a l'Estadi de l'Exposició, el Festival que tancà amb forta catalanitat el magne certamen. Cinc mil sis-cents cantaires es reuniren vinguts de tot Catalunya, del mar, de la muntanya, de les valls i de les fondalades, de la parla fosca de l'orient de la nostra terra, de la parla oberta de la regió lleidatana, del Camp de Tarragona, dels Pirineus, tots s'uniren en uns mateixos cants de virior, cants de melangia, cançons de dansa, cançons d'amor, cançons de Pàtria! Tots entonaren amb un mateix ritme, amb una sola harmonia, amb tota una plena germanor.

El cant és la flor de l'esperit, és la resplendor de l'ànima, i no hi ha grana sense flor, ni llum sense resplendor. Un poble sense cant és un poble mort. El nostre cant és la senyera flamejant del poble català, la prova evident de la nostra existència com a poble, l'expressió directa i vibrant de l'ànima catalana. Oh, quin goig per a nosaltres, els obrers d'aquesta dolça feina! quina alegria en constatar que, malgrat les persecucions i els maltractes, ens hem trobat tots units amb un cant més fort que abans, més educat, més disciplinat que mai!

I encara no hi érem pas tots! Que molts no tingueren temps de refer-se, després del mal temps passat, i no pogueren preparar-se degudament per als cants convinguts. Però ara, tots són posats novament a l'estudi, amb raó i afició enardida, per tal que en qualsevol altra ocasió que es presenti, la manifestació del cant de Catalunya sigui completa, sense mancar-hi ni una petita regió ni una sola representació d'un lloc de la terra nostra.

Feu-vos ben bé càrrec, catalans, del que significa l'obra dels orfeons. Sobretot els qui domineu per vostra situació social, cultural o artística; tots els qui influïu en les decisions governamentals i en l'opinió de la gent. No és una quimera, ni una joguina, això del cant coral, ni un passatemps efímer, que és expansió i educació d'un poble. I el nostre poble el necessita més que cap altre, i ara més que mai, aquest plaer educatiu de la cantúria racial. El necessita per a refrenar el vici de la discòrdia, que massa palès el tenim entre nosaltres; per a educar elegantment el nostre individualisme ferotge. El necessitem ara per a posar fre a la disbauxa dels sentits que atropelladament fa malbé el món modern i escorxa la virior de la gent jove, i li mata l'ideal i el bestialitza. I Catalunya, que està en l'hora de redreçar-se i d'enfortir-se per arrapar-se dignament a l'esdevenidor, necessita una joventut ben lliure de baixes passions i ben alta d'ideals.

Els nostres orfeons estan al mig del camp social de Catalunya. Vull dir que llur obra arrela per sota en la vida més elemental del poble, més popular, i, per altra part, s'enfila i atrapa les cimes de la cultura transcendent de les altes capes intel·lectuals. Per això aquesta obra és desorientadora per segons qui, i els qui no l'estimen gaire, no saben pas per on atacar-la. Certa part dels nostres obrers no es decideixen a entrar-hi perquè la creuen o consideren massa sàvia o massa distingida; al costat oposat, els cultes refinats o els sociablement polits, a estones la veuen baixa de tendències, poc subtil, quasi vulgar. Ni uns ni altres no capeixen la nostra amplitud ni la nostra transcendència; uns són fanàtics de la democràcia barroera i els altres de l'aristocràcia pedant; els uns no entenen la polifonia subtil i els altres tenen escrúpol de rebaixar-se amb la melodia elemental i racial del poble; uns tenen por del que en diuen ciència i els altres del que anomenen anècdota o puerilitat.

Mes, nosaltres, a la nostra, que tenim els ulls despreocupats i tot ho copsem mentre vingui del cor i de la raça, de l'art noble i digne, sia dels segles passats o sia dels temps moderns, mentre hi campi la sinceritat i puguem clavar-hi les nostres mossades fent-ho tot nostre i racial. Per això cantem des de l'humil cançó del poble, on germina tota la virtut pairal, fins a la transcendència polifònica dels clàssics sublims. Per aquesta raó la finalitat de la nostra obra és completa i transcendent. No som pas a dalt de tot encara, però a mig camí de la pujada el cim és albirador i magnificent.

El gran Festival de l'Exposició és una monjoia gloriosa per a nosaltres, perquè ha demostrat la nostra forta vitalitat, el nostre progrés, malgrat els obstacles d'una època funesta, i el nostre anhel d'una perfecció creixent.

Potser, d'aquestes meves paraules, algú en dirà orgull i pretensió desmesurada. Tant se val! Jo, i tots els qui havem posat el delit i la vida en aquesta obra sabem que, si això és orgull, és noble orgull, que el cap no ens roda, que verament ens creiem uns escolans de l'art de la nostra terra, i creiem i sabem que, si els fruits són saborosos, ho devem a l'esperit honest que ens anima, a la nostra fe i a la poca o molta abnegació que Déu ha posat al nostre cor.

¿No és veritat, mestres germans dels orfeons de Catalunya? Tots som uns en un mateix ideal. Tots treballem amb humilitat, però enardits per la cançó de l'ànima de la nostra terra.

Tots, amb l'estol dels nostres cantaires, formem l'avançada de l'esperit català que canta la renaixença de la Pàtria.

L'ENYORANÇA DEL PASSAT

Les expectatives suscitades amb la proclamació de la República i amb l'obtenció de l'Estatut prengueren una derivació impensada per Millet i pels directius de la Germanor dels Orfeons de Catalunya, amb la minva de l'adhesió del cos social als orfeons.

Paral·lelament al desplaçament polític, també l'Orfeó veia debilitat el paper hegemònic, tant musicalment com cívicament. En el primer cas, és significativa la disminució, no solament de les actuacions públiques, sinó també la de socis i cantaires.

En el segon, hom és ja lluny de la presència activa en els actes nacionalistes reivindicatius, fins a arribar a la paradoxa de l'absència corporativa en una gran manifestació ciutadana a favor de l'Estatut. Imatge que no podrà pal·liar el relleu presidencial de Joaquim Cabot per Albert Bastardas (1935).

Millet es manté en una línia d'actuació centrada exclusivament en l'aspecte artístic, i que té els moments de màxima inflexió en la commemoració del 200è. aniversari del naixement de Haydn (1932: Les Estacions*), en la del 250è. del de Bach (1935: motets i cantates), amb una antològica sessió de música montserratina dels segles XVII i XVIII (1935), i amb la participació als actes del III Congrés de la Societat*

Internacional de Musicologia i del XIV Festival de la Societat Internacional per a la Música Contemporània (1936). Una trajectòria artística complementada amb la presència a actes rellevants (concerts amb motiu del lliurament oficial de l'Estatut, o commemoratius de l'aniversari de la República, etc.), amb audicions monogràfiques (Canteloube, Nicolau, Vives) o amb l'augment dels enregistraments discogràfics i de les emissions radiofòniques.

En l'àmbit personal, la projecció de Millet és, amb l'assumpció d'un nou càrrec (president del Col·legi de Mestres de Capella i Organistes del Bisbat de Barcelona), en l'esfera dels propòsits confessionals.

La tasca de conferenciant, la de prologuista de diversos volums i, sobretot, la d'escriptor, és marcada per la profunda distanciació amb la societat que l'envolta, per l'enyorança d'un món perdut i per la reiteració de la validesa dels seus esquemes, els quals són invocats constantment.

La mateixa reiteració, però, palesava que fins i tot el sector social al qual s'adreçava, fins llavors addicte, es mostrava refractari a persistir en una normativa pretèrita.

Dramàticament, Millet no tardaria a veure desbordats els esforços de resistir ancorat al passat.

EL DESENCÍS

A Manresa (24 i 25 d'octubre de 1931) era celebrada la III Assemblea de la Germanor dels Orfeons de Catalunya, onze anys després de l'última reunió general corporativa, i al cap de quinze mesos del gran Festival de Montjuïc.

El contrast entre les esperances pretèrites i la realitat present era revelador; i la dinàmica originada per les eleccions del 14 d'abril de 1931 no faria sinó accentuar-lo amb el pas del temps.

Lluny del suport social en massa de què el moviment orfeònic havia gaudit fins llavors, eren clars els símptomes d'un desinterès progressiu, únicament pal·liat en aquelles entitats que, com l'Orfeó Gracienc, mostraven una sensibilitat més viva per la situació política del moment.

En proclamar-se la República, Millet estava a punt de complir seixanta-quatre anys i presentava, no solament les xacres de l'edat —amb una afecció bronquial creixent—, sinó, sobretot, una nul·la resposta als canvis experimentats per una societat plural.

Progressivament, Millet es reclou en uns procediments inamovibles, tot fent una identificació mental del catalanisme amb les formulacions polítiques que la República havia substituït.

Tots els escrits (tant la ponència a la III Assemblea de la Germanor, com les nombroses al·locucions a entitats corals) reflecteixen aquest estat d'esperit, explicitat en una expressió literària on els continguts negatius denoten, no ja la iniciativa en l'acció, sinó un desencís personal i una actitud defensiva.

Alerta, orfeons («Revista Musical Catalana», núm. 365, maig de 1934)

Estem en un moment delicat, i fins perillós, per a la vida dels orfeons de Catalunya. Tan bella brotada, tan autèntic entusiasme, tanta fruïció en el cant pairal, en la polifonia clàssica i moderna, tanta fe en la identificació del cant coral amb el sentiment profund de Pàtria, tot això que és vida, ambient i força per a aquestes nostres entitats artístiques, tot aquest caliu vital, sembla que minvi i es refredi d'ençà que Catalunya té unes espurnes d'autonomia; d'ençà que no podem dir que el tirà ens assetja i amenaça. I no solament es nota aquesta espècie de davallada en els orfeons, sinó també en tota manifestació de caràcter espiritual, en tota expansió d'una vera idealitat: els llibres catalans es venen poc, el teatre català no té ni un racó en la gran urbs barcelonina.

Les causes són complexes i no vull, en aquestes ratlles, ni intentar esbrinar-les; però sí que vull dir que tot això significa que la fruita no era encara madura, que el nostre poble en massa no té encara consciència del deure de sentir-se català i d'obrar com a tal, i per tant, que ara és hora, més que mai, de no deixar perdre les bones obres que són vida i perfecció de l'esperit. I, d'aquestes, la dels orfeons és sens dubte una de les de més eficàcia popular. S'ha dit tant, això, que no cal repetir-ho ni demostrar-ho.

Es precís, doncs, no desmaiar per aquestes crisis passatgeres; fer bona cara al mal temps i vèncer-lo amb el nostre optimisme i fe en l'ideal. I sobretot no fer cas d'una espècie d'ambient que s'intenta formar contra la manera d'ésser dels nostres orfeons, especialment contra el repertori que anomenen, amb so de menyspreu, *folklòric casolà.*

Com si la nostra cançó popular fos cosa menyspreable o que en ésser emprada pels nostres compositors en obres corals no hagués donat fruits verament artístics i genèrics; com si en donar motiu als nostres orfeons de crear aquest gènere racial haguessin oblidat d'estudiar el repertori cabdal de l'estranger i de totes èpoques. ¿És que si els nostres orfeons no haguessin existit coneixeria el nostre públic la meravellosa polifonia clàssica de Palestrina, Victoria, Jannequin, Lassus, Brudieu i tants altres; motets profunds de pietat, madrigals d'una frescor i ciència admirable? I les grans obres del gènere oratori, passions, cantates i obres modernes, ¿qui ho ha fet conèixer tot això, sinó aquestes nostres abnegades entitats populars? I no des d'ara; l'Orfeó Català, des dels seus començos, ja va donar fragments de música coral clàssica i cants moderns estrangers dels més reputats autors; i seguidament, quan va tenir cor mixt, donà concerts completament de música polifònica del segle XVI. I si es va cuitar a desvetllar el gènere de l'empelt de la cançó al nostre repertori, com a segell *imprescindible racial,* no es descuidà *mai* de rendir homenatge a l'art de fora de casa, dels grans autors, antics i moderns. I això, tots els orfeons de Catalunya ho han fet seguidament, cadascun segons les seves forces. Jo, fa molts anys, em recordo que em vingueren les llàgrimes als ulls sentint un orfeó de muntanya cantant amb tota perfecció un coral de Bach. I sempre, fins avui dia, els nostres orfeons han seguit el desplegament del repertori coral, des del cant gregorià fins a les complexitats d'un Strauss i les modernitats d'un Ravel, Debussy i Stravinsky. Però no per això havíem d'oblidar ni deixar mai a l'últim terme el pa de casa; moreno si voleu, però gustós i *nostre.* És que havíem d'oblidar la nostra cançó? ¿És que l'empelt d'aquesta en l'obra musical catalana no ha tingut eficàcia? ¿És que no tenim harmonitzacions i glosses magnífiques? Les obres perfectes de Nicolau, les saboroses i subtils de Vives, les fresques i fortes de Morera, per citar només els autors de més renom, ¿no valoren tota una escola racial? ¿Hi ha un músic que ho vulgui discutir, això?

L'obra dels orfeons de Catalunya ha tingut i té una amplitud magnífica, i no ha d'envejar res a les escoles nacionals estrangeres.

No cal, doncs, canviar de camí; per l'art de fora no havem de menysprear el de casa, i per amor que tinguem a aquest no havem de deixar de prendre exemple del bo i digne d'imitació que ens vingui dels països forans i d'èpoques llunyanes; però sempre la finalitat ha d'ésser el conreu dels elements estètics que han donat fisonomia característica al nostre poble; l'art, per primitiu que sigui, que ell ha creat com a expressió autèntica de la seva sensibilitat de la bellesa.

La nostra obra dels orfeons és fonamentalment racial, i això no havem d'oblidar-ho mai, si no volem que ella es corsequi per manca de saba vital. Ella s'ha d'enfilar a l'art transcendent, emparant-se amb l'art dels grans genis de la música, sí, però sense renegar del que li ha donat vida i que li ha de continuar donant el caràcter, el caràcter inconfusible que l'ha feta albiradora i magnífica als ulls de propis i estranys.

Als cantaires de l'Orfeó Rodenc
(De «Ressò», de Roda, setembre de 1934)

En el batibull de les passions modernes, el cant sembla que no hi lligui, que l'art plegui les ales i que en comptes de volar amunt solament pugui fregar-les en el fang de la terra baixa. La música *sèria*, cercant ésser original, es disloca en extremituds que, si sorprenen, no causen cap goig estètic; la de menys pretensions es rebaixa en exotismes banals de ritmes salvatges i sensuals, portant la dansa a la seva baixa modalitat simiesca. I això es manifesta en la societat alta i baixa; la potineria dels costums rebaixa l'home modern a la categoria d'una bèstia fastigosa. Doncs heus ací que, en aquest temor tan ombriu, tan mancat de bella claror, Catalunya obté un retall d'autonomia, un tros d'aquella llibertat tan enyorada i tan reclamada. Heus ací que, ara que és hora d'acreditar-nos de posseir aquell seny pairal tan lloat, ens trobem que l'ambient aquest modern, tan viciat per odis, passions i brutalitats, desvia les nostres qualitats, i en comptes que els catalans demostrem ésser dignes de portar eficaçment el nostre propi govern, estem en perill de perdre el crèdit de poble assenyat per a poder fer ús d'una llibertat completa i veritable.

Una de les manifestacions més educadores i de més eficàcia del nostre modern renaixement ha estat l'obra dels nostres orfeons; obra inspirada en un art autòcton, en els sentiments més nobles i en un ver sentit popular, social i patriòtic.

Obra que té per finalitat fer cantar el nostre poble, d'una manera verament artística, allò que ennobleix l'ànima humana; i fer-li entonar d'una manera digna els sentiments més propis de la raça i l'art universal que més l'ajudi a descobrir nous horitzons de perfecció i grandesa. I els nostres orfeons han complert (...) creant un art coral ben nostre, sublimant la nostra cançó, fent conèixer l'art universal antic i modern i, d'una manera ben singular, han ajudat el moviment de l'art musical religiós, iniciant entre nosaltres el retorn a la polifonia clàssica i fent conèixer alguns autors del segle XVI, i, sobretot, donant ocasió a la creació d'un art popular religiós tan nostre i tan excel·lent i característic.

Aquesta obra, estesa per tot Catalunya, que té a prop de mig segle d'existència, ha d'ésser, ara, en les circumstàncies actuals de la nostra terra, un element d'edificació nacional, d'enfortiment de les nostres virtuts racials, de redreçament contra els vicis moderns de materialisme, d'escepticisme, d'aquest sensualisme desvergonyit que rebaixa l'home i la dona a la més baixa categoria de la bèstia. L'obra dels orfeons de Catalunya ha d'ésser el cant de la dignitat catalana, el cant de l'honestedat pública, de la nostra fe en Déu, en el Principi de tota cosa; ha d'ésser el cant d'amor de tota la germanor catalana, ha d'ésser el cant de les nostres grandeses passades i el de les nostres grandeses futures. Fins ara quasi ja ho ha estat, tot això, en espera d'un temps de llibertats; d'aquí endavant, volem afermar i engrandir les nostres llibertats atorgades, ha d'ésser tota la terra catalana que vibri en aquest himne ressonant de nostra raça. Aquest serà el signe de la nostra voluntat d'esdevenir un vertader poble lliure; essent els catalans amos d'ells mateixos, ho seran per la vera grandesa de Catalunya, per així contribuir a l'harmonia universal que la mà de Déu regeix amb l'amor que tot ho sublima.

L'IDEAL INDEFALLENT

Refractari a l'admissió d'un estil de vida i d'uns costums per a ell insòlits, Millet, als anys trenta, fa pública bandera del sentit tradicional, ratificant el convenciment en el cristianisme com a eix del nacionalisme català.

És el testimoniatge d'un vell cristià, que no dubta a proclamar-se'n en una societat progressivament secularitzada. D'un cristià que, per a les interpretacions de l'himne nacional Els segadors, *per ell harmonitzat, refusa la lletra d'Emili Guanyavents, jutjada d'un contingut innecessàriament agressiu, i es manté fidel al romanç tradicional. D'un cristià que, en ocasió de l'enterrament civil del President Francesc Macià, consulta al doctor Carles Cardó la conveniència de la presència corporativa de l'Orfeó.*

El testimoniatge d'un vell cristià, en definitiva, que malda per la renovació dels costums en adreçar-se apassionadament a la dona catalana com a ressort bàsic de la recuperació social, de la consecució del seu idealisme indefallent.

Noble recés musical («Revista Musical Catalana», núm. 346, octubre de 1932).

És temps que la dona catalana cerqui un recés espiritual ben sòlid, si no vol perdre la forta dignitat racial que la caracteritza. El nostre caràcter racial, tots l'entenem aureolat d'una noble austeritat, d'una bella sobrietat, d'una harmonització de les idiosincràsies romanes i hel·lèniques pastades i sublimades pel cristianisme. Aquella dita del doctor Torras, que Catalunya serà cristiana o no serà, vol dir que el segell de Crist és essencial, que sense aquest segell els elements primaris del nostre caràcter resten eixorcs i híbrids, deslligats i sense eficàcia i, en tot cas, sense la noble i característica fesomia que mostra l'existència, la realitat de la nostra nacionalitat secular. Per això el cristianisme ha d'ésser l'eix central del nostre nacionalisme. Però els temps moderns porten un relaxament paorós en els costums; a l'empar de la moda, l'home i la dona es desprenen de tota la dignitat de l'esperit; sobretot la dona. La moda subjuga i governa d'una manera llastimosa aquesta bella mitja part de la Humanitat, ella que és la força omnipotent que empeny les generacions cap al bé o cap al mal. La dona perd, sota la tirania de la moda, l'encant que la dignifica i fa pura la seva eficàcia sobre la marxa i desplegament de les generacions. ¿Per què la dona, que amb els seus encants sap vèncer tants obstacles als seus desigs, és tan dèbil per a combatre i dominar els imperatius de la moda regnant, per contrària que sigui a l'encís primordial de la gràcia femenina? ¿Per què fins la dona cristiana ha d'ésser feble envers la moda indecent, fent pacte, aparentment, amb el dimoni de la impudícia?

I tot se'n ressent, d'aquest contuberni amb la baixa natura; tot el que dignifica l'home, totes les expressions de les altes idealitats, totes les manifestacions nobles de l'art, totes decauen i, mig arraconades, moren d'asfíxia. Sembla que en el món modern sols ha de regnar la força i la brutalitat. Els atletes, els boxadors, són els ídols de les multituds. I en les belles arts solament s'aguanta i crida el públic la veu potent, encara que no tingui solta, la música vulgar i barroera, la revista enlluernadora, més o menys bruta i sempre incoherent; i si alguna comèdia o drama se salva, ha d'ésser farcit de paraules gruixudes i de passions deliqüescents.

La música, la pobra música, en pateix enormement, d'aquest estat de coses. Els qui tenen vena, els abundosos d'idees, els músics de natura, fan rajar l'aigua tèrbola dels sentiments vulgars. Els músics savis, que pretenen la novetat i la transcendència, espremen llur secada per donar fruits aspres i flors sense color, marcides i enutjoses.

Oh dona catalana!, afina els teus sentiments de raça, escolta dins tu mateixa la deixa racial del seny, sobrietat i modèstia, i sàpigues trobar l'art sincer i enlairat, ennoblidor i assaciador de la pruïja que ens esperona l'esperit amb els anhels infinits de la immortalitat. Estima la música, practica-la. No et refiïs de «ràdios» ni gramòfons sinó en certs moments, quan parlen dignament, que no és pas tan sovint com caldria. Tu, tu mateixa canta i toca, en la intimitat, en bona companyia, no lleugera i xerraire. Canta i toca Bach, Beethoven, que et despertaran les ressonàncies més profundes de l'esperit; interpreta tu mateixa, fent-te ben humil, la gràcia inefable de Mozart, i no oblidis els antics italians, que, a la melodia racial, tenien encara empeltada la noblesa dels polifonistes palestrinians. No menyspreïs els romàntics, encara que ja no siguin de moda. N'hi ha d'emoció nobilíssima que enlairen verament el cor i l'ànima. No oblidem que, sense el romanticisme, la Catalunya moderna encara fóra als llimbs. Dels romàntics ençà, sàpigues fer la tria, que sempre l'esperit de l'home ha fruitat dignament a estones. No oblidis, sobretot, la música catalana: no és molt rica, però té els seus oasis de verdor atraient; i és la nostra, la que hem d'esperonar i estimular. Solament la nostra cançó popular és capaç d'eixorivir-nos, de sanejar-nos l'ambient malèfic que ens corromp, i de distreure'ns de l'art bordissenc estranger que ens fa perdre la memòria del que som i hem d'ésser.

Aquests ritmes de «negrets civilitzats», aquestes danses que no vull anomenar, animades pels gestos simiescos, són la plaga més indecent que mai hagi flagel·lat el poble civilitzat. Oh dona catalana!, per la pròpia dignitat, fes un esforç per a refusar aquesta moda ridícula i pudent.

Estima, estima la música, vés als concerts i escolta amb atenció, que prou hi trobaràs el plaer més noble i penetrador. I si no toques el piano o un altre instrument propi per a la intimitat, almenys canta. Tothom té poca o molta veu, per a cantar; deixa-te-la educar un xic i veuràs com podràs gaudir tu mateixa en la interpretació dels meravellosos *lieder* dels millors autors, amb el ja ric repertori de la cançó catalana. I si vols refilar sense cap esforç seriós, tens les cançons tradicionals del nostre poble, que et serviran d'esplai i al mateix temps servaran en el teu esperit el tremp i el regust essencial de la nostra raça.

Que un noble recés musical guardi la dona catalana dels mals vents desoladors de la moda moderna!

LA MORT D'AMADEU VIVES

Tots els tempteigs del període comprès entre 1931-1936 (mutació social, recerca de nous camins estètics, relleu polític hegemònic, crisi de l'orfeonisme, etcètera), venien reblats amb la mort de dues figures insignes: Amadeu Vives (1932) i Antoni Nicolau (1933).

La mort de Vives (Madrid, 2 de desembre de 1932) colpí profundament Millet; la desaparició de l'amic de l'ànima era una nova ruptura per al seu esperit, afermat en l'enyorança del passat més que no pas obert a les expectatives del futur.

El músic que, amb L'emigrant, *donà el 1894 un cant autènticament simbòlic del sentit català, havia revingut al conreu coral en la maduresa, i oferia a Millet el fruit assaonat del seu temperament artístic:* Tres idil·lis *(1926),* Follies i paisatges *(1927/28), i dues composicions destinades a una àmplia popularitat i a una funcionalitat cívica:* La Balenguera *(1926) —acceptada col·lectivament com a cant substitutiu de* Els segadors *prohibits per la Dictadura i, per això mateix, també interdita— i* El cant del poble, *compost sobre un tema de* Els xiquets de Valls, *de Clavé.*

Millet i l'Orfeó, acomplint el vell desig de l'amic,

acolliren a la casa pairal les despulles de Vives, participaren en els actes de record i homenatge tributat al Liceu, i donaren una audició integrada exclusivament per composicions seves.

Tal com, posteriorment, féu amb Nicolau, Millet dedicà a la memòria de Vives un article antològic. La seva prosa prenací unes inflexions de tendra enyorança, llima divergències estètiques pretèrites i el judici laudatori és, lluny del ditirambe, conscienciosament reposat. En poques ocasions el fi és expressat, com en aquest escrit, amb una més clara economia de mitjans, amb una idoneïtat més justa entre continent i contingut.

Amadeu Vives («Revista Musical Catalana» , núm. 349, gener de 1933)

En Vives és mort! Al Cel sia!

La cosa primera que se'ns acut, pel germà traspassat de poc, és l'oració pel seu esperit desprès del fang de la carn. I en aquesta oració per l'ànima de l'amic, quan aquest ho ha estat fins a l'arrel del cor, hi ha el tast dolorós de l'enyorança que punxa les entranyes.

Hom prega Déu en el sentiment de l'amistat, en la contemplació del misteri del més enllà i en la dolor de la pèrdua irreparable d'aquella comunicació de la vera amistat, que és el gran consol de la vida, un ver esplai de l'esperit, el tornaveu de la mateixa pròpia personalitat.

I en Vives, que Déu tingui al Cel, havia estat per a mi aquest complement, aquest consol en la meva ja allunyada joventut. Després, ell fugí lluny, amb dèries diferents de les que ens ajuntaren; però ell revenia sovint i ens trobàvem encara iguals en la fidelitat de l'esperit per l'ideal, pel sagrat ideal de la fe, de la pàtria i de l'art. En veure'l, jo em rejovenia, i els sentiments inefables dels primers amors aletejaven altra volta en el meu cor i en la meva ànima i em semblava que prenia nou alè en el dolç treball de la meva vida; i ell, en Vives, també semblava que oblidava tota la seva vida allunyada de la nostra obra i no se sentia res més que un artista de la terra; constatava tota la seva catalanitat i se'n sentia tan corprès i convençut, que en tot el seu art, per forastera que portés la vestidura, ell assegurava veure-hi la més profunda arrel racial.

¿Tenia raó, l'amic, o era il·lusió del seu amor propi considerar aquell art seu servant una perenne catalanitat? Jo crec que veritablement tenia raó; perquè en les abundoses pàgines notables de la seva obra teatral hi ha una honradesa i una sinceritat, una lògica i claredat d'idees del tot catalanes, malgrat els gèrmens melòdics forasters. I aquells mateixos gèrmens, aquells perfils melòdics, descobreixen el tremp específic racial. Sí: les millors pàgines de les seves obres més famoses són verament nostres, porten el segell del geni de la nostra natura pairal.

Fer jo la crítica objectiva de la seva obra, plasmar la seva personalitat extraordinària, no m'és possible; l'amic és massa a prop meu per a saber definir-lo; el seu sentir i el meu s'han massa barrejat perquè jo sàpiga destriar la seva part i pugui fer cas omís del meu íntim sentiment envers l'home i envers l'artista.

A més, en Vives és difícil de definir. Ell era un conglomerat de forces de natura i espirituals formidables: intel·ligència, imaginació, un físic desequilibrat en aparença, però riquíssim de sensacions. Natura privilegiada per a ésser d'un gran artista. Ell era un pensador, era un líric per la seva cordialitat, un fantàstic per la seva imaginació, un sensual per l'enardiment dels seus sentits. I la seva música té part de tot això. I l'home, el seu tracte, tenia l'esplendor d'aquestes facultats, totes potents i extraordinàries. I si en la seva obra i en la seva vida hi ha algun desequilibri, és a causa de la plenitud d'aquestes forces quan la voluntat no era prou potent per a dominar-les i ordenar-les.

Però ell tenia una lògica tan segura, tenia una claredat de judici tan envejable, tenia arrelada des d'infant una fe religiosa tan profunda i racional que sempre acabava per revenir a l'equilibri, el més noble, de la vida i de l'art. Així ha estat la seva obra artística, així el seu viure coronat amb una mort nobilíssima.

(...)

I tot era fill del seu geni, de l'amplitud del seu geni. Afamat del saber, ell, sense mestres, es féu una cultura profunda humanística i artística. Ell, sense concórrer com a alumne a cap classe d'universitat ni seminari, coneixia i *posseïa* un sentit filosòfic i àdhuc teològic, que molts professionals podien envejar. De jovenet, ell acudia cada dia a la biblioteca de la Universitat de Barcelona, i allí s'amarava de les teories dels filòsofs i de les subtilitats místiques dels Pares de l'Església. El seu recte sentit de judici, el seu tarannà de pagès de muntanya l'acostaven a la lògica aristotèlica i, al mateix temps, era un sincer admirador de Balmes; tenia el seny català com segell del seu esperit. La fe religiosa, que com herència de família portava a dins de l'ànima, trobà la seva fermança en aquella filosofia i en aquella mística. Musicalment, també es pot dir que es formà ell sol, i que era un enamorat dels clàssics. Les primeres vegades que jo el vaig tractar fou en un magatzem de música, on jo venia solfes. En Vives compareixia sovint a mirar obres, encara que no en comprava pas gaires. Anava sempre amb un gros llibre a sota el braç. Més endavant, quan intimàrem, jo li vaig demanar quin era aquell llibre que mai no deixava, i ell em digué: «Eren les sonates de Beethoven que en tot moment llegia, pel carrer, entrant en una escala; era el meu breviari.» I veritablement en aquell seu breviari va aprendre en Vives el secret de la forma i una vivacitat tota clàssica que es troba en les seves millors pàgines de conjunt vocal i orquestral.

Més endavant, quan la nostra amistat florí, fou en l'art racial que somniava ell... i jo, que portava uns quants anys d'avantatge de vida i d'aficions catalanistes.

Aquella era l'hora de la primerenca florida del sentiment patriòtic i del reconeixement de tot el característic de la nostra terra. Escoltar una cançó de viva veu del poble era per a nosaltres un goig inefable. Visitar un monument antic de la nostra Catalunya era un esplai del nostre enamorament; i tocàvem aquelles parets venerables com si volguéssim encomanar-nos la força de les edats pretèrites que les feren glorioses. I aquests sentiments d'art i de pàtria es barrejaven amb les idees filosòfiques més elevades i amb les veneracions per l'ideal religiós més pur i transcendent, i en aquella efervescència sentimental jovenívola fou quan concebérem l'obra d'un cor que cantés tot allò que nosaltres sentíem; i que ho cantés d'una manera perfecta, d'aquella manera que nosaltres sentíem l'ideal per l'art, per la Pàtria, per Déu, infinita bellesa. Però era ell, en Vives, qui fecundava la idea, qui l'estenia pels horitzons més amples. Perquè ell tot ho volia gran i transcendent. Fou llavors que nasqué l'Orfeó Català; i, si aquesta obra ha viscut i s'ha fet forta i ha servit d'exemple i ha fet bé a Catalunya i al nostre art, ha estat perquè portava a dins aquell sentiment primari de la seva concepció generosa que com llevat de bona mena ha donat un pa gustós per al cos i ànima del nostre poble.

(...)

I a Catalunya, com a penyora del seu amor, li ha donat dos himnes. Si en la seva joventut li va dictar el cant de l'enyorança, ara, en les darreries de la seva vida, en veure-la ressorgir de l'avorrida esclavitud, ara, abans de morir, li ha donat comiat amb aquella *Balenguera,* tan bella i escaient com la poesia que li dóna vida; i amb aquell cant emmanllevat al pare de tots nosaltres els músics que creiem i combreguem en la música catalana, al primer intuïdor de l'accent musical catalanesc de la nostra Renaixença, en Clavé, a qui en Vives ha volgut homenatjar tot honorant la Pàtria ressorgida.

I després d'haver cantat així els seus amors a l'art de la terra i a l'ànima immortal de Catalunya, en Vives ha fet un gran càntic solemne i nobilíssim a Déu i al seu Evangeli; s'ha humiliat com pols de la terra, demanant al Cel misericòrdia; ha acotat tot el seu ésser en penediment de la misèria de l'home i en ales de la fe, de l'esperança i de l'amor celestial, ha lliurat el seu esperit al sublim Misteri; i ha deixat la despulla mortal ací en la seva terra; fent-nos, abans, un bes de comiat en els seus somnis de joventut i del noble ideal de la seva vida, donant així compliment als seus desigs que expressà amb aquelles paraules que escriví a l'àlbum del nostre Orfeó, dient que així com aquest li obrí els ulls de la seva joventut, volia que tanqués els de la seva vida.

EL RECÉS CONSOLADOR

La vocació montserratina de l'Orfeó no fou sinó el reflex de la particular de Millet, els moments importants de l'obra del qual són marcats pel signe montserratí (benedicció de la senyera, Congrés Litúrgic del 1915, commemoració del 25è. aniversari), com també ho foren —i ho són— moltes de les obres que han esdevingut consubstancials amb qui les divulgà, des de La mort de l'escolà *(1900), de Nicolau, fins a l'important* Cicle montserratí *(1925, 1926/1930) del mateix autor.*

No era, només, el contacte professional necessari amb uns qualificats representants d'una institució musical secular. Eren més pregons, els lligams de Millet amb Montserrat, reduïbles —en última instància— a profundes motivacions religioses i patriòtiques.

El seu lleure fou repartit cada any entre el Masnou i Montserrat —«concreció de tots els nostres amors més nobles, més purs i més genuïns», com havia escrit més de quinze anys enrera—, esdevingut un recés consolador en l'última època de la seva vida, la del desencís personal i, per a ell, col·lectiu, en una Catalunya molt distinta de la dels seus somnis juvenils.

Carta a Vicenç de Moragas.
Montserrat, 27 d'agost de 1933

Caríssim Moragas: Vaig rebre la vostra carta, tan bona, tan filla de la vostra cordialitat envers la meva pobra persona. El món és agradable i té bon gust per aquestes amistats, per aquestes boneses del nostre pròxim. L'Orfeó Català ha fet obra bona, sobretot perquè ha creat aquestes relacions de cor a cor, aquesta caritat germanívola, que avui és tan escassa. L'Orfeó és un imant que atreu ànimes bones; però, tan excel·lents com la del seu vice-president, jo no en sé veure gaires!

Aquí, a Montserrat, s'hi està bé. És una muntanya alta i singular per als catalans, única per a nosaltres. La nostra aspror s'endolceix amb aquesta atracció suavíssima de la Verge Maria. Des d'aquí dalt, el món és més bonic i es veu més bo, encara que mesquinet, distret i atabalat. Així com els turons de sota la muntanya quasi fan una planura a la vista del montserratí, tot fa una unitat quasi sense arruges, així les imperfeccions dels homes se'ns esborren i tots ens semblem més bons, encara que enganyats per la mentida. Tots no som res; mes per l'amor de Déu i amb la llum blava de la Verge Maria, tots ens abracem dins la misericòrdia divina.

Amb aquest amor i amb aquesta llum de gràcia, em plau, amic Moragas, enviar-vos amb aquestes lletres tot el meu afecte i el meu agraïment per la vostra amistat excel·lentíssima.

EL GERMÀ SCHWEITZER

El febrer del 1905, Millet publicava a la «Revista Musical Catalana» una glossa a l'obra d'Albert Schweitzer J. S. Bach, le musicien-poète. *Era el primer contacte amb qui havia d'arribar a ser un autèntic* germà *(l'apel·latiu fou del mateix Schweitzer) d'ideal artístic.*

Si Vives fou l'amic de l'ànima, Schweitzer fou la personalitat estrangera amb qui Millet intimà més fondament, amb una compenetració total, ètica i estètica, a desgrat de la diversa confessionalitat religiosa.

La coneixença personal tingué lloc el 1908, per mitjà de Gustave Bret, director de la Societat Bach, de París.

Schweitzer vingué per primera vegada a Barcelona el mes d'octubre per participar en els Concerts de Tardor del recentment inaugurat Palau de la Música Catalana. Precedides per una conferència sobre l'art i la personalitat de Bach (21 d'octubre), les seves primeres col·laboracions es concretaren en les audicions dels dies 24 d'octubre (en qualitat de solista i d'acompanyant) i 26 del mateix mes (en què executà la part d'orgue del Magnificat, *de Bach).*

Schweitzer trobà en Millet el reflex del seu propi

capteniment. En una de les múltiples cartes adreçades al fundador de l'Orfeó, li confessava: «... Qui m'havia de dir, quan jo me'n vaig anar a "Espanya" —sit venia verbo—, *que hi trobaria amics. Vosaltres m'haveu fet molt de bé, i jo he agafat un nou tremp prop vostre. L'entusiasme que us uneix, us fa envejables als ulls d'aquells que viuen en un país en el qual aquesta atracció no existeix...».*

Les nombroses col·laboracions artístiques de Schweitzer amb Millet —disset, entre 1908 i 1921— foren molt més que un lligam contractual entre un artista i l'entitat que les organitzava. Foren una autèntica relació fraternal, fins al punt que, a partir del 1911 —any de la Missa en si menor, *de Bach—, Schweitzer compartí, en les estades a Barcelona, l'estatge del mestre Millet en una convivència familiar desinteressada, amb plena integració en la vida quotidiana del fundador de l'Orfeó.*

La compenetració dels dos artistes (Schweitzer arribà a afirmar: «... ¿És que pot sortir una idea d'Albert Schweitzer que no sigui la del germà català?»), assolí el punt màxim el 1921, en la primera audició a Espanya de la Passió segons sant Mateu, *de Bach, referència constant en llur epistolari.*

Des del 1930 —i amb una regularitat mai no interrompuda —Schweitzer escriu a Millet cada diumenge de Passió, revenint al dolç record d'aquelles audicions.

A la remembrança del 1936 («... És el diumenge de Passió. Sóc a Estrasburg, en la tranquil·litat de la meva petita cambra de treball. Dintre de poc haig d'anar a estudiar l'orgue per un concert. Mentrestant, us escric aquestes paraules per dir-vos que jo penso sempre *particularment en vós en aquests dies, en els quals fa anys que nosaltres vàrem donar junts la* Passió, *de Bach. Quants records!...»), Millet corresponia amb una lletra en la qual es reflectia, a més de l'afany artístic, la fatiga física d'un home de seixanta-nou anys, i la desorientació davant els esdeveni-*

ments polítics coetanis, el país estant a punt d'experimentar una ensulsiada tràgica.

Carta a Albert Schweitzer. Abril de 1936

Mon estimat Schweitzer: Gràcies de la vostra lletra. Ja veig com us recordeu sovint de la nostra *Passió*. Jo també. Encara n'estic emocionat. Després nosaltres havem donat a l'Orfeó cantates, darrerament una part de la *Gran Missa;* però la *Passió* és el cim de l'art que lliga a la Divinitat.

Veig com vós continueu absolutament el programa de la vostra vida dedicada al bé del pròxim, a aprofundir la raó del viure, a l'art noble del gran Cantor. Jo també continuo, però, el meu programa que és molt més senzill que el vostre. Jo, solament la música, sense oblidar de lligar-la a la glòria de Déu i a la sana emoció del poble. I encara Déu sap si jo he complert tot el meu deure.

En aquests dies d'abril tindrem a Barcelona el III Congrés Internacional de Musicologia, en el qual veig que, en el tema organogràfic es troba una conferència del canonge Matthias, d'Estrasburg. Tindrem pels mateixos dies l'organista del Conservatori de Stuttgart (ja no em recordo del nom) que sembla que dedicarà un concert als membres del nostre Orfeó amb el nostre orgue (...). Nosaltres ens estimaríem més tenir assegut a l'orgue l'estimat Schweitzer. Després, donarem dintre d'aquest Congrés una audició de música polifònica antiga espanyola i moderna catalana. Al final de maig cantarem la *Missa* íntegra de Bach amb el *Kyrie* i el *Credo* que l'any darrer no vàrem tenir temps d'estudiar.

Tot això amb el meu treball com a director de l'Escola Municipal de Música i els meus cants d'Església, és un feix massa gros per a un home com jo, que té la joventut molt lluny. Sí, estimat meu, jo sóc quasi vell; però sofreixo perquè sóc vivament esclau del deure, que em comana; i jo crido, faig grans moviments; però la veu se'n va i el pit diu... ja n'hi ha prou!

Mon estimat Schweitzer: la nostra Pàtria sofreix una gran confusió. Estem en ple laïcisme, la qual cosa vol dir que estem deixats de la mà de Déu. Sembla que tenim els nostres governants, però la llei sense la llei de Déu no és la llei, és la mentida!

Ai, las! Els germans catalans no estan pas gaire contents; per això els aconsolen molt els bons records del germà Schweitzer.

Tot el meu afecte.

LA VELLESA. LA MORT

L'home que havia fet del cant i de la paraula una eina d'apostolat cívic i cultural, veia —en l'última etapa de la vida— emmudida progressivament l'obra al servei de la qual cremà els més purs afanys.

Amb l'esclat de la guerra, s'accentua en Millet un procés d'ascesi espiritual, en un esforç de deseiximent dels neguits terrenals. Fins el silenci a què es veu abocat l'Orfeó —primerament, pels esdeveniments bèl·lics i, després, per la imposició dels vencedors de la contesa— és assumit com una prova amb la qual cal practicar la humilitat.

Mentrestant, cerca el consol a les privacions, al mutisme forçat i a les xacres d'un cos cansat, en la música, en la composició, en el contacte epistolar, en l'alegria dels néts.

En acabar la guerra, Millet és un home vençut físicament, i negat espiritualment a tot allò que no sigui la preparació per a una fi que intueix propera.

L'extens epistolari d'aquesta hora mostra l'home de fondes conviccions cristianes, els ulls girats al més enllà i obert a la Transcendència suprema.

LA MALTEMPSADA

18 de juliol de 1936: des del Masnou, Millet escriu a la seva deixebla, solista de l'Orfeó, i notable liederista, Montserrat Salvadó, la qual —d'origen rural, filla del Mas Montserrat, una casa pairal de Reus— li feia ofrena anualment, en signe de devota admiració, de fruita i productes de la terra. Millet agraeix finament l'obsequi i, després de la referència a la composició d'unes cançons, esmenta tangencialment la situació política: «... en l'ambient hi ha una inquietud que fa pressentir coses grosses!».

Dos dies després, a la matinada, des del terrat, Millet contemplava, irat com un profeta bíblic, un tràgic espectacle de resplendor rogenc, de fumera espessa i de flames arborades: l'església parroquial havia estat incendiada.

Aquell que havia pretès d'assolir la més absoluta puresa, que havia estat capaç —per fer comprendre el misticisme que volia per a una composició— de fer assajar, de genolls, la Pregària a la Verge del Remei, *proferí una maledicció condemnatòria, seguida de la decisió d'intentar aturar, amb la seva presència física i amb l'autoritat moral de què era portador, l'odi desfermat, la incivil provocació, el sacríleg incendi.*

Només la ferma actitud del seu fill Lluís Maria

—que, per salvar-lo, tancà la casa amb pany i clau— l'en privà.

L'estada al Masnou es perllongà fins a finals d'agost, en què es traslladà a Barcelona, per tal de no haver de complir una ordre sectària del Comitè Revolucinari de la seva vila.

De retorn a la ciutat comtal —de la direcció de l'Escola de Música de la qual havia estat destituït poc temps després de començar la guerra fratricida— fou rellevat, pel fidel deixeble Francesc Pujol, d'haver d'acomplir el requeriment comminatori de la CNT-FAI d'enregistrar els himnes revolucionaris Los hijos del pueblo *i* A las barricadas.

Estrany en un món estrany, Millet veia sobtadament conculcats els postulats ètics —humans, simplement— pels quals havia regit la seva vida. Totes les paradoxes del període anterior, esclataven ara d'una manera transparent.

Carta a Montserrat Salvadó.
El Masnou, 18 de juliol de 1936

Benvolguda Montserrat: He rebut, com cada any, la caixa de fruita complidora de l'afecte que una bona noia té a un amic ja vell i tronat. Gràcies, amigueta; demostra que encara en el món hi ha bons afectes i per tant... cançons. Ara, que les cançons hi ha qui les refila, qui les sent i interpreta; però ja és més rar trobar qui les inventa en gràcia d'art i de bellesa. Aquesta gràcia ve de dalt i no pas en tots moments. Els Sants, en èpoques de sequedat, quan ni saben pregar, es queden arrupits sense esma, i humilment esperen la gràcia que altra volta els encengui el cor i l'enteniment. La creació de la bellesa, també és gràcia de Déu, i si no ve, no em toca altre remei que esperar amb humilitat, i tot això va com a resposta a la teva *indirecta.* Filleta, encara no raja!

Ja em pensava que allò de la vostra visita al Masnou fóra fum enlaire. Almenys que sigui una cosa certa la visita Salvadó a Cardó. Nosaltres pensem anar-hi allà el 3 de setembre i, si em prova, restar-hi fins a últims de mes. Ara, qu Déu dirà. Perquè en l'ambient hi ha una inquietud que fa pressentir coses grosses! A veure si ens haurem de quedar arraulits a caseta.

Carta a Pasqual Boada.
El Masnou, 9 d'agost de 1936

Bon amic Boada! Estimat Boada, bon amic: És bo repetir aquests mots quan es veu l'odi regnar al món. Bon amic! Jo li agraeixo els consells; i potser sí que és millor que ens quedem al Masnou i no vinguem per ara a Barcelona, la boja Barcelona.

Encara que tot el món és boig. De totes maneres, vull venir un dia a Barcelona, per veure amics i coses estimades que un enyora, encara que les hagi de trobar destrossades... Amic Boada: una de les últimes glosses del Dr. Cardó parlava que aquest món és sols una aparença, un símbol de la gran realitat eterna; vida i mort són fulguracions que ens enlluernen... Des d'aquest cimal ideològic, totes les calamitats d'ací baix no esveren, donen tremp a l'ànima.

Boada, veniu amb en Tomàs a dinar aquí al Masnou. Tots ens refarem i consolarem. Una abraçada! (...) Vigileu l'Orfeó!

Carta a Joan Llongueras. El Masnou, 9 d'agost de 1936

Estimat Llongueras: En aquests moments, un no sap pas què escriure ni què pensar; a dins, un sent una confusió d'idees i sentiments que trontollen cos i ànima. Jo li estimo molt la seva carta; els amics i companys d'ideal aguanten l'home en els forts trontolls de la vida. L'home és un ésser ben estrany, difícil de definir. Quin misteri més profund hi ha en nosaltres mateixos! És ben veritat que en l'home hi ha tot el compendi de la creació, des del dimoni fins a l'àngel. Quin fàstic fa, a vegades; quina ràbia i, a voltes, quina llum, força i plenitud de bonesa el sublima (...). Aquí, al Masnou, per sobre les coses tristes que hi han passat, hi ha un cel tan blau, i per davant un mar tan blau, que fa que el mal resti esblaimat i que un vegi el somriure misericordiós de Déu sobre les nostres misèries. Rebi una abraçada d'aquest amic que l'estima.

CÀNTICS PER AL POBLE

A primers de juliol de 1937, Millet es trasllada novament al Masnou, on passà la major part del període bèl·lic.

Des de la darrera audició —7 de juny de 1936— l'Orfeó no ha pogut sinó participar en actes col·lectius, la significació dels quals és altra que la simplement artística (actuacions al Fossar de les Moreres, al monument a Casanova, festivals i mítings de signe polític, etc.), i en cap dels quals Millet no intervé activament com a director.

Li queda encara el consol dels assaigs; per poc temps, però, a causa de les dificultats de tot ordre (inseguretat ciutadana, mobilitzacions, etc.).

És en aquest context que Millet inicia la composició de la segona sèrie de Cants espirituals per a ús del poble.

La primera col·lecció (1912-1915) havia estat escrita amb el propòsit de contribuir a l'enaltiment d'una Catalunya en vies de retrobar la identitat i d'obtenir una autonomia política; la d'ara, en missió d'apostolat, amb l'afany d'amorosir les penalitats d'una hora aspra amb el consol de la devoció popular.

Els versos d'un sacerdot de l'Oratori de Sant Felip Neri, el pare Lluís M. de Valls, havien inspirat la primera sèrie; el d'un altre clergue de la mateixa congregació, el pare Jaume Garcia i Estragués, havien engendrat la present, en una col·laboració constant entre músic i poeta que havie de durar fins a mitjan agost de 1940.

El seguiment minuciós de llur epistolari —unes mostres significades del qual són reportades a continuació— ens parla del procés de composició d'unes obres, en nombre de quinze, que, per haver estat escrites en temps de sofriment, són l'expressió exemplar d'un desig de puresa i de simplicitat summes.

Carta al pare Jaume Garcia i Estragués.
El Masnou, 3 d'ocutbre de 1937

Molt respectable i benvolgut amic: Vaig rebre la seva del 21 amb els *Goigs* complets i els dos nous càntics. Vostè versifica molt bé i diu el que vol dir amb precisió i senzillesa. Els *Goigs* són llargs, però tenen el gran mèrit de resumir tota la vida i virtuts de Sant Felip Neri. Són una vida compendiada. I com que no cal pas cantar cada vegada totes les estrofes, com així es fa generalment en tots els goigs, la llargària dels seus no són pas un defecte. Ara, els devots del nostre bondadós Amic tindran el plaer de poder cantar tota aquella vida heroica. Totes les estrofes van bé amb la tonada, tancant el pensament cada dos versos. Solament la segona estrofa trenca aquesta forma general: *Nin encar ja s'albirava / la futura resplendor / de virtuts i us proclamava,* etc. Aquests versos *cantats* separaran la resplendor de les virtuts, per raó de la cadència musical. Però això no passa en cap més estrofa; per tant, no s'hi amoïni. En la primera estrofa *potser* (deixi'm fer el savi) fóra bo canviar aquell *Alighieri* una mica revés de pronunciació per al nostre poble, per *més que Dant el gran poeta.* I d'això sí que no n'ha de fer cap cas, que és un senzill parer meu que no té cap força.

Quant els altres dos càntics, són dues composicions belles i dignes d'ésser posades en solfa. Jo procuraré fer-ho, si els bombardeigs i les canonades ens deixen tranquils! En un sol dia els ocells negres ens feren tres visites i causaren estropells i desgràcies; i veritablement a un el deixen, aquestes coses, sense música interior i sense esma de despertar-la.

Ara caldria, benvolgut amic, compondre càntics verament per al poble, per al poble nostre en els moments actuals. El nostre poble, tan somogut per idees i sentiments no pas propis, per a donar-li la pau, l'alegria i la gran virtut de la dignitat humana. Els artistes havem de fer un esforç per a posar-nos en el seu lloc i sentir les seves necessitats espirituals i posar-li en el cor i en la gorja el cant que li enalteixi els sentiments i li doni la pau que tan necessita. Fem art veritablement popular, senzill i fort, valent i humil al mateix temps, per cridar de dalt la gran realitat de la pau i alegria. Al poeta li toca començar la gran croada! Seu de cor

Carta al pare Jaume Garcia i Estragués.
El Masnou, 30 d'octubre de 1937

Benvolgut i respectable amic: Esperava poder enviar-li alguna nova solfa per a contestar la seva del 8; però passo una sequedat terrible que em treu l'esma del cant. Els homes no som res si de dalt no ens ho donen. Això sí, de seguida que ho tenim ens estarrufem com un gall dindi. Doncs, veient que no rajava res, no he volgut esperar més a contestar la seva.

Molt encertat, em sembla, el canvi de la segona estrofa dels *Goigs*. Ja veig que vaig posar els peus a la galleda amb allò d'Alighieri; no em vaig recordar de la rima! Dispensi. No s'hi amoïni, a buscar el nou mot.

Dels versos enviats, m'ha agradat sobretot el *A Maria Verge potent*. Diu que el va fer fa temps; doncs sembla fet per aquest temps que ara patim. És aquest, que penso posar en solfa, si l'Amo em fa la gràcia d'una mica de solta musical. Ja hi penso, en el que ha d'ésser la tonada perquè tingui l'eficàcia d'encarnar-se en la poesia, per així penetrar ben endins de les ànimes. Però una cosa és el pensament i altra la gràcia de la melodia lluminosa i potent, simple i penetrant, que sembli nova i arreli en l'accent del nostre poble, en les ànsies espirituals de la nostra raça. Perquè els seus versos, els de vostè, són forts, tenen tremp i semblen fets a posta per a aquest moment. Però, per ara, l'ajuda no ve i em quedo sol amb la meva misèria. És qüestió que els bons amics de l'Amo m'hi facin de bo i pidolin una almoina per a aquest pobret.

Vostè em demana que concreti el meu pensament, d'allò dels nous càntics a fer per al nostre poble freturós de llum i gràcia, i em demana temes. El meu pensament és el d'aixecar l'esperit d'aquest moment paorós que passem, i que un cop passat tinguin els fidels un ritme melodiós que els torni a la pau lluminosa de la fe. Tema, qualsevol: la resurrecció de Jesús, el càntic inefable de la glòria eterna, la dolcesa inefable de la Verge Maria... què sé jo. I tot amb una forma ja musical, popular per la seva simplicitat, amb versos curts i cadenciosos, més fervorosos que teològics; frase curta i tallada, que el vers ja cridi la música, com són els versos de Mossèn Cinto. Naturalment, sense voler copiar-lo o imitar-lo servilment. ¿I si anéssim a ressuscitar modernament la forma mètrica dels himnes i seqüències litúrgiques? En fi, tot el que dic no són res més que suggeriments. Vostè, el poeta, sabrà millor copsar aquesta santa taleia.

Dispensi, i cregui'm bon amic i servent en Crist.

Carta al pare Jaume Garcia i Estragués.
El Masnou, 17 de novembre de 1937

Benvolgut i caríssim P. Garcia: Esperant poder enviar-li alguna solfa, no volia encara escriure-li, però tement que vostè no es pensés que l'oblidava, faig aquestes ratlles, primerament, per felicitar-lo pels nous versos que m'ha enviat, *Crist Rei;* molt rebé i molt justos per al moment actual. Vostè cada dia puja amunt en perfecció i gràcia. Jo, en canvi, passo mala tongada. Deu ésser la tongada de la vellesa que dóna una sequedat que esparvera. En rebre la seva última composició em vaig refer; vaig deixar la taleia de la *Verge potent* (que encara m'agrada) i vaig fer una tornada i estrofa per a la nova cançó; però la cosa té tants matisos que hi voldria fer, almenys, tres tonades per a estrofes: una per a homes, una per a noies i una per a nois. Però no se'n refiï gaire, perquè la cosa ha restat deturada i no marxa. Tinc por de repetir-me; voldria trobar un nou *melos* ardent i simple i encantat per l'entusiasme piadós —jo sóc i em trobo mesquí i pobre. Però ja em consolaré amb qualsevol cosa que vingui i, si no serveix, senyal que no sóc digne d'aquest lluminós servei de Déu. Demanin a l'Amo de tota gràcia una almoina per a aquest pobre musiquet...

ment que vosté no es pensés que l'oblidava, faig aques-
tes ratlles, primerament, per felicitar-lo pels nous ver-
sos que m'ha enviat. [illegible], molt rebé i molt justos
per al moment actual. Vosté cada dia puja amunt en
perfecció i gràcia. Jo, en canvi, passo mala tongada.
Deu ésser la tongada de la festa que dóna una seque-
dat que espanta. En rebre la seva última composició
em vaig refer, vaig deixar la talaia de la Verge porrat
(que encara m'agrada) i vaig fer una tornada i estrofa
per a la nova cançó; però la cosa té tants matisos que
hi voldria fer, almenys, tres tornades per a estrofes:
una per a homes, una per a noies i una per a nois.
Però no sé si anirà gaire, perquè la cosa ha restat detu-
rada i no marxa. Tinc por de repetir-me; voldria trobar
un nou motiu ardent i simple i encantat per l'entusias-
me piadós —jo sóc i sóc tronc mesquí i pobre. Però ja
em consolaré amb qualsevol cosa que vingui i, si no
serveix, senyal que no sóc digne d'aquest lluminós ser-
vei de Déu. Demani a l'Amo de tota gràcia una almoi-
na per a aquest pobre musiquet...

LES PRIVACIONS BÈL·LIQUES

El 23 de desembre de 1937, la Junta de l'Orfeó acordà la indefinida suspensió dels assaigs.

Des d'aleshores, reclòs al Masnou, Millet és absorbit en la composició dels Cants espirituals.

I, com la majoria de ciutadans, experimenta les angúnies i els neguits per la més elemental subsistència, als quals s'afegeixen els derivats de la mobilització (1938) del seu fill Lluís Maria.

Algunes de les cartes d'aquesta època —que exemplifico amb una d'adreçada a Josep M. Garcia i Estragués, cantaire i germà del poeta dels Cants espirituals, *i amb una altra d'adreçada a Montserrat Salvadó— reporten la situació fidelment, amb la petició franca «d'un raig d'oli» o amb l'enginyosa expressió de qui vol i dol, davant el ric present d'un conill.*

Carta a Josep M. Garcia i Estragués.
El Masnou, 3 de gener de 1938

Amic Garcia: Moltes gràcies de la teva carta versificada. Veig que els costums bèl·lics no estan renyits amb els poètics.

Noi, per aquí la inspiració no va tan llatina. Bé és

veritat que el *llomillo,* bacallà, pops, bunyols... és cosa que vola tan alt, que ens havem d'acontentar amb ensumar-los i prou; menjar unes quantes fulles de col o de bròquil, mitja patateta i una quarta part d'un ou. Un ou val, almenys, *tres pessetes!* D'on vols que vingui, el ritme del vers, si tot és prosa de la vida...

Jo continuo al Masnou, fent una vida pseudo-tranquil·la. Sort que sovint rebo unes inspiracions (precisament d'un íntim amic teu) que m'aixequen una mica l'esperit i fan que em recordi que sóc músic. Si no fos això, creu que la meva vida fóra ara ben inútil. L'Orfeó, amb tanta joventut com té escampada als fronts, ha quedat quasi sense gota de veu; així és que el mestre Pujol va haver de suspendre els assaigs fins a nova ordre. Les noies, esporuguides per les bombes dels feixistes, i amb l'angúnia de les cues per a obtenir una mica de minestra, tampoc no podien complir amb les cantúries, ara tan enyorades, del nostre Orfeó. Així és que, noi, l'Orfeó està quasi desert (...).

Carta a Montserrat Salvadó.
El Masnou, 9 d'octubre de 1938

Benvolguda Montserrat: (...) Et felicito pel teu nou ofici; els conills, són bons a la brasa, més que les solfes. I els aires de muntanya, de les valls, etc., són més purs que els de les sales tancades, encara que sien ressonants de cantúries. Però no puc continuar fent gresca: la mort va espigolant en el nostre camp de l'Orfeó (...).

Vaig trobar l'altre dia en Joan i m'assabentà que vosaltres també esteu bé. El terrible és aquesta alimentació un poc rudimentària, oi? Encara que, a pagès, ja us ho passeu millor. A casa és un plany continu: que no tenim oli, que no tenim res... Com esteu, d'oli, per aquí? No ens en podríeu enviar un raig? (...)

Carta a Montserrat Salvadó.
El Masnou, 2 de novembre de 1938

Benvolguda Montserrat: La teva carta m'ha fet molt content. S'hi veu tanta bona voluntat, tant d'apreci! Què fóra la vida, sense la vera amistat? Quin consol quan un rep proves que al món no tot són egoismes.

Bé, jo volia contestar de seguida la teva lletra. Però em feia angúnia que no prenguessis la meva pressa com influïda per les ànsies de rebre un altre conill. I per això he retardat l'escriure. Però, ¿és que jo t'haig de dir que no admeto cap més *descalabro* d'aquesta classe al teu conillar? ¿Puc jo despreciar la teva bona voluntat? Vet aquí que em trobo amb un dilema ben enutjós! No sé si passaré per golafre si accepto la teva generositat o si passaré per malagraït si no l'accepto!

Mira, jo t'aconsello que no facis més víctimes per culpa meva; jo ja estic més que convençut de la teva sinceritat. Però perquè no em tinguis per malagraït, si et ve bé d'enviar una altra víctima, et diré que, a Barcelona, la meva nora hi baixa dia per altre, el dilluns, dimecres i divendres al matí, per anar a donar lliçó a l'Escola; que, de l'Orfeó, se'n va generalment a dos quarts d'onze, però que, si convé, se'n va a dos quarts de dotze. Estàs contenta? Ara pensa el que vulguis de mi!

Perquè, de menjar, no ens faltarà. Abans-d'ahir vaig rebre un avís de la Junta del Centre Català de Santiago de Xile que havien enviat, per als mestres i cantaires de l'Orfeó Català, 50 sacs de mongetes de 10 quilos cada un, i 80 quilos de mel. La cosa encara no ha arribat. Ara tot va que, aquest bé de Déu, no es quedi pel camí... com passa, de vegades, amb aquests aliments. Però, *vaja,* molt serà que no puguem repartir unes quantes mongetes i una unça de mel a cada corista. (...)

EL REFUGI EPISTOLAR

Si amb els Cants espirituals *Millet procurà d'aportar un consol a la col·lectivitat, el refugi personal fou trobat en el contacte epistolar amb els amics dilectes, amb els deixebles estimats i amb els familiars pròxims.*

Com pressentint una fi propera, l'esperit de Millet s'afua en un desig d'infinitud. Molt especialment, les cartes amb el mestre Joan Salvat traspuen la més fonda expressió: l'acceptació del dolor humà, la fe en Crist, el conhort en les obres de Bach, el ressò maragallià de L'església cremada, *l'eficàcia de la pregària, el do gratuït de la bellesa i de l'art, l'amor a la Verge, la confiança en Déu...; i s'encelen cap a les regions del més arborat misticisme en les adreçades —ja acabada la guerra— a la seva neboda Margarida Millet, de Mallorca.*

I tot, sempre, amb el rerafons constant del contrast entre la crueltat bèl·lica i la pau de l'eixida pairal, del mar, del cel blau.

Carta a Joan Salvat. El Masnou, 12 d'abril de 1938

Estimat Salvat: (...) Verament, som en un temps en què Nostre Senyor ens posa a prova. Quan Ell ho fa, senyal que ens deu convenir. En aquest món, si estem una mica bé gaire temps seguit, l'esperit se'ns esmussa i ens oblidem de la pujada envers el nostre fi suprem. Ara Déu estreny per tots costats, i és que verament estàvem radicalment ensopits i sense esma de l'esperit; i ara ens adonem que no som res, ni podem res sense l'ajuda i la gràcia de Déu. Tot el nostre, és una bufada que se'n va. Els nostres amors, les amistats més cares, tot es marceix, o fuig, o s'afebleix. L'orgull, en l'home, és la cosa més ridícula. Només tan sols per això, ja havem d'agrair al bon Déu la lliçó que ens envia en aquests temps que sofrim. Solament per aquest reconeixement de la nostra mesquinesa havem d'agrair la penitència d'aquesta llarga quaresma.

Bé, *vaja,* prou d'aquesta cançó... Siguem sempre confiats en la gran Misericòrdia, i que la bona i sana alegria no ens deixi mai, malgrat totes les penes... I el nostre cel és tan blau! I el nostre mar? Qui pot desconfiar de la Gran Bondat, enmig de la nostra natura lluminosa i penetrant! (...)

Carta a Joan Salvat. El Masnou, 8 de maig de 1938

Amic Salvat: Li estimo molt la seva carta: bona, plena d'una suavitat i fortalesa cristiana exemplar. Verament, Nostre Senyor està amb vostè; molta ha d'ésser la bondat, els mèrits de vostè, perquè Ell li doni tanta gràcia. Alabat sia!

El dolor present, és un do per a les ànimes bones. No fa molt de temps, m'ho deia una gran personalitat tristiana: «Mai no m'havia sentit tan prop de Crist». Això em venia a dir el sant home, que feia anys i anys que tenia cada dia en ses mans el Cos sacratíssim. Ell, amb la creu, ens redimí, i nosaltres amb la creu li hem de correspondre. Això, ho sabem des que tenim consciència cristiana; però ho sabem quasi només que teòricament. No ho sabem, no ho coneixem, fins que el dolor profund ens punxa les entranyes. És amb aquesta punxada que la nostra ànima es desinfla de les desil·lusions enganyoses de la vida; és amb aquesta punxada que l'esperit recobra l'orientació cap a la seva finalitat eterna. Veure el món tal com és, sense el dolor, és impossible. El món és lluent i ens encega; el dolor, ens treu les cataractes de la vista i ens mostra la realitat terrible del món enganyador.

Amic, jo també m'he trobat, i em trobo, com vostè. També aquesta malvestat que passa per la nostra terra m'ha fet patir i em fa patir. Com vostè, m'he tingut d'arraconar en la meva casa pairal, lluny de totes les taleies de la ciutat. Però, aquest raconet, també ha estat un consol per a mi. Els records de la meva infantesa, el record del pare, el de la meva mareta, el dels meus germanets. Aquesta eixida, on encara hi ha el roser, ara tan florit!, de quan jo era petit; aquesta cambra, on jo segurament vaig néixer, amb les mateixes pintures al sostre de quan encara jo no parlava; aquest mar, aquest cel tan blau... tot em va cap endins i em fa trobar a mi mateix, i em fa repassar la meva vida veient tantes gràcies com Déu m'ha fet, que ha semblat que jo era alguna cosa de bo davant dels homes, quan tot no era més que una gràcia de Déu que jo no sabia pas agrair... Tot això, amic, serveix, com a vostè, per a portar-me més al coneixement i a la fe de Crist, a l'amor de la Verge Maria i al consol apaivagador del dolor de l'absència i del perill del fill.

¿Veu si som iguals d'estat d'ànim, en aquests moments, estimat Salvat?

Procuri acabar de posar-se bo. Pensem en la mort, que, com vostè diu, és la cosa més segura; que ella, quan arribi, no ens torbi ni ens trobi desprevinguts. Però la vida és un do de Déu que tenim obligació de conservar. No som joves, ja, almenys jo; però els nostres, els de casa, ens necessiten; i l'art, la dolça música, potser encara podem servar-la pel bé del nostre poble, que tant la necessita. (...)

Carta a Joan Salvat. El Masnou, 8 de juny de 1938

Benvolgut Salvat: Gràcies per la seva carta tan interessant (...). A vostè els mals *tragos* d'aquesta temporada, no arriben pas a tòrcer-li la ploma, ni el seny en l'escriure i en el llegir. A mi, no em passa pas el mateix; ja en vull fer, de coses, llegir, escriure, en fi, treballar amb profit, però vaig d'una cosa a l'altra sense, però, tocar de peus a terra. He fet algun càntic, però pocs; llegeixo pastorals del Dr. Torras, que, verament, són de gran profit; passo els ulls per algun tractat de filosofia de la neoescolàstica; repasso tractats d'harmonia que havia oblidat; fullejo algun llibret de contrapunt de què mai, a penes, m'havia ocupat... Tinc afany de llegir música, però res no m'acaba d'omplir el desig íntim d'una bellesa nova que correspongui a aquest estat tan essencial de la meva ànima. En música, el que em consola i omple més el buit, és la lectura dels corals de Bach; aquella pietat profunda, sí que em consola. Ens han enrunat tots els temples per poder recollir l'esperit i demanar la gràcia directament al Santíssim. Ara, de vegades, a la nit, quan els bombardeigs ens desperten i ens deixen l'ànima somoguda, aixequem l'ànima en la pregària: repassem les oracions glossant-ne el significat; el que havíem resat automàticament, mirem de capir-ho millor: Glòria al Pare, omnipotència divina, al Fill, saviesa expressió divinal del Pare, a l'Esperit Sant, amor que va del Pare al Fill, llum, resplendor que va de l'Un a l'Altre, divinal resplendor. I la Verge? Repassar la lletania, pararse a cada lloança penetrant-ne el significat, la bella potència... Vet aquí, potser, els únics moments aprofitats en aquestes vacances forçades i malastrugues (...).

Carta a Joaquim Renart.
El Masnou, 30 de desembre de 1938

(...) El nostre ex-president Francesc Matheu és

mort; el nostre vice-president, l'excel·lent senyor Moragas, fa dies que també ens deixà en la tristesa... I ara, els amics de la feina coral, després de l'exemplar tresorer Tomàs Millet i de l'exemplar comptador Martí Estany, en Salvat, i ara... en Comella... tots tan humils (la humilitat... tan escassa!), tan fidels per a la nostra obra!

Déu meu! No n'hi ha prou encara? Feu i desfeu, bon Jesús: que nosaltres sapiguem abaixar el cap i donar-vos gràcies per tot... Els cinquanta anys de l'Orfeó, podrem celebrar-los? Déu dirà! Perquè ara un està espantat de la velocitat de la vida i de la mort, i la transparència d'aquesta vida amb l'altra es va aprimant tant i tant, que a un li sembla que ha de fer el salt mortal a l'hora menys pensada (...).

Carta a Joan Llongueras.
El Masnou, 5 de gener de 1939

Benvolgut amic Llongueras: Li agraeixo molt la seva carta. Quan la vida ens trontolla entre angoixes i tristeses, les demostracions de bona amistat consolen i tonifiquen. La liquidació contínua dels homes del nostre Orfeó és alarmant; ajupim-nos i estimem el voler de Déu. Som tan curts de vista, els homes! Que les enyorances que ens causa la desaparició dels companys estimats, serveixin per a pressentir amb més claredat la proximitat de la gran reunió de tots els amors en el Cel (...)

Carta al pare Jaume Garcia i Estragués.
El Masnou, 10 de gener de 1939

Benvolgut P. Garcia: Moltes i moltes gràcies de la seva bona carta del dia 2. La bona i santa amistat és un bon consol en les penes de la vida. Veritablement, és alarmant la gran desfilada de la bona gent de l'Orfeó.

¿És un avís de Nostre Senyor perquè estiguem alerta i afinem la nostra ànima preparant-nos per al gran salt, per a l'Eternitat? Segurament que això vol Déu: Alabat sia! Veig que a vostès també els toca el sentiment de l'enyorança dels qui ens deixen. Que Nostre Senyor els doni aquella suavitat de resignació, tan consoladora en les angúnies d'aquesta vida.

Mentrestant, diu vostè, anem seguint la nostra tasca... I vostè no para de treballar, afinant-se cada dia més en els cants per al poble. Vostè demana que jo pregui per vostè... i jo, ¿què li haig de demanar, que em trobo amb una sequedat terrible? El fred que em té atuït (no hi ha manera de poder escalfar una mica la casa), les notícies de la guerra, les visites, la feina de mainader que tot sovint m'encarrega la família, tot això em distreu i em deixa sense esma de remoure l'ensopiment musical, per a aixecar el sentiment i la imaginació a la troballa del vol de la cançó. Pregui, pregui, bon amic, perquè de Dalt em vingui l'almoina d'una mica d'ardiment musical piadós! (...)

Carta a Margarida Millet.
El Masnou, 12 de juliol de 1940

(...) El sorprenent és que el bon Déu s'abaixi a la nostra mesquinesa i ens faci presents reials. Jo també en tinc experiència, d'això. Jo també he rebut lloances com a donador de bellesa musical, i jo sé que sóc un pobre músic, ben mesquí; però, de vegades, em sento vibrant i agut de sensibilitat per fer art, i llavors surt expressió de bellesa. Però allò és un bé de Déu, on jo no tinc part; res d'allò és meu. Però, noia!, després ve el perill que un, quan se n'adona i sent l'elogi, se n'estarrufa com un gall dindi que, estenent les plomes, ensenya la part baixa de la bèstia. Ai, Déu meu, que és difícil la humilitat veritable! (...)

Carta a Margarida Millet.
El Masnou, 22 d'agost de 1940

Estimada Margarida: (...) Ara et voldria contestar la teva última carta, però, noia!, jo no tinc les teves ales de pensament, per volar tan amunt i tan místicament. Verament, *ésser* en Crist, estar posseït de la seva divinitat, és la *segurança* ferma de la veritat, i, per tant, de la pau, del gran i pur goig, de la vera vida, d'ésser home divinitzat; és estar en la vera humilitat, en el reconeixement de la nostra misèria, però valorada, enllumenada. És estar reposant glorificat en el centre de la nostra vera finalitat. *Ditxós* estat; *ditxós* a qui Déu ha fet tanta gràcia!

Cada home té la seva mesura per donar a Déu, a Jesús, *Deum de Deo, lumen de lumine, Deum verum de Deo vero.* Donar la nostra mesura, ben justa i completa, donar-la amb els nostres pensaments, obres i sentiments. Saber estimar Jesús, amb la gràcia del Sant Esperit, que és l'Amor, la Caritat, per a sentir-se en el Pare, en Jesús, lluminosos de Sant Esperit. Oh, meravella, oh, gràcia infinita, oh, vera glòria! ¿Qui pot témer, llavors? ¿Qui sentir escrúpols ni angoixes, ni sentir-se mesquí? Sí; llavors s'és infant radiant en la Divinitat.

¿És aquest el teu pensament, aquesta la teva prèdica, estimadeta meva? Prega per mi i pels meus, que t'estimen

Carta a Margarida Millet. Nadal de 1940

Estimada Margarida: No sé si jo estic en deute amb tu o tu amb mi. Però, tant se val, estem en les diades de Nadal i és temps de parlar i entendre's amb els que un estima.

Penso que la teva ànima sensible estarà aquests dies ben a prop de Nostre Senyor. Oh, el misteri de Déu fet infant per nosaltres! Si sabéssim capir-lo i fóssim dignes de copsar-ne tota la gràcia. Qui tingués la fe de la gent humil i bona gent, que veuen Jesús amb tota la senzillesa del cor i sense transcendències intel·lectuals. No sé si m'entens: vull dir tenir a dins tota la realitat de la fe en Jesús, i tota la seva íntima presència, privant tota la imaginació forastera i egoista, i tota la feblesa de la natura nostra. Però alabat sia Ell i vingui a nosaltres tal com sia la seva voluntat altíssima (...).

EL SILENCI PUNYENT

Finida la guerra, Millet —segurament cercant-hi un simbolisme, puix que els inicià l'11 de setembre de 1939— recomença els assaigs, tan enyorats (tal com manifestava en plena contesa a Josep M. Garcia i Estragués).

Pocs dies després (el 30 del mateix mes) tenia lloc l'última actuació pública, en una audició de clausura del Curso Nacional de Pedagogía de la Música (organitzat per FET y de las JONS), la qual audició fou iniciada amb l'inevitable Cara al sol.

Aquella actuació, però, no era al Palau de la Música Catalana; era al «Palacio de la Música». *I l'Orfeó no era l'Orfeó Català; era* «el orfeón que dirige el maestro Millet».

El mateix any, amb l'imposat silenci públic, amb la privació de tota mena de vida societària, començava el desigual enfrontament dialèctic amb el governador Wenceslao González Oliveros arran de la pretensió de canvi de nom; l'invasor no acceptava la denominació d'Orfeó Català, ni tan sols la traducció castellana d'«Orfeón Catalán» *i, com a mal menor, l'Orfeó proposà la de «Coral Millet» (filigrana bilingüe), que els esdeveniments posteriors invalidarien deixant l'apel·latiu en la seva formulació tradicional i històrica.*

Millet, contra tota desesperança, assaja i treballa, malgrat el silenci espès. Un silenci i un panorama més dens encara a causa de la mort dels amics entranyables, dels companys de les hores glorioses: Vicenç de Moragas, Emerenciana Wehrle, Martí Estany, Joan Salvat, Tomàs Millet, Francesc Matheu, Josep M. Comella, Vicenç M. de Gibert...

El diumenge de Passió del 1940, novament, Schweitzer recorda «aquell diumenge en què vam executar junts la Passió, *de Bach. Que coses que han passat, després! Per quines tristeses hom passa! Però els bons records resten. Ningú no ens els pot prendre...»; Millet hi correspon fraternalment; un any després, l'esposa de l'apòstol alsacià passa per Barcelona camí de Lambaréné, i sojorna a casa del mestre, que li fa a mans una carta per al germà d'ideal, plena de melangia i de resignació.*

Una melangia i una resignació que no invalidaven, però, l'atenció a les preocupacions hodiernes (carta a Joaquim Renart, president de l'entitat), des de les funcionals, fins a les referents a la continuïtat de l'obra de la seva vida.

A les envistes del cinquantenari, Millet i l'Orfeó, forçosament emmudits, eren símbol també, de l'hora tràgica.

Carta a Josep M. Garcia i Estragués.
El Masnou, 4 de juny de 1938

Amic Garcia: Noi, això dels versos, ho fas molt rebé. La teva carta ritmada i rimada, m'ha deixat encantat; els teus records dels assaigs de l'Orfeó, també, com a tu mateix, m'han fet humitat als ulls de tant fer-me esponjar el cor!

Que diferents són, els moments d'ara, per als mestres i cantaires! La guerra resulta enemiga dels cants.

La veu està ronca i el cor està endurit. Beneïda Pau, vine prompte perquè puguem cantar l'alegria d'estimar amb goig de l'ànima. Noi, ara és impossible de reunir mitja dotzena de cantaires per a fer una cantada. Els homes, al front, les dones, a les cues; tothom prim de panxa. Ves com poder fer cap cantada! Jo, creu que enyoro no poder cridar i renyar i donar cops a l'harmònium i fer cantar la cançó de la terra nostra estimada i la gran música dels grans mestres! (...)

Carta a Albert Schweitzer. Any 1940

Mon estimat Schweitzer: Gràcies de la vostra lletra del diumenge de Passió. Aquests bons records em consolen. Verament, hem passat tots dos moltes tristeses. El món no marxa bé, i l'art, la música, estan malalts. Els esperits contorbats no canten. L'orgue nostre resta mut fa molt de temps, i espera les vostres mans per cantar la seva resurrecció (...). Desitjo sentir els vostres discos dels preludis i fugues de Bach i dels dos corals de C. Frank. Sento de no veure-us, de no poder oir-vos.

Els germans catalans, els meus companys d'art, Gibert —organista de la *Passió* en la vostra absència— i en Salvat i en Comella, professors de l'Orfeó, són morts. *Requiem aeternam dona eis Domine!* I altres germans del Consell també són morts. Hom comença a trobar-se sol al món (...).

Carta a Joaquim Renart.
El Masnou, 27 d'agost de 1940

(...) Jo, aquí, a recés de la meva casa pairal, m'hi sento tan bé, que no me'n mouria, i sembla que tots els neguits de l'hora present s'apaivaguen amb la intimitat d'aquestes parets tan blanques que mantenen el record, el sentiment i la puresa innocent dels meus primers anys de la infantesa (...). Aquesta claror tan...

clara, aquest cel tan blau, aquest mar (la plaça de Nostre Senyor, que dic jo). I el record de la meva mare i dels germans, i ara... aquests néts: la nena dels ulls lluïdors, i el nen, tan bellugadís i amorós que ja sap abraçar... I al món hi ha guerra, i els homes es maten i s'enfonsen els pobles i ciutats... Déu meu, on és l'Amor?

A l'Orfeó vaig assajant un cop la setmana. Cridant i pregant, he aconseguit que vinguin un poc més de cantaires, fent-los veure que l'important és que cantem per dintre, que no havem de cantar perquè ens diguin macos, sinó per la satisfacció del nostre amor al cant, ressò de la nostra fam de bellesa, expressió de la vera vida, de la llum de l'esperit que és amor.

(...) De Madrid, *mutis.* El meu nebot Fèlix va i ve; no l'he pogut veure; sé que s'estranya que no diguin res...

(...) No oblidi d'empaitar l'arquitecte de Sant Francesc per allò del campanar, que no ens el fiqui a dins la nostra sala d'audicions...

(...) Convé refermar en Pujol a l'Orfeó!

Carta a Albert Schweitzer. Juny de 1941

Estimat Dr. Schweitzer: Tinc el gran plaer de donar aquestes ratlles a *Madame,* per tal de saludar-vos directament, repetint, una vegada més, els bons sentiments envers vós. Sabem, per mitjà de *Madame,* que la vostra salut és bona i que la bona obra que realitzeu a l'Àfrica continua en bé dels pobres negres (...). La nostra vida artística encara està quasi paralitzada; el nostre orgue ha esdevingut mut. Però hom fa concerts al Palau (ara, «Palacio»), però nosaltres no cantem exteriorment. Solament fem alguns assaigs, esperant millors temps per a prosseguir la nostra obra. Penseu, estimat doctor, que el mes de setembre d'enguany farà cinquanta anys de la nostra fundació, mig segle que nosaltres començàrem a cantar... I ara ...en fi, Déu sobretot!

La nostra vida, amb el cant de la *Passió*, de Bach, ha valgut alguna cosa davant de Déu, i davant dels homes, no és així?

Estimat doctor: jo espero encara poder-vos abraçar un dia i sentir-vos en les polifonies sacres de Bach.

Tots els germans catalans encara vius us envien els seus sentiments més profunds i cordials.

Postal als cantaires de l'Orfeó.
Cardó, agost de 1941

Amics, cantaires de l'Orfeó Català: M'haveu tocat el cor! Quina cantada! Quin art, el del vostre pintaire, quin enginy poètic, el del vostre poeta! M'haveu renovat la *llaga* de l'enyorament de les antigues cantades; però quin dolç enyorament quan va barrejat amb l'amor! Que en sou, de macos i maques i bona gent! Que Déu us ho pagui!

L'AVI LLUÍS

Les amargors del silenci forçat i de les privacions bèl·liques tingueren en Millet un lenitiu dolcíssim amb la joia aportada per uns infants: els néts.

El desembre de 1935, Lluís Maria contreia matrimoni amb Isabel Loras; possiblement, el vell Millet veia, en aquella unió, un reflex del seu propi rumb d'home que en l'Orfeó havia trobat, no solament el camí de la vida, sinó la companya d'ideals.

Efectivament: dotze anys després del seu ingrés al cor, Isabel Loras unia la seva vida amb aquell qui —fill del mestre— havia pertangut a les seccions infantil i adulta, era secretari de redacció de la «Revista Musical Catalana», mestre auxiliar de l'Orfeó, director de la Schola Orpheonica, i s'havia revelat com a compositor notable.

Les cartes als amics en les quals Millet parla dels néts, M. Dolors (n. 1937) i Lluís (n. 1939), són un testimoniatge entendridor, la faceta inèdita, excepcionalment humana, d'un avi amorós, que no refusa de fer funcions de mainadera, i que veu totes les gràcies en aquells rebrots infantils.

Carta a Vicenç M. de Gibert.
El Masnou, 27 de juny de 1938

Estimat amic Vicenç: He tingut molta alegria en rebre la seva carta, i veient que estan tots bé. Nosaltres també continuem en bona salut, encara que separats d'en Lluís M., a conseqüència de la seva mobilització. Per consegüent, un està sempre amb ànsia, no obstant saber que, per ara, està sense novetat.

Tant de bo que ens poguéssim veure per a poder xerrar llargament, però ara és temps d'abstinència general. Aquí al Masnou faig vida quieta; a penes vaig a Barcelona, un o dos cops al mes. Sort de la nena, que cada dia és més eixerida; ja diu «avi» amb tota claredat, i l'avi n'està cofoi i fa de *ninyero*... Si no fos pels *pipís* que engega sovint, fóra una delícia (...).

Faci una carícia a les seves filletes de part meva. Els qui no tenen fills, no saben què és el goig de la vida, ni tampoc els grans sofriments; l'amor mira a llevant i mira a ponent, somriu al sol i plora a l'ombra; però, sense això, què és el viure? (...)

Carta a Montserrat Salvadó.
El Masnou, 9 d'octubre de 1938

Benvolguda Montserrat: T'escric amb la nena a la falda. Jo ja faig prou mala lletra, però ara la faré encara més dolenta. Nena, escriu aquí... Aquestes llapissades, són de la nena. Bo! Ara se n'ha anat... i continuaré fent mala lletra.

(...) Gràcies de la teva carta. Nosaltres estem bé, per ara. La nena, ja ho has vist, és un *portento*. És el nostre raig de sol. En Lluís M. ara el tenim a Barcelona, a les oficines militars; està bé i, de tant en tant, pot venir a veure'ns (...).

Carta a Vicenç M. de Gibert.
El Masnou, 12 d'octubre de 1938

Estimat Gibert: Gràcies de la seva carta, que he rebut avui (...). Nosaltres, gràcies a Déu, estem bé i bastant tranquils. En Lluís M. el tenim a Barcelona a serveis auxiliars; ens pot venir a veure bastant sovint i, encara que va arribar molt desmillorat, ara està bastant bé. De tot, gràcies a Déu.

La nena és el raig de sol de casa. Xerra i és intelligent, i corre, i fa petons, i és maca, i té els ulls de l'avi i els cabells de l'àvia, de la meva esposa... (...)

Carta a Albert Schweitzer. Any 1940

Mon estimat Schweitzer: (...) Jo sóc avi d'una nena de tres anys i d'un noiet de deu mesos. Ells són l'alegria de la nostra casa, el raig de sol de la meva vellesa (...).

Carta a Eduard L. Chavarri. Any 1940

Benvolgut amic Chavarri: He tingut una alegria amb la seva carta. Sovint pensava en vostè...; tant de temps sense saber-ne res! Nosaltres també, gràcies a Déu, estem bé, encara que també n'havem sofert de tots colors. Per ara tots ens belluguem amb el consol de dos petits néts, una nena de tres anys i un xicarró d'un any. És clar que tots són macos i eixerits! La nena té uns ulls que, a l'avi, li travessen el cor, i el nen petit una empenta dinàmica que profetitza un geni (...).

Carta a Margarida Millet. 29 de juny de 1940

Estimada Margarida: Em sembla que escrius poc, oi? Jo ja t'he escrit cartes que no m'has contestat;

potser no les has rebudes, potser jo no porto bé el compte... Podria ésser, perquè, noia, un es fa vell i perd la memòria i l'oremus, que diu el poble...

(...) Vet aquí la meva alegria: l'ésser avi de dos àngels; la nena és graciosa, xerraire, i amb uns ulls que penetren la meva animeta pansida; el nen és dinàmic, intel·ligent (...).

Carta a Eduard L. Chavarri. 21 de febrer de 1941

Estimadíssim Chavarri: (...) Sí, Chavarri, gràcies dels seus records bondadosos tan expressius en la seva carta; gràcies a vostè i a la seva bona esposa. Que Déu els conservi bons i en la seva gràcia. Aquí també anem aguantant el temporal tan bé com podem; ara estem bons, ara més o menys engripats; les dones patint per les mongetes, que va tan cares, per l'oli, etc., etc.

Sort dels dos angelets de casa; la nena, que fa quatre anys un dia d'aquests, molt maca, amb uns ullets (...) ja conversa, tot ho entén, *i tot ho vol*, amb un *geni* fabulós. Ja pot comptar, als pares i a l'avi, com ens cau la bava... (...)

Carta a Lluís M. Millet.
Cardó, diada de Sant Lluís de 1941

Fills meus, molt content de rebre els vostres bons afectes el dia de Sant Lluís!

Nena maca, jo també us enyoro, a tu i el nen, que avui també és el seu sant. El pare i la mare us faran molts petonets de part meva. Aviat ens tornarem a veure, si Déu vol. L'avi

«L'EPÍLEG DE LA VIDA»

A la setantena, Millet presentava una complexió física notablement envellida; sota l'aparença d'unes faccions nobles, amb un mostatxo patriarcal i una cabellera indòmita, un cos cansat testimoniava les conseqüències del lliurament total a una tasca no pas còmoda; i també les conseqüències usualment inherents a un fumador impenitent, tot i que el 1931 decidí de no fumar més, a causa d'una aguda bronquitis.

Millet acceptà estoicament —ironitzant-les— les xacres de l'edat, per a combatre les quals, el darrer any de la vida, féu estada al balneari de Cardó.

Com a «epíleg de la vida» era qualificada, el 1940, la situació en què es trobava. Alliberats de qualsevol ambició terrenal, els darrers escrits exposen la placidesa de qui accepta joiosament els designis de la Providència.

Especialment en el que és tingut per l'últim escrit de Millet (carta a la seva neboda, 19 d'octubre de 1941), hi són paleses dues actituds pregonament cristianes: l'expectació de l'altra vida i l'amor al proïsme, exemplificat, en aquest cas, amb consells bondadosos.

El qui havia viscut en servei de l'amor, era ja prest a la fusió eterna amb l'Amor.

Carta a Margarida Millet. 22 d'abril de 1940

Bona noia Margarida: Eixerida, pensadora i poetessa! Ja en pots donar, de gràcies a Déu. Perquè, noia, totes aquestes coses tan belles i lluminoses, vénen de Dalt, són gràcies de Déu, de què nosaltres, quan les tenim, hem de restar-ne humiliats pel que el bon Déu ens estima (...).

Que jo vingui a Palma! Estic fet un immòbil, i quan em trobo millor és quan estic quiet i solet. Ja estic en l'epíleg de la vida, i és hora de fer la gran síntesi i de no distreure's (...).

Carta a Margarida Millet. 21 d'octubre de 1940

Estimada Margarida: Rebuda la teva de l'onze. Gràcies, molt agraït. Ets una mica mal pensada. Sí, escriu-me ben lliurement, volant tan amunt com vulguis, i com puguis. Els temps que passem són tan arran de terra, que les voladetes cap a l'ideal conhorten i reposen de les angúnies de l'hora present. Ara que, filla, t'has de consolar si jo no tinc les ales tan lleugeres i volo més vulgarment. Jo ja sóc *gueto,* les frontisses de l'enteniment també es rovellen i el sentiment pastura en l'herbatge de terra baixa. Però tu, ànima verge, vola, vola, encara que m'enlluernis, que l'esclat de llum reforça l'esperit, encara que encegui la vista.

No voldria que et pensessis que rebutjo la teva invitació de venir-vos a veure, sense recança. No són excuses diplomàtiques, les meves. No oblidis que ja tinc setanta-tres anys; que tinc una bronquitis ja vella en la meva persona, que no em deixa assossegar ni gaudir plenament en res. Que les circumstàncies són greus, en tots sentits. L'art, l'haig de girar de costat, esperant, esperant que canviïn les circumstàncies (...).

Carta a Lluís M. Millet.
Cardó, 14 d'agost de 1941

Estimat Lluís M.: Aquesta tarda he rebut la teva carta del 12, carta molt important per les coses de què tracta. Jo us he escrit, abans d'aquesta, quatre cartes; l'última, el dia 12, enviada al Masnou a nom de la Isabel, la qual, a hores d'ara, crec que ja haureu rebut.

El temps, ací, continua fent bondat, però a estones bufa un aire fred. Els qui vénen cada any a Cardó diuen que això no és Cardó, perquè un, si no va en compte, es constipa. Jo, l'altre dia, em vaig mig refredar i, per tant, vaig estossegar tota la nit (...).

Les despeses del pressupost futur sembla que seran més crescudes del que havia comptat. El menjar va pujant cada dia més, i l'Albina es va exclamant. Però jo li dic que no estalviï res, que havem de fer quedar bé Cardó!

Això, verament, és un país *hermós* (...). Hi ha tretze ermites amb situacions altes i variades. Els boscos, esplèndids de verdor, amb mates de mil colors. La gent de la colònia, bona gent; la majoria, amb les seves xacres: qui va coix, qui estossega... La misèria humana contrasta amb aquesta natura forta que ens volta.

La meva vida: al matí, generalment, vaig a missa, esmorzo, i les inhalacions i dutxa nasal, en la qual s'ha d'esperar tanda. Havent dinat, un resta ensopit i fa la becaina a la cadira gronxadora o al llit, si la mandra és forta. A mitja tarda, anem a alguna font no gaire lluny i de poca pujada, perquè jo *encara* em canso. Ara estic més valent, ja; però això de la bronquitis es veu que és molt tossudota.

Quant a venir vosaltres, decidiu-vos aviat. Demà és el dia 15. Som a meitat del camí. No cal dir com us enyorem, i com voldríem gaudir de la vostra companyia i de l'alegria dels menuts. (...)

Carta a Joaquim Cabot.
El Masnou, 16 de setembre de 1941

Benvolgut Cabot: Gràcies! També jo us envio una abraçada en la recordança del *nostre* cinquantenari. Vós hi teniu una gran part, en la glòria de l'Orfeó; vós teniu dret a l'agraïment de tots els qui l'estimen.

Déu us pagui el vostre amor a l'obra del nostre cant.

Carta a Margarida Millet. 19 d'octubre de 1941

Molt estimada Margarida: (...) En la teva del 2 del corrent em parles d'un Àlbum donat, dius, en la diada de noces de l'Orfeó, que jo no he rebut pas, ni en sé res de res! No sé pas a què et refereixes!

Amb el mestre Llongueras ens veiem sovint i, per tant, ens canviem les teves cartes i els teus versos; no cal dir ell, com a poeta que és, com els estima i aprecia i jo, com a oncle, devot i vellet, com em cau la bava en llegir les teves divines contemplacions i els teus cèlics amors. Déu i la Verge Maria són ben teus, Margarida; sigues per ells ben agraïda! Viure en aquest món tan en contemplació de l'altre és una gràcia de Déu inefable.

L'estada a Cardó, em va provar; aquell clima tan sec va bé per a les malalties bronquials. De totes maneres, el meu mal és massa familiaritzat amb la meva persona per deixar-la en pau; això vol dir que encara estossego i em fatigo en caminar una mica. Alabat sia Déu. Convé que, a certa edat, un s'adoni que l'altra vida és a prop i que aquesta, tan enlluernadora, no ens distregui d'aquella que no s'acaba.

Tu veig que estàs eixerida i valenta, i pròdiga com mai en inspiracions. No en facis massa, d'esforços. Prudència; sobretot, *cuida*'t la vista, no abusis de la llum (...).

Malgrat la recuperació aparent, després de l'estada a Cardó, la salut de Millet s'afeblia, agreujada, a més, per una miocarditis aguda.

Per la tardor del 1941, se li accentuà l'afecció bronquial. A la preocupació i a la inquietud inherents, hagué d'afegir els maldecaps provinents de la necessitat d'una operació a la seva antiga serventa, Albina.

En aquest context, un nou episodi accelerà el desenllaç: li fou diagnosticada una inflamació prostàtica. La intervenció quirúrgica essent imprescindible, fou impossible de ser duta a terme atès l'estat físic i psíquic del pacient.

Ja en la recta final, Millet rebé amb unció els sants sagraments. En un dels pocs moments de relatiu alleujament, directius de l'entitat li feren ofrena de l'àlbum d'homenatge a què feia referència, sense saber de què es tractava, en la carta a Margarida Millet.

Com a commemoració del cinquantenari de l'Orfeó —impossible de ser celebrat públicament—, Joan Llongueras havia promogut la preparació d'un àlbum on s'apleguessin, en reconeixença, endreces de moltes personalitats, d'un ampli espectre artístic i generacional. Pràcticament ningú no faltà a la crida; més de cinc-centes dedicatòries, des de les més altes digni-

tats religioses fins a escriptors de les últimes lleves, testimoniaven l'exemple d'una vida lliurada a l'ideal, i atorgaven, en una mena de plebiscit, una categoria simbòlica definitiva a la seva figura.

Li fou llegida la primera de les endreces, la del cardenal de Tarragona Francesc Vidal i Barraquer i les de Francesc Cambó i del pare Albareda; comentà: «Que és bonic! Moltes gràcies, doneu moltes gràcies a tots...!» En anar-li'n a llegir algunes altres, demanà d'ajornar-ho.

Hores més tard entrava en agonia, mentre era ajudat a ben morir pel seu director espiritual, el pare Josep M. Torrent; a les deu del vespre del 7 de desembre de 1941 s'extingí plàcidament. Tenia setanta-quatre anys.

Amb la seva mort es cloïa definitivament un capítol essencial de la història cultural i musical de Catalunya.

Autògraf de El cant de la senyera.

ÍNDEX ONOMÀSTIC

A

ABADAL, Raimon d', 91
AGUILÓ, Marià, 109
AGUSTÍ, sant, 72, 115
ALBAREDA, Anselm, 326
ALBÉNIZ, Isaac, 20
ALDAVERT, Pere, 20
ALFONSO X, 144
ALIÓ, Francesc, 20, 21, 23, 24, 25, 32, 67, 110
ALLEGRI, Gregorio, 58, 68, 70, 158
ALMIRALL, Valentí, 21
ALTOLAGUIRRE, 94
AMIGÓ, Albina, 129, 200, 201, 323, 325
ARISTÒTIL, 115
ARTÉS, Andreu, 39
ARTÍS, Pere, 5, 8

B

BACH, J. S., 68, 69, 130, 133, 135, 144, 148, 177, 209, 210, 211, 212, 214, 261, 265, 271, 281, 282, 283, 303, 306, 312, 313
BADIA, Josep, 20
BALCELLS, Joan, 142, 181
BALDELLÓ, Francesc, 181
BALMES, Jaume, 194, 276
BARRIENTOS, Maria, 147
BASTARDAS, Albert, 261
BASTÉ, Josep, 209
BAXERES, 93
BEETHOVEN, Ludwig van, 53, 57, 71, 91, 92, 96, 111, 130, 136, 144, 177, 249, 250, 251, 271, 276
BENET XV, 153
BERLIOZ, Hèctor, 65, 66, 68, 111, 130
BERNHARD, Sarah, 34
BERTRAN I BROS, Pau, 109
BLAY, Miquel, 21
BOADA, Pasqual, 11, 201, 291
BONNEFONT, Mr., 38
BOSCH, R., 133
BRET, Gustave, 147, 281
BRUDIEU, Joan, 42, 43, 46, 47, 48, 49, 58, 60, 67, 68, 69, 148, 265
BRUNET, Francesc, 32

C

CABEZÓN, Antonio de, 48, 50
CABOT, Joaquim, 11, 40, 125, 130, 203, 204, 261, 324
CALLAO, Concepció, 209
CAMBÓ, Francesc, 326
CAMPO, Josep, 17
CANALEJAS, José, 144
CANTELOUBE, Joseph, 262
CARDÓ, Carles, 269, 291
CARLES III, 17
CASALS, Pau, 205, 238, 249
CASAÑAS, Salvador, 123
CASAS, Ramon, 21, 29
CASELLAS, Raimon, 29

CASSADÓ, Gaspar, 209
CHAVARRI, Eduard L., 11, 130, 250, 319, 320
CIOFFI, Ernesto, 20
CLASCAR, Frederic, 153
CLAVÉ, Josep Anselm, 19, 24, 29, 30, 31, 34, 40, 67, 75, 81, 87, 92, 96, 117, 123, 124, 140, 141, 143, 144, 148, 177, 225, 226, 227, 228, 250, 273, 277
COLLASSO, família, 61
COLLELL, Jaume, 167
COMELLA, Josep M., 39, 46, 48, 58, 307, 312, 313
CRESPO, Ramon, 209
CUMELLAS I RIBÓ, Josep, 140, 144, 148

D

DALMAU, Eusebi, 19
DACHS, E., 133
DANIEL, Eusebi, 74
D'ANNUNZIO, Gabriele, 147
DANT, 115
DEBUSSY, Claude, 147, 265
DEODAT, pare, 220
DES PRÉS, Josquin, 58, 68, 111
DICKENS, Charles, 115
DOMÈNECH I MONTANER, Lluís, 20, 21, 123
DUCASSE, Roger, 147
DUKAS, Paul, 246

E

ELIES, Isabel, 17
ENSENYAT, Matilde, 209
ESQUERDO, Àngela, 209
ESTANY, Martí, 307, 312

F

FARNÉS, Sebastià, 19
FAURÉ, Gabriel, 147
FELIU I CODINA, Josep, 20
FERNÁNDEZ ARBÓS, Enrique, 144
FERRER, Anselm, 154, 220, 221
FERRER, Conrad, 19
FÉTIS, François-Joseph, 39
FLEMMING, Fritz, 209
FOLCH I TORRES, Ignasi, 249
FONT, Miquel, 19
FORNELLS, Andreua, 209
FRANCK, César, 92, 111, 130, 219, 313
FUSTÉ, Ricard, 209

G

GALLISSÀ, Antoni, 45
GARCIA I ESTRAGUÉS, Jaume, 11, 294, 295, 296, 307
GARCIA I ESTRAGUÉS, Josep M., 11, 299, 311, 312
GARCIA FARIA, A., 39
GARCIA, mossèn, 74
GARCIA ROBLES, Josep, 31, 32, 87
GAUBERT-ROSE, 75
GAUDÍ, Antoni, 20, 29
GAY, Joan, 32, 40, 65, 66
GERHARD, Robert, 115
GIBERT, Vicenç M. de, 11, 107, 120, 199, 210, 212, 237, 249, 312, 318, 319
GIBERT I CAMINS, Joan, 11, 181, 241, 244
GLUCK, Christoph Willibald, 130
GOETHE, Johann Wolfgang, 115
GONZÁLEZ OLIVEROS, Wenceslao, 311
GOULA, Joan, 31
GOUNOD, Charles, 40, 54, 67, 130
GRANADOS, Enric, 32, 39, 148
GRIEG, Edvard, 36, 40, 92, 115, 117
GRIFF, Sandro, 209
GUAL, Adrià, 29
GUANYAVENTS, Emili, 269
GUÀRDIA, can, 19, 20, 23, 51
GUERRERO, Francisco, 41, 59
GUIMERÀ, Àngel, 20, 21
GUZMÁN, Joan Baptista, 46

H

HAENDEL, Georg Friedrich, 40, 57, 123, 148
HAYDN, Franz Joseph, 167, 177, 261
HOMER, 115
HONEGGER, Arthur, 243, 244

I

IBSEN, Henrik, 117
INDY, Vincent d', 34, 147
ISAURA, Amalia de, 189

J

JANNEQUIN, Clément, 92, 111, 144, 146, 265
JAUME, Don, 105
JESÚS, 157, 158, 310
JOFRE, 87
JORDI I, 33

L

LA CIERVA, Juan de, 144
LAMBERT, Joan B., 144, 148
LANDOWSKA, Wanda, 147
LAPEYRA, Josep, 32, 40, 65
LASSUS, Roland de, 61, 68, 92, 111, 265
LEMOINE, Achille-Philibert, 39
LETAMENDI, Josep de, 81
LISZT, Franz, 57
LLAVERIAS, Joan, 143
LLEÓ XIII, 73
LLIMONA, Josep, 45
LLIURAT, Frederic, 107
LLONGUERAS, Joan, 11, 121, 181, 192, 193, 291, 307, 324, 325
LLORENS I BARBA, Francesc X., 194
LLOVET (LLOBET), Miquel, 250
LLUÍS, sant, 320
LLULL, Ramon, 115, 194
LLURÓ, G., 133
LONG, Marguerite, 147
LORAS, Isabel, 317, 323
LUCRECI, 115
LUIS DE LEÓN, fray, 115

M

MACIÀ, Francesc, 269
MADRIGUERA, Paquita, 147
MAHLER, Gustav, 130
MALATS, Joaquim, 119
MANÉN, Joan, 108, 119, 147, 148, 177
MARAGALL, Joan, 21, 29, 46, 49, 50
MARCH, Ausiàs, 194
MARQUINA, Eduard, 66
MARRACO, Josep, 59, 61
MARSILLACH, Joaquim, 81
MARTÍNEZ IMBERT, Claudi, 31, 81, 108
MAS I SERRACANT, Domènec, 41, 46, 58, 148
MASSIÀ, Joan, 133
MATHEU, Francesc, 11, 25, 130, 239, 306, 312
MATTHIAS, canonge, 283
MENDELSSOHN, Fèlix, 92
MENGE, Theodor, 209
MERCADANTE, Saverio, 54, 57
MILÀ I FONTANALS, Manuel, 53, 109, 194
MILLET DE FITA, Joan, 17
MILLET I ESTAPÉ, Salvador, 17, 18
MILLET I ESTAPÉ, Tomàs, 307, 312
MILLET I LORAS, Lluís, 317
MILLET I LORAS, Maria Dolors, 317
MILLET, família, 19
MILLET I MARISTANY, Fèlix, 314
MILLET I MILLET, Lluís M., 8, 11, 34, 119, 201, 216, 217, 218, 289, 299, 317, 318, 320, 323
MILLET I OBRADORS, Margarida, 11, 308, 309, 319, 322, 324, 325
MILLET, nissaga, 17
MILLET I PAGÈS, Francesc, 18
MILLET I PAGÈS, Gabriel, 18
MILLET I PAGÈS, Jeroni, 18
MILLET I PAGÈS, Joan, 18, 40
MILLET I PAGÈS, Josep, 17
MILLET I PAGÈS, Lluís, 5, 7, 8, 9, 10, 13, 17, 18, 19, 20, 21, 23, 24, 29, 30, 32, 34, 35, 39, 40, 46, 51, 52, 58, 63, 67, 68, 75, 76, 82, 83, 85, 92, 93, 99, 100, 107, 108, 115, 119, 120, 123, 129, 130, 133, 139, 140, 143, 144, 147, 148, 150, 154, 161, 167, 168, 178, 181, 182, 189, 190, 195, 205, 206, 209, 210, 215, 216, 219, 220, 225, 226, 229, 230, 235, 236, 243, 249, 250, 253, 254, 261, 262, 263, 269, 273, 274, 279, 281, 282, 287, 289, 290, 293, 299, 303, 311, 312, 317, 321, 325

MILLET I PAGÈS, Salvador, 17
MILLET I TUSELL, Fèlix M., 6
MILLET I VILLÀ, Dolors, 34, 119, 120
MILANS DEL BOSCH, Joaquín, 235
MISTRAL, Frederic, 115
MOIXÓ, casa, 39
MONTOLIU, Manuel de, 115
MORAGAS, Vicenç de, 11, 68, 280, 307, 312
MORALES, Cristóbal de, 41, 47, 58, 70
MORERA, Enric, 29, 65, 92, 133, 134, 144, 148, 266
MORGADES, Josep, 46, 97
MOZART, Wolfgang A., 31, 32, 58, 67, 68, 69, 84, 111, 130, 245, 271

N

NAVARRO, I., 133
NET, Blai, 147
NICOLAU, Antoni, 31, 32, 45, 92, 108, 123, 144, 148, 231, 262, 266, 273, 274, 279
NOGUERA, Antoni, 144, 148
NOVELLI, 43

O

OBIOLS, Marià, 116
OLLER, Narcís, 20
OLMEDA, reverend, 74
OPISSO, Ricard, 29

P

PAGÈS, Francesca, 17
PALESTRINA, Giovanni Pierluigi da, 40, 58, 67, 68, 70, 92, 111, 144, 148, 265
PALLEROLS, *Sidro*, 219
PÀMIES, Lluís, 20
PATXOT I JUBERT, Rafael, 215, 216
PATXOT I LLAGUSTERA, Eusebi, 178
PECANINS, Joaquim, 181
PEDRELL, Felip, 11, 19, 30, 32, 33, 40, 41, 42, 46, 47, 48, 58, 59, 60, 61, 63, 64, 68, 69, 70, 72, 76, 77, 78, 81, 83, 93, 108, 112, 120, 144, 148, 205
PELAGI I BRIZ, Francesc, 109
PENA, Joaquim, 81, 238
PERE sant, 233
PÉREZ-MOYA, Antoni, 58, 70, 148
PI I MARGALL, Francesc, 34
PIDAL, 95
PIERNÉ, Gabriel, 147
PIROZZINI, Carles, 20
PITARRA, Serafí, 20
PIUS X, 57, 67, 73, 74, 153
PIUS XI, 229, 230
PLANÀS, Antoni, 209
PLATÓ, 115
PLUTARC, 115
PORTAS, Joaquim, 74
PRAT DE LA RIBA, Enric, 33, 143
PRIMO DE RIVERA, Miguel, 178, 225, 235, 253
PUIG I CADAFALCH, Josep, 45
PUJOL, Francesc, 11, 58, 68, 130, 144, 148, 177, 210, 211, 212, 238, 250, 289, 290, 314
PUSTET, 60

R

RABELL I CIBILS, Concepció, 178, 215, 216
RACINE, Jean, 115
RAMON DE PENYAFORT, sant, 59
RAVEL, Maurice, 147, 177, 265
RECASENS, Josep, 209
RENART, Joaquim, 11, 306, 312, 313
REUSCHEL, 75
RIBERA, Antoni, 81
RIBERA, Josep, 31
RIBERA, mestre, 60
RICHTER, Hans, 82, 83
RILLÉ, Laurent de, 77, 79
ROBERT, Bartomeu, 87
ROCA, Pilar, 209
ROCA I FERRERAS, Josep Narcís, 21
RODOREDA, Josep, 19
ROJAS, Fernando de, 206
ROJO, pare, 74
ROLLAND, Romain, 249

ROMEU, Lluís, 11, 108, 121, 144, 148, 149, 154, 244
ROSSINI, Gioacchino, 54, 57
RUBIÓ I ORS, Joaquim, 20
RUÉ, mossèn, 74
RUIZ JIMÉNEZ, 144
RUSIÑOL, Santiago, 29
RUYRA, Joaquim, 115

S

SADURNÍ, Celestí, 31
SAINT-SAËNS, Camille, 34, 58, 144, 148
SALVADÓ, Montserrat, 11, 200, 201, 236, 240, 289, 290, 291, 300, 301, 318
SALVAT, Joan, 11, 68, 107, 108, 303, 304, 305, 306, 307, 312, 313
SAMPER, Baltasar, 178
SANCHO MARRACO, Josep, 144, 148
SCHINDLER, Kurt, 108
SCHMITT, Florent, 147
SCHUMANN, Robert, 40, 57
SCHWEITZER, Albert, 11, 13, 133, 209, 211, 212, 213, 281, 282, 283, 284, 313, 314, 319
SCOTT, Walter, 115
SELVA, Blanca, 249
SHAKESPEARE, William, 43, 115
SLAVIANSKY D'AGRENEFF, Dimitri, 40
SOLER, Josep, 20
SOLFERINO, duquessa de, 61
STRAUSS, Richard, 34, 65, 111, 130, 147, 148, 265
STRAVINSKY, Igor, 243, 244, 265
SUNYOL, Gregori M., 11, 153, 154, 219, 220

T

TÀCIT, 115
TALLAFERRO, 87
TERESA, santa, 115
THIBAUT, Jacques, 147
TOLDRÀ, Eduard, 209
TOMÀS, Joan, 291
TOMÀS sant, 220
TORRAS I BAGES, Josep, 115, 129, 173, 194, 220, 270, 306
TORRENT, Josep M., 326
TORT, Carme, 148
TORT, Jacint E., 32, 39
TRULLS, Ferran, 40

U

URIARTE, pare, 53
UTRILLO, Miquel, 29

V

VALLS, Josep, 11, 243, 245
VALLS, Lluís M. de, 130, 153, 293
VALLS I TABERNER, Ferran, 238
VENDRELL, Emili, 209, 210
VERDAGUER, Jacint, 72, 115, 194, 296
VIADANA, Lodovico Grossi da, 58
VICTORIA, Tomás Luis de, 41, 42, 46, 47, 48, 49, 50, 58, 59, 60, 61, 67, 68, 70, 72, 111, 148, 158, 265
VIDAL I BARRAQUER, Francesc, 326
VIDAL I QUADRAS, Carles, 238
VIDIELLA, Carles G., 19, 20
VILANOVA, Emili, 20
VIÑAS, Francesc, 144
VIRGILI, 115
VIVES, Amadeu, 11, 20, 30, 32, 34, 35, 36, 39, 40, 46, 48, 50, 51, 52, 54, 63, 64, 67, 100, 101, 120, 144, 189, 190, 191, 193, 194, 199, 262, 266, 273, 274, 275, 276, 277, 281

W

WAGNER, Richard, 40, 45, 57, 64, 67, 71, 81, 82, 83, 84, 92, 111, 130, 144
WALTER, Georg A., 209
WEHRLE, Emerenciana, 40, 87, 312
WEINGARTNER, Felix von, 250

X

XÈNIUS, 115, 116, 205, 225
XENOFONT, 115

ÍNDEX

Als socis de l'Orfeó Català 5
Pròleg 7
Paraules prèvies 9

ANYS DE FORMACIÓ 15

El primer escrit 23

L'ORFEÓ. DEL CARRER LLADÓ AL PALAU DE
LA MÚSICA CATALANA 27

El somieig modernista 35
Els primers passos de l'Orfeó 39
«Al damunt dels nostres cants» 45
L'amic de l'ànima 51
La Capella de Sant Felip Neri 57
L'actitud crítica 63
La música religiosa i el cant gregorià . . . 67
El contrast internacional 75
La febre wagneriana 81
Un concert a comarques 85
L'embarg de la senyera i la primera audició de
la *Novena Simfonia,* de Beethoven 91

L'arrelament de l'Orfeó 99
Dues eines d'excepció: la «Revista Musical Catalana» i la «Festa de la Música Catalana» . 107
El polemista 115
L'esquinçament vital 119
El Palau de la Música Catalana 123

UNA OBRA CONSOLIDADA 127

La *Missa,* de Bach 133
Un sentit col·lectiu 139
Madrid, 1912 143
El reconeixement europeu 147
El cant litúrgic 153
Una ètica, una estètica 161
El vint-i-cinquè aniversari 167

LA PLENITUD 175

La Germanor dels Orfeons de Catalunya . . 181
Tres constants: sinceritat, catalanitat, amistat 189
El Masnou 195
«Aurea mediocritas» 203
El líder 205
La *Passió,* de Bach 209
L'Obra del Cançoner Popular de Catalunya . . 215
L'idealisme neoplatònic 219
El centenari Clavé 225
El romiatge a Roma 229
La clausura de l'Orfeó 235
L'antinòmia estètica 243
La *Missa Solemnis,* de Beethoven 249
El darrer esclat col·lectiu 253

L'ENYORANÇA DEL PASSAT 259

El desencís 263
L'ideal indefallent 269
La mort d'Amadeu Vives 273

El recés consolador 279
El germà Schweitzer 281

LA VELLESA. LA MORT 285

La maltempsada 289
Càntics per al poble 293
Les privacions bèl·liques 299
El refugi epistolar 303
El silenci punyent 311
L'avi Lluís 317
«L'epíleg de la vida» 321

Índex onomàstic 327